D0901759

Biblioteca

Adele Ashworth

Adele Ashworth

UN AMANTE INDISCRETO

Traducción de
Concepción Rodríguez González

CISNE

Título original: *The Duke's Indiscretion*

Primera edición: julio, 2009

Printed in Spain – Impreso en España

ISBN: 978-84-8450-265-4 (vol. 75/5)
Depósito legal: B-21764-2009

Fotocomposición: Revertext, S. L.

Impreso en Novoprint, S. A.
Energia, 53. Sant Andreu de la Barca (Barcelona)

M 8 0 2 6 5 4

Este libro está dedicado a la memoria de Maxine Harrison Garlick, mi abuela e instructora vocal favorita, una mujer con un gran talento musical que prefirió el amor a la fama y renunció al estrellato en los escenarios operísticos para fugarse con un trompetista y biólogo marino en el Seattle de los años treinta.

¡Te echo de menos, abuelita!

Y sí, practicaré...

1

Londres, Inglaterra, febrero de 1861

Colin Ramsey, el distinguido tercer duque de Newark, llevaba tres años y medio enamorado de Lottie English. Bueno, lo más probable era que ese no fuera su verdadero nombre, y por supuesto no se la habían presentado formalmente. No obstante, esa parte de ella que tanto lo fascinaba cuando la veía cantar en los escenarios jamás se alejaba de sus pensamientos y, según sospechaba, seguiría siendo el núcleo de sus fantasías eróticas hasta que exhalara su último aliento... o hasta que se acostara con ella.

Y esa era la imagen que tenía en mente cuando entró en el magnífico Royal Italian Opera House de Covent Garden y se hizo la solemne promesa de que esa noche hablaría con ella por fin. Había intentado presentarse ante ella en dos ocasiones colándose entre bastidores después de sus actuaciones, pero ella había logrado eludirlo: después de inclinarse ante el público que la adoraba por última vez había abandonado el teatro a toda prisa y se había alejado en carruajes de alquiler hacia lugares desconocidos sin que él lograra alcanzarla.

Ese era el misterio de Lottie English y la razón, suponía Colin, por la que la diva se había apoderado de sus sueños y de sus fantasías. Nadie sabía nada de esa mujer, aparte de que era una de las más grandes sopranos de Inglaterra.

Esa noche, como siempre, disfrutaría de su interpretación de Susanna en *Las bodas de Fígaro*, de Mozart, pero no trataría de presentarse ante ella después de la actuación como había hecho otras veces. Esa noche, la pillaría desprevenida durante el intermedio. Era improbable que se negara a recibir al duque de Newark.

Seguro de sí mismo, Colin se sentía tan entusiasmado como un chaval de escuela mientras observaba a sus amigos: Samson Carlisle, duque de Durham, y su flamante esposa, Olivia, que bebían champán en el centro del vestíbulo del teatro. Como era de esperar, toda la gente a la que conocía personalmente había llegado a enterarse con el tiempo de los libidinosos sentimientos que albergaba por la encantadora Lottie, y todos lo encontraban bastante divertido..., lo bastante para tomarle el pelo de vez en cuando, algo que sin duda harían también esa noche.

La magia de la inminente actuación impregnaba el aire cuando Colin inclinó la cabeza para saludar a unas cuantas damas que le hicieron una reverencia mientras atravesaba el atestado vestíbulo iluminado por las arañas de cristal y los candelabros de las paredes. Esa noche llevaba un atuendo formal; había elegido su mejor traje de seda negra con cuello y puños de terciopelo, una camisa blanca con volantes plisados, un chaleco gris oscuro y una corbata a juego asegurada con un alfiler de ónice. Se había peinado el cabello hacia atrás y se había puesto unas gotas de agua de colonia almizclada. Lottie English se merecía lo mejor.

Fue Olivia quien lo vio en primer lugar, y sus oscuros ojos azules chisporrotearon con suspicacia cuando Colin se acercó a ella.

—Veo que te has puesto tus mejores galas para Lottie English.

Sam soltó un resoplido.

Colin esbozó una sonrisa y cogió la mano enguantada de su amiga antes de darle un beso en la mejilla.

—Yo estaba pensando justo lo mismo.

—Al parecer no piensas en otra cosa —se quejó Sam—. Al menos de un tiempo a esta parte.

Él se encogió de hombros.

—Es la temporada invernal de ópera.

—Cierto —convino Olivia. Después, tras realizar un gesto con la cabeza para que la siguieran, se dirigió a la pared que había a su derecha y los alejó de la multitud. Dio un sorbo al champán y murmuró con malicia—: He oído cierto rumor sobre ella...

Colin enarcó las cejas.

—¿De veras? Adoro los rumores.

—En especial si se refieren a esa mujer —dijo Sam tratando de disimular una sonrisa burlona.

Colin pasó por alto el comentario y observó a Olivia, embargado por la expectación.

—¿Y bien?

Ella comenzó a balancearse un poco hacia delante y hacia atrás mientras lo contemplaba con una media sonrisa.

—Acabo de regresar del salón de las damas, donde muchas de las personas que siempre están al tanto de todo aseguran que es hija de un vizconde.

Sam se echó a reír por lo bajo y se llevó la copa de champán a los labios.

—Un chismorreo ridículo.

A Colin también le parecía muy difícil de creer.

—Las hijas de los aristócratas no trabajan en el teatro —dijo suspirando con exageración—. Me temo que no es más que otro callejón sin salida.

—Sin embargo, existen algunos rumores que son ciertos, ¿verdad? —insistió Olivia, al tiempo que se enrollaba en el dedo uno de los mechones que le caían sobre el cuello—. Al menos todos los rumores que he oído sobre ti parecen serlo.

—¿Qué le ha estado contando su marido sobre mí, milady? —preguntó Colin con fingida indignación.

Sam respondió por ella.

—Nada que no haya escuchado primero en el salón de las damas, eso seguro.

Colin inclinó la cabeza hacia ella.

—Si es allí donde has oído rumores sobre mí, entonces sí, son todos ciertos.

—¿No me digas? —replicó Olivia—. Eres todo un seductor, ¿verdad?

Colin cogió una copa de champán de la bandeja de uno de los criados que pasaba cerca.

—Lo sabré con certeza esta misma noche.

Sam meneó la cabeza y sonrió con ironía.

—Ya estamos otra vez... Supongo que nos harás saber si has logrado conquistarla.

Era una afirmación, no una pregunta, de modo que Colin solo pudo encogerse de hombros.

—Os garantizo en este mismo momento que la exuberante y encantadora Lottie English caerá rendida a mis pies algún día. —Dio un sorbo a la copa y después los señaló a ambos con ella—. Creed lo que os digo.

Olivia se echó a reír de nuevo.

—La determinación es lo que cuenta, ¿no te parece, cariño?

Sam negó con la cabeza, pero no dijo nada.

—¿Sobre qué estamos conversando esta tormentosa noche? —preguntó una alegre voz de barítono a su espalda.

Colin se dio la vuelta y descubrió que se trataba de su amigo y supervisor en su trabajo para la Corona, sir Thomas Kilborne, un caballero corpulento e imponente, con mejillas sonrosadas y escaso cabello negro peinado de una oreja a otra para cubrir su cabeza.

—Buenas noches, sir Thomas —lo saludó con amabilidad—. Charlábamos sobre las damas que se rinden a nuestros pies.

—Vaya... Así que se trata de Lottie English otra vez.

Olivia dio un par de pasos hacia delante para darle un beso en la mejilla.

—Buenas noches, sir Thomas.

—Milady, está preciosa, como siempre —replicó él, al tiempo que se echaba un poco hacia atrás para contemplarla ataviada con el suntuoso vestido de satén rojo oscuro. Después se volvió hacia Sam y se inclinó en una leve reverencia—. Excelencia.

Sam le respondió con una inclinación de cabeza.

—¿Dónde está su encantadora esposa, sir Thomas?

El hombre suspiró de forma exagerada.

—No tengo la menor idea. Me dejó para charlar con un grupo de damas en cuanto entramos.

—Las mujeres suelen hacer ese tipo de cosas, ¿no es cierto? —comentó Colin.

Sir Thomas sonrió de tal forma que sus patillas se agitaron.

—A decir verdad, es un alivio. Se pasará toda la noche golpeándome con el abanico para asegurarse de que permanezco despierto.

—Parece usted tan emocionado por estar aquí como yo —señaló Sam con cierto sarcasmo.

Olivia resopló con fuerza y dio un golpe en el brazo a su marido con el abanico, algo que al parecer les funcionaba a todas las mujeres.

—En ocasiones es necesario hacer algunos sacrificios por las personas a las que amamos.

Sir Thomas rió entre dientes mientras se atusaba el cabello de la coronilla.

—Ha sido ella quien lo ha arrastrado hasta aquí, ¿verdad?

Sam tomó un sorbo de champán.

—No voy a entrar en detalles, pero sí, ha sido ella. Mi pasión por la ópera se limita al momento en que me lavo los dientes.

Una campanilla resonó por encima de las risas, del frufrú de las faldas y del millar de voces que llenaban el vestíbulo, para recordarles que restaban pocos minutos para el comienzo de la actuación.

—Bueno —bromeó Olivia, al tiempo que rodeaba el codo

de su esposo con la mano—, no queremos perdernos la presentación, ¿verdad, cielo?

Con la intención de demorar en lo posible su partida, Sam miró de reojo a su amigo.

—¿Y por qué estás tan seguro de que esta noche conocerás a la famosa señorita English?

Colin sonrió una vez más y fingió arreglarse la corbata.

—Pienso saltar al escenario y declararle mi amor durante la primera aria. No podrá esquivarme si me sitúo frente a ella.

—Por el amor de Dios —intervino sir Thomas—, solo espero que no se ponga a cantar.

Olivia soltó una carcajada.

Sam lo miró fijamente.

—Sabes que si haces algo tan deshonroso tendré que dejar de llamarte amigo, ¿verdad?

Colin encogió los hombros.

—Es el precio del amor...

Olivia le dio unas palmaditas en la mejilla.

—Necesitas una esposa.

—Tanto como un dolor de muelas —protestó él—. A menos, por supuesto, que Sam tenga pensado deshacerse de ti.

—Ni lo sueñes —replicó el aludido con demasiada rapidez.

Olivia sonrió de oreja a oreja.

—Bien, puesto que al parecer yo no estoy disponible, tal vez Lottie English acceda a casarse contigo.

Colin tomó un par de tragos de champán.

—Creo que eso es muy improbable.

Sir Thomas resopló por lo bajo.

—Solo porque ella no se atrevería. No si te pones en ridículo saltando al escenario durante la actuación. Te convertirás en el hazmerreír de toda Inglaterra.

Olivia inclinó la cabeza a un lado para estudiarlo con expresión animada.

—¿Y cómo esperas conocer a la que pretendes que sea tu... «amiga», por llamarla de alguna manera?

Colin alzó uno de sus hombros.

—Me colaré entre bastidores durante el intermedio para presentarme.

Todos se echaron a reír, incluido Sam, lo que significaba que lo consideraban un enfermo de amor y que no creían en sus palabras.

—Durante el intermedio... —repitió Olivia, que fruncía el ceño con asombro.

Colin le guiñó un ojo.

—¿Qué otra cosa podría hacer un hombre solo y desesperado?

Sir Thomas se aclaró la garganta.

—Bueno, mientras planeas tu... bueno... «proposición»...

—En realidad ha querido decir «asalto» —intervino Sam—. Pobre mujer.

—Eso sin duda —convino sir Thomas—. Pero me gustaría hablar contigo, Colin, antes de que pierdas la cabeza por la belleza del escenario y te lleven a Bedlam.

—Gente de poca fe... —respondió Colin antes de apurar el contenido de su copa.

—Debemos sentarnos ya, cariño —insistió Olivia mientras tiraba de la manga de su marido—. Sé que no querrías perderte la apertura por nada del mundo.

—Ni se me había pasado por la cabeza algo así —mintió Sam, que trató de disimular una sonrisa mientras contemplaba a su esposa.

Olivia se recogió las faldas con intención de marcharse antes de dirigir su atención al mayor de los hombres.

—Bueno, sir Thomas, tal vez nos veamos durante el intermedio.

El caballero entrechocó los talones.

—Aquí estaré, por supuesto, con mi señora. Cumplo con mis obligaciones siempre que puedo.

—Estupendo. Y Colin, querido —dijo al tiempo que sacudía la cabeza y lo recorría con la mirada de arriba abajo—, compórtate.

—Haré cuanto pueda para controlarme, milady —replicó él con fingida seriedad—. Pero te garantizo que será una noche memorable. Al menos para mí.

Olivia enderezó los hombros con un suspiro.

—En ese caso, espero escuchar todos los detalles, por supuesto. Te veremos en tu palco, querido. —Tras eso, se dio la vuelta y arrastró a su marido hacia las puertas interiores, ocultas en esos momentos tras los muchos asistentes al teatro que se disponían a entrar para ocupar sus asientos.

Colin colocó la copa de champán vacía junto a otras muchas en una pequeña barra auxiliar que había a su izquierda y después caminó en silencio junto a sir Thomas hacia el extremo opuesto del vestíbulo, a fin de aguardar a que el lugar se despejara antes de iniciar la conversación. El nerviosismo que le producía el inminente encuentro con Lottie English se incrementaba con cada segundo que pasaba, así que decidió acabar cuanto antes con el asunto que sir Thomas y él se traían entre manos, para poder ver cómo se alzaba el telón y contemplar a la mujer de sus sueños.

—¿Qué tienes para mí? —preguntó tan pronto como estuvieron a solas, revelando su impaciencia.

Sir Thomas echó un vistazo a su alrededor, aunque logró no parecer vigilante.

—Charles Hughes —dijo en voz baja, al tiempo que se llevaba la copa de champán a los labios.

—¿Charles Hughes? —repitió Colin, que se pasó la palma de la mano por el cuello sudoroso.

Sir Thomas frunció el ceño. La gruesa papada del hombre se alzó por encima del cuello almidonado de su camisa cuando asintió con la cabeza.

—El conde de Brixham. Según parece, mantiene relaciones de lo más interesantes con los gobiernos extranjeros.

Colin enlazó las manos a la espalda para mantener a raya la creciente agitación que lo embargaba.

—¿Qué clase de relaciones?

Su superior respiró hondo, contuvo el aire por un momento y después lo soltó muy despacio mientras contemplaba la alfombra que había a sus pies.

—No es seguro, pero sospechamos que trata de vender cierta información que ha conseguido gracias a su participación en varias comisiones de la Cámara.

La Cámara de los Lores. Colin lo meditó durante unos instantes. Solo conocía de vista al conde de Brixham, aunque quizá se hubieran estrechado la mano en un par de ocasiones. Con todo, parecía improbable que acusaran al hombre de algo semejante sin una buena razón.

—¿Por qué? —inquirió sin más—. ¿Qué se sabe de él?

Sir Thomas volvió a mirarlo a la cara; su expresión se había tornado seria y tenía los oscuros ojos castaños entrecerrados.

—Está terriblemente endeudado. Mala suerte con las cartas y todo eso. —Hizo una pausa antes de añadir—: Creo que ha llegado a tal extremo que estaría dispuesto a hacer cualquier cosa para conseguir dinero.

Colin trató de concentrar su mente en los detalles que le había proporcionado sir Thomas y alejarla de las lujuriosas curvas de la famosa soprano que aparecería sobre el escenario de un momento a otro.

—¿Y qué crees que puedo hacer yo? —preguntó en un intento por ir al grano.

Sir Thomas apuró su copa de champán de un único trago.

—Necesito que te reúnas con él —contestó después de lamerse los labios—, que vayas a su casa...

—Sabes que no soy un investigador, Thomas —intervino Colin, que ladeó un poco la cabeza para contemplar a su superior con escepticismo—. ¿No tienes a otro que pueda encargarse de esto?

El anciano negó con la cabeza en un gesto obstinado.

—No. Lo más seguro es que el hombre empezara a sospechar si le enviamos a alguien de los nuestros; tú solo serás un aristócrata perezoso con demasiado dinero que quiere comprarle su antiguo piano.

Colin rió por lo bajo, incrédulo.

—No puedes estar hablando en serio...

—Pues sí —fue la rápida respuesta.

—No necesito un piano —señaló Colin con amabilidad, a sabiendas de que esa observación era muy discutible—. Tengo un piano estupendo que, como bien sabes, jamás utilizo.

Sir Thomas se rascó las patillas sonriendo con ironía, mientras volvía a recorrer con la mirada el vestíbulo casi vacío.

—Es una buena excusa, y está claro que él se mostrará dispuesto a venderlo. Creemos que se encuentra en serias dificultades económicas, y el piano vale una buena suma. —Suspiró—. Pero también quiero que entres en su casa, que veas cómo vive ese hombre, que hagas una estimación general de sus posesiones y ese tipo de cosas. Cuando le hagas una oferta por el instrumento, pídele una escritura de venta en toda regla. Y eso es todo. Puedes conseguir al menos eso, ¿verdad?

Por supuesto que podía conseguir una escritura de venta; después de todo, era un profesional. Sin embargo, Colin guardó silencio mientras reflexionaba sobre esa extraña petición de su superior.

Sir Thomas se dio cuenta de su reserva y dijo en tono jovial:

—Es por el bien de Inglaterra, muchacho.

Y con eso solucionó el asunto. ¿Cómo iba a negarse?

—Dame al menos una semana —accedió Colin suspirando.

Sir Thomas sonrió de oreja a oreja.

—No hay problema. Según tengo entendido, el tipo tiene una hermana que ha rechazado a todos sus pretendientes durante las últimas tres o cuatro temporadas. Tal vez quieras cortejarla.

Colin soltó un resoplido antes de echarse a reír.

—Ni hablar.

Su superior sacudió la cabeza con fingido pesar.

—Tal y como acaba de señalar la adorable duquesa de Durham, necesitas una esposa.

Tras ese consejo, sir Thomas levantó la mano y le dio unas palmaditas en el hombro antes de marcharse a toda prisa...

para buscar a su propia esposa y evitar que esta le recordara lo importante que era estar sentado cuando empezaba el espectáculo, supuso Colin. Las esposas no traían más que problemas: se gastaban el dinero en frivolidades, lloriqueaban cuando les negaban algún lujo y se quejaban sin cesar por cosas sin importancia. Lo que él necesitaba era una buena amante que no pudiera hacer ninguna de esas cosas sin arriesgarse a perder todo lo que había conseguido durante la relación. Había pasado una eternidad, o eso le parecía, desde la última vez que se había acostado con una mujer; y la única a la que deseaba en esos momentos era la hermosa y brillante Lottie English.

Con esa idea en mente, reprimió parte de la anticipación que sentía y se dirigió hacia las escaleras en el preciso instante en que la orquesta comenzó a tocar.

2

Como siempre, Lottie English deslumbraba sobre el escenario. Colin estaba sentado con Sam y Olivia en el tercer palco, el mismo palco que había adquirido casi cuatro años atrás, justo después de que la célebre soprano cantara por primera vez, antes de convertirse en la estrella del momento. Esa noche consiguió fascinarlo por completo una vez más, no solo con su magnífica actuación y su voz espectacular, sino también con su extraña habilidad para adueñarse de la escena, para cautivar a toda la audiencia. Contempló su disfraz, la enorme peluca blanca que ocultaba el color de su cabello y los cosméticos que cubrían su rostro. Aun de semejante guisa, esa mujer era capaz de parecer elegante y majestuosa, incluso arrebatadora, aunque Colin supuso que era su interpretación lo que lo tenía cautivado.

Tenía unos pómulos altos, un rostro oval, una cintura de avispa y un busto bien dotado, algo que no le había pasado desapercibido a lo largo de los años. Además, cantaba como los ángeles.

—Es magnífica —le susurró Olivia cuando concluyó la primera aria de Lottie y el público prorrumpió en aplausos.

Colin esbozó una sonrisa radiante, invadido por una estúpida sensación de orgullo que lo había acompañado durante cada segundo de la representación; una satisfacción que no tenía razón de ser, ya que Lottie aún no le pertenecía. Sin embargo, con la ayuda de Dios y con una buena dosis de persuasión propia, pronto lo haría. Muy pronto.

Se acercaba por fin el último intermedio, y su corazón comenzó a latir con fuerza, presa de un súbito ramalazo de excitación. Casi había llegado el momento de colarse entre bastidores para conocerla, y ella no podría negarse a recibirlo si se presentaba ante ella como el distinguido duque de Newark. Colin no solía utilizar su título para conseguir lo que quería, pero no se le ocurría ninguna otra forma, y por desgracia estaba desesperado. Debía averiguar si se le encendía la sangre de la misma forma al verla de cerca que al contemplarla desde la distancia.

Echó un vistazo a Olivia y a Sam durante la última escena antes del descanso y descubrió con cierta diversión que su amigo apenas lograba mantener los ojos abiertos; eso le hizo preguntarse cuántos de los espectadores masculinos tenían el mismo problema esa noche. Olivia, en cambio, parecía tan cautivada como él, aunque por razones muy diferentes, claro. Colin se inclinó hacia delante para apretarle la mano, suplicándole en silencio que le deseara suerte. Ella lo miró y sacudió la cabeza.

—Compórtate... —articuló con los labios.

Él se limitó a guiñarle un ojo antes de ponerse en pie y abandonar el palco en silencio.

Jamás había estado entre bastidores durante una obra, así que no estaba seguro de qué debía esperar. No obstante, pensaba hacer todo lo que estuviera en su mano para pasar desapercibido y evitar a toda persona que no formara parte del personal del teatro. No quería ni imaginarse la humillación que sufriría si Lottie English se reía de él en sus narices antes de rechazarlo y había algún espectador por allí para presenciarlo.

Mientras la música sonaba en el escenario, Colin alzó la barbilla y fingió saber exactamente hacia dónde se dirigía. Descendió con cautela la escalera y avanzó a toda prisa por el pasillo de la izquierda, que conducía hacia el estrado inferior de la orquesta, sin encontrarse más que a un par de personas que apenas le prestaron atención. Quedaban pocos segundos para que empezaran los aplausos, lo que señalaría el final del intermedio, y quería entrar antes de que alguien se fijara en él. Al cabo, vio a una especie de vigilante situado frente a las puertas de madera que daban paso a la zona de bastidores; sin duda, su trabajo consistía en impedir el paso a personas que, como él, pretendían crear problemas a los intérpretes de manera intencionada.

Tras esbozar su sonrisa más encantadora, Colin avanzó hacia el empleado del teatro con zancadas decididas y expresión solemne. Una vez delante de él se dio cuenta de que ese hombre flaco no tendría más de veinte años.

—Su excelencia el duque de Newark desea ver a la señorita English, por favor —le dijo al muchacho con aplomo, mientras se estiraba los puños de terciopelo—. No me llevará más de un minuto.

Asombrado, el joven lo miró de arriba abajo con expresión recelosa.

—¿Ella lo espera?

Puesto que había previsto dicha pregunta, Colin entrelazó las manos a la espalda sin dejar de mirarlo a los ojos.

—Por supuesto. Se trata de un asunto importante.

Tras decidir después de unos segundos que era mejor no enfrentarse con un hombre de tal posición, el joven asintió con la cabeza.

—Solo tendrá unos minutos, excelencia —le advirtió el vigilante con un toque de desaprobación—, antes de que empiece el acto final.

—No necesitaré más —replicó Colin con calma.

El muchacho se echó a un lado, abrió la puerta lo justo para que él entrara y después la cerró a su espalda.

Colin permaneció inmóvil en la oscuridad mientras aguardaba a que sus ojos se adaptaran y luego se abrió camino entre cajas, gigantescos decorados, cuerdas, poleas y todo tipo de tablones. Escuchó las repentinas risas y los aplausos de los espectadores mientras se acercaba a las pequeñas estancias donde los protagonistas y los intérpretes pasarían unos minutos de descanso antes de regresar al escenario para finalizar la ópera.

Oyó algunos susurros y risas cuando los miembros del reparto y la plantilla empezaron a acercarse a la parte posterior, pero actuó como si supiera con exactitud lo que estaba haciendo e inclinó la cabeza un par de veces para saludar a los mugrientos trabajadores, que compusieron una expresión extrañada, o tal vez confundida, al ver a un hombre vestido de gala en un lugar donde no debería estar. Colin sabía cuál era el camerino de Lottie, ya que había intentado reunirse allí con ella en otra ocasión, así que se dirigió hacia el lugar sin detenerse. Respiró hondo para darse ánimos y, tras asegurarse de que no oía ningún ruido en el interior, giró el picaporte y se adentró en la estancia.

El camerino estaba algo más iluminado de lo que se esperaba, ya que había tres lámparas de aceite encendidas: una a cada lado del tocador, cuya luz se reflejaba en el enorme espejo de marco dorado, y la otra al fondo de la habitación, encima de un viejo armario de roble.

Lo primero que vio Colin fue a la doncella que estaba colocando cosméticos, pinceles y pequeños frasquitos de quién sabe qué sobre la mesa situada frente al espejo. La joven levantó la cabeza cuando lo oyó entrar y lo miró boquiabierta, confundida.

—¿Es usted...? ¿Puedo ayudarlo en algo, señor? —preguntó con los ojos abiertos de par en par mientras se apretaba un grueso cepillo contra los senos.

Colin sonrió.

—He venido a reunirme con la señorita English.

—Ah. —Vacilante, la doncella lo recorrió de arriba abajo con la mirada de la misma forma que lo había hecho el huesudo muchacho de la puerta—. ¿Ella lo espera?

Colin deseó poder decirle que se marchara sin más y que las razones por las que se encontraba allí no eran asunto suyo. Sin embargo, imaginó que era bastante inusual que la famosa soprano se viera abordada por hombres desconocidos del público durante la actuación.

—Sí —contestó mientras contemplaba la habitación. De pronto se dio cuenta de que los elementos decorativos revelaban un toque decididamente femenino, desde el pequeño canapé de terciopelo verde esmeralda que había junto a la pared, empapelada con un diseño floral, hasta las docenas de rosas de todos los colores que llenaban los numerosos jarrones de cristal emplazados en todas las superficies disponibles de la estancia. Estaba claro que no era el único admirador de Lottie, pensó divertido y fastidiado a un tiempo.

Volvió a mirar a la muchacha, que aún lo contemplaba con expresión perpleja.

—¿Querría dejarnos a solas, por favor? —exigió en un tono amable aunque autoritario.

La joven parpadeó con rapidez y tragó saliva.

—Pero... pero debo ayudarla en lo que necesite...

Colin avanzó muy despacio hacia ella.

—Yo me haré cargo de sus necesidades esta noche.

—¿Y qué necesidades son esas, excelencia?

Sobresaltado, Colin se dio la vuelta a toda prisa para encarar la exquisita figura y la voz ronca y sensual de la gran Lottie English, que en esos momentos se encontraba en el vano de la puerta, con el hombro apoyado contra el marco y los brazos cruzados a la altura del pecho. No había efectuado reverencia alguna y lo contemplaba con curiosidad.

Colin notó que se le ponía la piel de gallina y que se ruborizaba bajo el apretado cuello de la camisa, de modo que se llevó las manos a la espalda para evitar que le temblaran.

—Señorita English —saludó en tono grave y controlado—, por fin nos conocemos.

La famosa soprano lo observó fijamente durante largos e incómodos segundos. Después se enderezó y se adentró en el camerino con cierta dificultad debido a los gigantescos aros del disfraz.

—Puedes marcharte, Lucy Beth. Yo me encargaré de él.

¿Encargarse de mí?, pensó Colin. Por lo visto le había molestado bastante que hubiese aparecido de improviso, y la frialdad de sus modales lo dejó algo perplejo.

Todavía algo confundida, la joven doncella hizo lo que le pedían y se inclinó un par de veces.

—Señora. Excelencia. —Tras eso, salió por la puerta como un conejo asustado y cerró con fuerza.

Colin apenas fue consciente de su marcha, ya que tenía la mirada clavada en la protagonista de sus fantasías, que se encontraba frente a él por primera vez. Esa noche estaba radiante, mucho más hermosa de lo que la había imaginado. Llevaba un vestido de época de lujoso satén en color blanco y verde azulado; el escote era bajo y el corsé elevaba los pechos de la diva hasta su más alto esplendor. Sus enormes ojos, de un maravilloso azul, estaban perfilados con una gruesa línea negra que enfatizaba su color y su viveza en el escenario; su perfecto rostro oval estaba cubierto con una densa capa de crema blanca y polvos que hacían juego con la peluca, llena de lazos dorados que resplandecían a la luz de las lámparas.

—Me está mirando fijamente —señaló ella, que pasó de repente a su lado para dirigirse al tocador. Se sentó en la pequeña silla acolchada con tanta elegancia como se lo permitieron los gigantescos aros del vestido y se tomó un momento para contemplar su imagen en el cristal.

Colin no se había dado cuenta de que lo hacía, pero no podía negarlo.

—Es usted una fantasía hecha realidad —admitió con voz seria al tiempo que se acercaba al tocador. No podía dejar de mirarla, fascinado, mientras ella se aplicaba más polvo en las mejillas.

—¿Por qué está aquí, excelencia? Seguro que tiene cosas más importantes que hacer que interrumpir una actuación.

—¿Cómo sabe quién soy? —preguntó él, que se había concentrado en controlar su respiración para no parecer embrujado.

Una de las comisuras de sus labios pintados de rojo se elevó con falsa timidez mientras lo contemplaba a través del espejo.

—Creo que todo el mundo sabe quién es usted.

—Una respuesta bastante buena —replicó Colin, que no pudo evitar esbozar una sonrisa maliciosa—. Pero me interesa mucho más usted y lo que sabe sobre mí.

—¿No me diga? —inquirió ella. Después, sin mirarlo añadió—: Hace mucho tiempo que lo conozco.

La señorita English jamás llegaría a imaginarse lo mucho que lo habían animado esas pocas palabras.

La soprano suspiró, dejó la brocha de los polvos y abrió un diminuto bote de colorete de color rojo brillante.

—¿Cree que no he visto cómo aplaudía desde el palco número tres después de cada actuación?

Ese comentario adicional lo desanimó un poco, ya que por primera vez se dio cuenta de que a ella debía de parecerle un estúpido.

—No puedo evitarlo, señorita English —contestó con sinceridad—. Usted... me encandila.

La mujer sonrió de oreja a oreja mientras se aplicaba el colorete en las mejillas.

—Eso me resulta de lo más interesante.

Colin se acercó un paso más.

—Es cierto. Y al parecer hay muchos caballeros tan encandilados como yo. Aunque sin duda son merecidas, jamás había visto tantas rosas en una habitación en toda mi vida.

La sonrisa femenina se atenuó un poco y Colin no pudo evitar preguntarse si sus palabras la habían molestado tanto como su súbita aparición. Eso era lo último que deseaba, ahora que había conseguido por fin hablar con ella.

—Lottie English es la sensación del momento —comentó ella con voz ronca y pensativa—. Pero ninguno de los hombres que me envían flores, joyas o bombones me conoce en absoluto. Solo les gusta lo que ven, o lo que finjo ser. —Recorrió el rostro de Colin reflejado en el espejo y después volvió a prestar atención a los cosméticos—. Me conocen tan poco como usted, excelencia.

—Entiendo —confesó él en voz baja.

—¿De veras? —preguntó ella en tono frívolo.

—Sí.

La mujer se concentró en sus brillantes labios rojos mientras se aplicaba con maestría el mismo tono carmesí con pequeños toques del pincel.

—¿Esa es la razón por la que nunca me ha enviado rosas?

A decir verdad, jamás se le había ocurrido regalarle flores, y en esos momentos se alegró de no haberlo hecho. Enviarle rosas le habría hecho parecerse al resto de los admiradores, a los que ella parecía considerar un fastidio.

Dio unos cuantos pasos más para situarse detrás de su silla y la observó en el espejo.

—Es usted muy hermosa —aseguró en un susurro grave—. Un ramo de flores jamás podría hacerle justicia.

Colin percibió un ligero titubeo en sus movimientos mientras se pintaba los labios, pero ella no lo miró.

—Me halaga usted, milord. Con todo, lo cierto es que los cosméticos hacen maravillas con un rostro pálido y ordinario.

Él frunció un poco el ceño al escucharla.

—Ordinario jamás, querida Lottie. Tiene un rostro exquisito. Al igual que el resto de su persona, incluida su voz.

La mujer parpadeó, desconcertada por su sinceridad. Sus vibrantes ojos azules se clavaron en él a través del cristal.

—¿Por qué está aquí?

En esa ocasión la pregunta revelaba un verdadero interés, y el calor de su mirada, sumado a la intensidad de su tono de voz, le produjo una súbita oleada de satisfacción.

—Quiero conocerla mejor —respondió con una sonrisa amable.

La diva entrecerró los ojos para estudiarlo al detalle. Luego dejó escapar un largo suspiro y bajó los párpados antes de centrar su atención en la mesa de cosméticos para coger un cepillo.

—Dudo mucho que haya venido hasta aquí para invitarme a cenar.

—Me encantaría cenar con usted —se apresuró a replicar Colin.

Ella se encogió de hombros con resignación.

—Por desgracia, no podrá ser. No puede cortejarme, excelencia, así que ¿para qué?

¿Para qué? Para meterte en mi cama, por supuesto, pensó Colin exasperado. Ella tenía que saberlo.

Despacio, con mucha cautela, levantó una mano y deslizó los dedos por su cuello para disfrutar de la suavidad de su piel, aunque anhelaba hacer mucho más. Para su alivio, ella no se apartó ni lo reprendió. La señorita English se estremeció de manera casi imperceptible, y fue entonces cuando Colin comprendió lo mucho que le gustaba a esa mujer.

—Creo que me ha investigado, Lottie. Por eso sabe quién soy —dijo con voz seria mientras arrastraba los dedos hasta la base de su garganta y acercaba su palma a la clavícula desnuda.

Ella estuvo a punto de sonreír.

—Yo también tengo fantasías, excelencia —replicó en un tono ronco y sensual mientras cerraba los ojos para disfrutar de sus caricias.

Colin apenas pudo contener las reacciones físicas y mentales que le provocó esa respuesta. Tuvo una erección ante el mero hecho de escuchar su voz, de saber que había llamado su atención lo suficiente para que lo investigara; lo suficiente para expresar cierto interés por él, para mostrar que necesitaba sus caricias, para revelar que lo deseaba casi tanto como él a ella.

Sí. Serían amantes. Jamás había tenido algo tan claro.

—En ese caso deberíamos compartir nuestras fantasías —murmuró—. Y lo cierto es que me gustaría que nos convirtiéramos en... amigos íntimos lo antes posible.

Las comisuras de los labios femeninos se elevaron un poco, y Lottie abrió los ojos para estudiarlo con detenimiento.

—De modo que esa era la necesidad a la que se refería cuando dijo que iba a ayudarme, ¿no es así?

Colin sonrió y admitió con voz calma:

—Será un placer para mí, y le prometo que también para usted, ayudarla en todo lo que necesite. No deseo otra cosa que estar a su lado.

La mujer asintió y entrelazó las manos sobre su regazo.

—Entiendo. —Bajó la mirada antes de agregar en un murmullo—: Debo admitir que jamás me había sentido tan tentada...

Una súbita llamada a la puerta los sorprendió a ambos. Colin apartó con rapidez las manos de su cuello para dejarlas a los costados.

—¿Sí? —preguntó Lottie de inmediato, en un tono de voz que ya había recuperado su aplomo y sofisticación.

La puerta se abrió con un crujido y una mujer ataviada con el traje de escena se asomó al interior de la estancia; al ver a Colin, abrió la boca en un gesto de sorpresa.

—Huy, perdón. Cinco minutos, Lottie.

—Gracias, Sadie, saldré ahora mismo.

Tras una brevísima pausa, la mujer cerró la puerta de nuevo.

Colin se volvió hacia Lottie, el sensual ángel de sus sueños, deseando disponer de más tiempo. Unos minutos en su presencia parecían solo segundos.

—Entonces ¿accede a reunirse conmigo? —preguntó en un tenso susurro—. ¿En privado?

Ella tomó aire de forma trémula y se puso en pie; los enormes aros del vestido giraron a su alrededor cuando se dio la vuelta para mirarlo a la cara.

Colin enfrentó su mirada resuelta y se preguntó qué clase de belleza se ocultaba tras el disfraz, los cosméticos, la peluca y toda esa afectación, impaciente por empezar a descubrirla.

Ella esbozó una sonrisa lánguida y entornó los párpados con malicia.

—Eso le gustaría, ¿verdad? —preguntó con picardía—. Llevarme a su cama, hacerme el amor con infinita pasión. Hacerme suya.

Su descaro lo excitó tanto que tuvo que tomar aire y apretar los dientes. Le hormigueaban las manos por el deseo de tocarla y tenía la nuca empapada en sudor.

—He soñado con eso durante años —susurró, revelando más de lo que había pretendido en un principio. Después añadió con voz ronca—: Usted y solo usted se ha convertido en el objeto de mis más íntimas fantasías.

Quería que supiera lo que provocaba en él. Si la había escandalizado al revelarle que pensaba en ella en sus momentos de onanismo, ella no lo demostró, y eso decía mucho de su experiencia con los hombres.

Lottie elevó un poco la barbilla para contemplarlo con aire pensativo mientras enredaba entre sus dedos la ristra de perlas que le colgaba sobre el pecho.

—Según tengo entendido, los hombres se cansan pronto de sus juguetes —murmuró—. Tal vez desee algo más de un caballero que su devoción íntima.

Colin tragó saliva ante tamaña muestra de sinceridad y no supo muy bien qué responder.

—Creo que eso podremos resolverlo con el tiempo —dijo, sorprendido ante su propia ambigüedad—. Pero le aseguro que nunca la consideraría un juguete. Lo quiero todo de usted.

Eso pareció desconcertarla, ya que su mirada vaciló un poco. Instantes después, y para el más absoluto asombro de Colin, la diva se puso de puntillas, apoyó los labios pintados sobre los suyos y lo besó con suavidad; no obstante, su fachada de serenidad ocultaba una desesperación que Colin percibió sin dificultad. Tuvo que echar mano de toda su fuerza de voluntad para no rodearle la cintura, levantarle las faldas y saborearla por entero allí mismo, en el camerino. Se contuvo para no asustarla con una reacción demasiado brusca, pero en el momento en que ella notó que su deseo iba en aumento, se apartó con lentitud.

Con la respiración agitada y los ojos cerrados, la soprano apoyó la palma de la mano sobre su pecho.

—Lo pensaré, excelencia.

Luego se recogió las faldas, apartó la mirada, se acercó a la puerta y la abrió.

—¿Lottie? —la llamó Colin, eufórico y lleno de esperanzas. Ella respiró hondo y se volvió para mirarlo con la mano apoyada en el marco de la puerta—. Me llamo Colin.

Esperaba que ella le revelara también cuál era su verdadero nombre, pero no lo hizo. En cambio, esbozó una leve sonrisa y alzó la mano para recorrer con los dedos el borde del escote del vestido.

—Lo sé —replicó con voz grave y sensual.

Una vez dicho eso, se marchó.

Colin se dejó caer en la silla del tocador que ella había ocupado momentos antes, estupefacto ante su reacción, entusiasmado como nunca antes y temblando de la cabeza a los pies.

Ella lo deseaba. Y lo había besado, por el amor de Dios. Enterró los dedos en su cabello. Ninguna de sus fantasías podía compararse con lo que había experimentado al sentir esos labios contra los suyos; esos labios que lo habían provocado e incitado. Esos labios que le habían suplicado más.

En cuanto se recuperó un poco, se puso en pie, se estiró el chaleco y salió prácticamente a la carrera del camerino. Pasó por alto las miradas de reojo y las expresiones extrañadas del personal y de los actores mientras atravesaba sin problemas la puerta custodiada para salir al pasillo.

Llegó al palco y ocupó su asiento justo cuando la orquesta comenzaba a tocar.

—¿Y bien? —preguntó Olivia con impaciencia, al tiempo que lo golpeaba suavemente con el codo.

Colin no pudo reprimir una sonrisa.

—¿Y bien... qué?

Ella abrió la boca en una expresión de sorpresa.

—Dios santo, ¡la has besado!

De inmediato, Sam asomó la cabeza por detrás de la de su

esposa y, tras mirarlo extrañado durante un par de segundos, estalló en carcajadas.

—¿Qué pasa? —inquirió Colin molesto.

Olivia se echó a reír por lo bajo y después se quitó uno de los guantes para frotarle los labios con el pulgar.

—Ha dejado su huella en tus labios, querido —le dijo.

En ese momento lo entendió, pero le importó un comino. Se puso de nuevo de cara al escenario.

—No volveré a lavarme la boca jamás.

—Eres terrible —comentó Olivia con fingido desagrado.

—La verdad es que sí —convino él con un suspiro—. Pero presta atención. Ella me saludará antes de que termine la noche.

Y lo hizo. Cuando la representación llegó a su fin dieron comienzo los vítores, y tras inclinarse ante su público con un ramo de rosas en la mano, la soprano alzó la vista hasta su palco y sonrió.

3

Para Colin, la semana había sido un infierno. Además de haberse visto obligado a despedir a uno de los miembros de su personal de servicio a causa de su gandulería y a repasar los libros de cuentas para descubrir un error garrafal que había cometido su banquero, lo había embargado una abrumadora necesidad de ver a Lottie de nuevo, de tocarla, de besarla con pasión, de hacerle el amor muy despacio y acariciarla hasta que le suplicara más. Había pasado casi una semana desde aquella maravillosa noche en la que la conoció por fin y, en contra de sus deseos, había tenido que resignarse y lavarse la boca, aunque el recuerdo de sus labios suaves había prendido un fuego que aún no había conseguido apagar.

Tenía la intención de volver a reunirse con ella la noche del día siguiente, después de su actuación en el teatro, pero esperar toda una semana para verla de nuevo había sido un auténtico calvario. Le habría encantado saber quién era y dónde vivía para poder visitarla en su casa, pero suponía que los secretos eran una parte muy importante de su aire misterioso y de su atractivo. A esas alturas, le habría importado un comino descubrir que era la hija de un barrendero; lo único que quería era hundirse en ese delicioso cuerpo.

Tras dejar la impaciencia a un lado, llamó a la puerta de la casa que el conde de Brixham tenía en la ciudad, emplazada a escasas tres calles de distancia de la suya. Al instante, un altivo mayordomo abrió la gigantesca puerta y Colin le informó de sus intenciones. Lo invitaron a entrar y lo llevaron de inmediato hasta el estudio para que esperara al conde allí. Nada más entrar, examinó la estancia para averiguar todo cuanto le fuera posible sobre el nivel de vida del dueño.

Brixham había decorado el estudio con bastante elegancia, siempre que no se tuviera en cuenta la escasez de muebles. La habitación contaba con dos mecedoras tapizadas en cuero negro en buen estado, situadas frente a un robusto y avejentado escritorio de roble, sobre el que había varios montones de papeles desordenados y un solitario tintero. El papel de las paredes se había desprendido en uno de los rincones, aunque ningún visitante ocasional se fijaría en ello. El carbón ardía lentamente en la chimenea que había a su derecha, aunque en la repisa no había más que una pequeña acuarela que representaba la ladera de una colina llena de árboles.

Para aprovechar el tiempo hasta la llegada del conde, Colin echó un vistazo al escritorio y apartó un par de papeles a fin de evaluar su contenido. Buscaba alguna anomalía en los negocios comerciales del hombre, pero no encontró nada inusual a excepción de una pequeña anotación en un papel para tirar en la que aparecía una lista de números que podría proporcionar una pista sobre su estado financiero. Se metió el papel en el bolsillo a toda prisa y tomó asiento en una de las mecedoras de cuero justo cuando el conde de Brixham entraba en la habitación.

Colin se fijó en su estatura, en su aspecto pulcro y aseado, en el traje informal de color castaño claro, en su cabello rubio rojizo y en su tez pecosa. El conde era mayor de lo que esperaba. Brixham parecía tener cerca de cuarenta años y estaba claro que era un soltero empedernido, igual que él.

—Buenas tardes, excelencia —lo saludó el hombre con educación, al tiempo que avanzaba hacia él para estrecharle la mano. Luego añadió con una sonrisa sincera—: Tengo la esperanza de que haya venido a preguntar por mi hermana.

Colin enarcó las cejas.

—¿Su hermana?

La sonrisa de Brixham se apagó un tanto mientras rodeaba el escritorio y se sentaba en la mecedora que había tras él.

—Vaya, esperaba... Bueno, no importa. —Hizo un gesto con la mano en el aire—. ¿Qué puedo hacer por usted?

Colin lo estudió con detenimiento. Era evidente que el conde estaba impaciente por encontrar un marido a su hermana, probablemente para recortar gastos. No había nada malo en ello, por supuesto, en especial si la mujer estaba en edad casadera, pero no sería él quien se la quitara de las manos. Con todo, ese hecho resultaba de lo más revelador; sir Thomas no se había equivocado sobre su estado de endeudamiento.

Colin se reclinó en el asiento y contempló al hombre con aire despreocupado.

—En realidad, Brixham, he venido a preguntar por su piano.

El conde se quedó atónito.

—¿Mi piano?

Colin enlazó las manos en el regazo.

—He oído que tiene uno bastante antiguo y me gustaría adquirirlo. Por una suma razonable, por supuesto.

Brixham se acomodó también en la mecedora y cruzó las manos sobre el regazo mientras lo estudiaba con cautela.

—Entiendo.

Colin inclinó la cabeza a un lado.

—Colecciono antigüedades.

Era probable que eso hubiera sonado de lo más ridículo, pero ya había informado a sir Thomas de sus escasas dotes para la investigación, y todo el mundo sabía que no se le daba muy bien mentir. No obstante, el hombre sentado frente a él no parecía haber percibido ninguna falsedad en su comentario, ya que se frotó los dedos y arrugó la frente sin darse cuenta.

—El piano es de mi hermana —dijo, y sus cejas rojizas se convirtieron en una sola línea.

Eso lo dejó desconcertado durante un momento; no se había preparado para una complicación semejante.

—Vaya...

Brixham se inclinó hacia delante de repente y enlazó las manos sobre los papeles que había en su escritorio.

—Sin embargo, y puesto que ella está a mi cargo, supongo que puedo vendérselo si así lo deseo. —Se encogió de hombros antes de soltar una carcajada—. Además, ella tiene que casarse; dejaremos que su marido le compre otro piano, ¿no le parece?

Colin decidió que Brixham no le caía muy bien, o al menos esa parte de su personalidad que mostraba tan poco interés por los sentimientos de su hermana.

—Desde luego que sí —respondió con un asentimiento de cabeza—. ¿Cuántos años tiene su hermana?

No tenía ni la menor idea de por qué había preguntado eso, aunque supuso que sentía una vaga curiosidad.

—Casi veinticuatro —se apresuró a contestar el conde, incapaz de ocultar su irritación—. Ha rechazado a todos y cada uno de sus pretendientes, y a estas alturas estoy más que dispuesto a ponerla de patitas en la calle si no acepta al próximo.

Después de eso, llegó a la conclusión de que el tipo le caía bastante mal, pero disimuló bien su desagrado.

—Las mujeres son una lata, ¿verdad? —comentó, riéndose por lo bajo.

Brixham meneó la cabeza.

—No tiene ni idea... —replicó—. A menos que usted también tenga hermanas.

—Tengo dos —le informó Colin con expresión pensativa—. Pero ambas se casaron antes de los veinte y me han dado más sobrinos y sobrinas de los que puedo recordar.

—Como debería hacer toda dama que se precie de serlo —señaló Brixham.

De pronto, Colin oyó el tenue sonido de una melodía procedente de algún otro lugar de la casa.

—¿Es ella la que toca?

El conde asintió.

—No puedo apartarla de esa cosa, aunque supongo que una vez que se lo venda a usted tendrá que tomarse el deber de elegir marido con mucha más seriedad.

—Sin duda —replicó Colin, que no pudo evitar removerse con incomodidad en el asiento.

—¿Le gustaría verlo? —preguntó Brixham, que ya había comenzado a ponerse en pie.

—Muchísimo —respondió él; el aspecto del antiguo piano no podía importarle menos, pero sentía un extraño deseo de conocer a la pobre muchacha.

El conde caminó a toda prisa hacia la puerta.

—Podrá hacerse una idea de su estado al escuchar cómo lo toca Charlotte. Por desgracia, es bastante buena.

¿Por desgracia? Al parecer, ese hombre pensaba que su hermana pasaba demasiado tiempo ocupada con zarandajas.

El conde de Brixham lo guió a través del pasillo en penumbra y se detuvo frente a la última puerta de la derecha.

—No se disguste si ella se comporta de manera grosera —le avisó tras volverse hacia él—. Esto no va a hacerle ninguna gracia.

—Comprendo —replicó Colin en un tono más seco del que pretendía.

Tras colocar su enorme mano en el picaporte, Brixham abrió la puerta de la sala de música y se adentró en su interior. La melodía se interrumpió de inmediato.

—Ya he bordado esta mañana, hermano, y me gustaría tocar un rato.

Colin escuchó su voz suave antes de verla. Luego rodeó a su gigantesco hermano para poder ver por primera vez a la testaruda y sin duda talentosa Charlotte Hughes.

En lugar de presentarse, tal y como él esperaba, la joven ahogó una exclamación y se colocó mejor los gruesos anteojos sobre el puente de la nariz para poder verlo con claridad.

—No seas insolente conmigo, muchacha —le ordenó

Brixham con un resoplido—. Su excelencia el duque de Newark desea ver el piano.

Charlotte se mordió los labios avergonzada. O más bien los masticó. Colin permaneció en pie frente a ella con las manos a la espalda, disfrutando en silencio de su expresión consternada mientras evaluaba la parte de ella que podía apreciarse por encima del instrumento. Su delgada figura estaba cubierta por un vestido de muselina en tono crema. Se parecía bastante a su hermano, aunque sus rasgos eran más refinados. Había apartado de su cara los abundantes rizos rojizos con horquillas y un lazo en la nuca que no hacían sino resaltar la amplitud de su frente y los anteojos, lo que restaba feminidad a su rostro. Tenía unas cuantas pecas en las mejillas y en la nariz que, según pudo apreciar Colin, habían perdido parte de su color mientras ella lo contemplaba por encima de la tapa del piano.

—Bueno, no te quedes ahí sentada, muchacha —rugió Brixham—. Toca algo para este hombre o apártate de ahí.

Las pestañas rubias de la joven se agitaron con rapidez cuando se dio cuenta de que estaba mirando fijamente a Colin.

—Excelencia —murmuró a modo de saludo mientras intentaba levantarse, todavía algo confusa.

Colin le hizo una leve reverencia y le ofreció su sonrisa más encantadora.

—Es un placer conocerla, lady Charlotte.

Ella pareció perpleja durante unos instantes y le echó un breve vistazo antes de volver a mirar a su hermano.

—¿Qué está pasando aquí? —preguntó con voz suave.

De pronto, Colin sintió lástima por la muchacha y deseó por su bien que encontrara marido cuanto antes.

Brixham comenzó a tirar de las mangas de su camisa.

—Su excelencia desea comprar el piano, y tengo la intención de vendérselo. Por un precio justo, por supuesto.

—Por supuesto —repitió él.

En cuestión de segundos, el rostro de Charlotte se tiñó con el rubor de la furia.

—No... no está a la venta.

Colin la miró extrañado e inclinó la cabeza hacia un lado, preguntándose si su docilidad y su voz suave eran fingidas. Parecía tan determinada como lo estaría cualquier dama en esas circunstancias, pero no sonaba en absoluto desafiante.

—¿Que no está a la venta? —repitió su hermano, incrédulo—. No eres tú quien debe decidir eso. Dedícate a tus asuntos, muchacha, tenemos negocios que discutir.

Con los labios apretados a causa de una furia que no lograba disimular, la joven se apartó del objeto de la polémica y Colin no pudo sino admirarla: poseía una figura sensual y llena de curvas, con pechos grandes y erguidos que llenarían las manos de un hombre. Aunque tenía un cabello ingobernable y un rostro lleno de pecas, con un cuerpo como ese podría conseguir a cualquiera. Se preguntó por qué seguía rechazando a los pretendientes; de estar en su lugar, habría aceptado la primera proposición, aunque solo fuera para librarse de su hermano. Pero no estaba en su lugar, y después de todo ella era una mujer sin opciones.

La muchacha puso los brazos en jarras y clavó la mirada en su hermano antes de empezar a avanzar hacia ellos muy despacio.

—Me estás arruinando la vida.

—No tendría que hacerlo si te hubieses casado ya —señaló el conde con los dientes apretados; era obvio que intentaba mantener la calma en presencia de su invitado, pero no tenía mucho éxito.

Lady Charlotte le echó un rápido vistazo de reojo y Colin se quedó pasmado al contemplar la expresión resuelta y furiosa de su semblante. Le resultaba extrañamente familiar, aunque no sabía muy bien por qué y no quería ponerse a pensarlo en esos instantes. Se sentía más y más incómodo con cada momento que pasaba. La culpabilidad le ardía en el pecho y tenía toda la intención de decir a sir Thomas que le devolviera a la joven su maldito piano. La pobre no tenía ninguna otra cosa que la hiciera feliz.

Con las mejillas sonrosadas y los ojos convertidos en meras rendijas, Charlotte apretó los puños a los costados y lo fulminó con la mirada.

—Jamás olvidaré esto, excelencia —dijo con voz tensa.

Tras lo cual, pasó a su lado a toda velocidad y se marchó de la estancia dando un portazo.

Brixham se frotó los ojos emitiendo un gemido.

—¿Ve a qué me refiero? Es incorregible.

Colin hervía de furia. Necesitaba acabar con aquello, y rápido.

—En realidad me ha parecido bastante atractiva, y es obvio que tiene talento.

El conde resopló con fuerza y agitó la mano para revelar su irritación.

—Está demasiado absorta en su música, eso es todo.

El comentario le hizo pensar en Lottie English, la descarada seductora que lo había vuelto loco con su voz hechizante y su aspecto sensual.

Colin se aclaró la garganta y se pasó la palma de la mano por la nuca.

—¿Por qué no utiliza el dinero que voy a darle por el piano para comprarle un piano nuevo? —sugirió en tono casual—. Puede que de esa forma ella acepte de mejor grado su idea de entregarla al próximo hombre que aparezca.

Brixham lo miró con recelo. La tensión de sus rasgos y de su cuerpo ponía de manifiesto la furia que lo embargaba.

—Deje que sea yo quien se ocupe de Charlotte —dijo de manera brusca—. Ahora dediquémonos a los negocios, ¿le parece?

Colin se dio cuenta de que si hacía algún otro comentario sobre la muchacha o sobre cómo debía tratarla, lo invitarían a marcharse sin más demora. Y si eso ocurría, no conseguiría la escritura de venta, ni la firma ni, desde luego, el piano.

Sonrió, aunque aquello no le hacía la más mínima gracia.

—Por supuesto, Brixham. Dediquémonos a los negocios.

4

Charlotte Hughes llevaba enamorada de Colin Ramsey, el maravilloso y apuesto duque de Newark, tres años y medio. Sí, sabía muy bien que lo que sentía por él no era amor en el verdadero sentido de la palabra, y conocía a la perfección su reputación de libertino. No obstante, ese hombre conseguía atrapar su atención cada vez que lo veía, y eso mismo había ocurrido la primera noche que le escuchó gritar «¡Bravo!» desde el palco número tres. El duque le hacía el amor con la mirada cada vez que aparecía en escena, y había llegado a contar con su presencia allí cuando cantaba... para apoyarla, para halagarla y, sobre todo, para comérsela con los ojos. Además, nunca había utilizado el recurso de mandarle flores.

Al principio eso la molestaba, pero después se dio cuenta de que la devoción que el hombre mostraba hacia ella y hacia sus actuaciones era mucho más intensa que la de la mayoría de los caballeros. No solo la admiraba; podía decirse que la adoraba sin suplicarle muestras de afecto a cambio. Y con el paso del tiempo, Charlotte había llegado a comprender que ese encaprichamiento a distancia podía rivalizar con el suyo propio. Salvo que él no la conocía en absoluto, aunque eso estaba a punto de cambiar gracias a su extravagancia de presentarse ante ella por fin. ¡Y nada menos que durante el intermedio! Ese hombre tenía coraje, y una pizca de algo de lo que carecían todos los demás admiradores que había conocido.

Se había quedado estupefacta al verlo en su camerino en la representación de la semana anterior. Al principio, cuando oyó a Lucy Beth hablar con alguien, se había preguntado qué clase de persona podía llegar a ser tan grosera para molestar a una cantante durante el intermedio. Sin embargo, supo de quién se trataba antes incluso de verlo y atesoraba esos emocionantes momentos en los que pudo observar su apuesta, distinguida y elegante figura sin que él se diera cuenta.

Tanta fogosidad la había impresionado, pero había realizado un trabajo soberbio a la hora de disimular su vulnerabilidad. Además, había logrado parecer calmada cuando él insinuó que deseaba mantener una aventura amorosa con ella. A decir verdad, no había sucumbido hasta que el duque le acarició la nuca con delicadeza, presa de un deseo tan intenso que había podido percibirlo a través de las yemas de sus dedos. Era una actriz por encima de todo, y había sido un verdadero placer representar el papel de seductora para enfrentarse a las descaradas insinuaciones del hombre, algo que le había permitido conocer el poder de la sensualidad femenina. Como Charlotte Hughes jamás habría hecho una cosa parecida, no habría dicho ese tipo de cosas ni habría actuado de forma semejante. Sin embargo, como Lottie podía ser lo que quisiera, y la halagaba sobremanera que Newark deseara con tanta desesperación lo que ella tenía para ofrecer.

Charlotte no se hacía ilusiones con respecto al duque, ni sobre los peligros de convertirse en su amante. Mejor dicho, era Lottie quien no se hacía ilusiones. No obstante, como hija de un conde y hermana del actual conde de Brixham, ni siquiera podía plantearse algo semejante. Había sido criada para comportarse como era debido, y Colin Ramsey lo descubriría muy pronto. Cuando se presentó en su casa el día anterior con el propósito de comprar su adorado piano, se había quedado tan pasmada como la noche que se coló en su camerino. Pero el día anterior había sido diferente en muchos sentidos. Una vez superado el desconcierto que le había provocado verlo en su sala de música, su único temor había sido que él la reconociera y la delatara ante su hermano. Sin embargo, no la había reconocido. En un principio eso solo la había alarmado un poco, pero después se había sentido ciertamente molesta. Con todo, al final le había hecho gracia que Newark apenas se fijara en ella... salvo en el momento en que la recorrió con la mirada cuando por fin se puso en pie. Esa mirada le había provocado un hormigueo que la había recorrido por dentro. Le gustaba incluso como Charlotte, aunque solo fuera por sus curvas. Y eso ya era algo.

Así pues, tras una noche de escaso descanso y enfurecida por el hecho de que Charles considerara siquiera la idea de vender una antigüedad que le había proporcionado tanto placer, Charlotte sopesó unas cuantas cosas y trazó algunos planes. Por esa razón se encontraba frente a la casa del duque de Newark, dispuesta a hacerle una proposición que no creía que él pudiera rechazar.

Irguió los hombros, sujetó el ridículo con la mano izquierda e hizo sonar la campanilla antes de echarse un vistazo para asegurarse de que el vestido de mañana verde bosque estaba en perfecto estado de revista.

La puerta se abrió casi de inmediato y pudo ver al mayordomo del duque, un hombre entrado en años con abundante cabello blanco y patillas que le llegaban hasta la comisura de los labios.

Sonrió con educación y sacó la tarjeta de presentación del bolso.

—Lady Charlotte Hughes desea ver a su excelencia. ¿Está en casa?

El hombre soltó un gruñido de lo más desagradable y luego se hizo a un lado para permitirle el paso.

—Espere aquí, por favor —le indicó con rudeza.

Charlotte permaneció en la entrada y sonrió de oreja a oreja al contemplar el exquisito gusto que el duque tenía para los objetos caros: preciosos suelos de mármol, gruesos paneles de roble que habían sido pulidos recientemente y maravillosas obras de arte colgadas de las paredes. Contra la pared de su izquierda había una mesa sin más adorno encima que un jarrón con flores frescas; justo al lado se encontraba una silla de estilo Luis XV tapizada en terciopelo castaño; y una gigantesca araña de cristal, que sin duda iluminaba la estancia con la luz de centenares de velas, colgaba del techo. Y aquello era solo el vestíbulo.

Reprimió una risilla nerviosa. El infame y mujeriego duque de Newark tenía mucho dinero, y eso era fundamental.

De pronto, el mayordomo volvió a aparecer a su derecha.

—Sígame, por favor, lady Charlotte. Su excelencia la recibirá en el estudio.

Ella asintió con la cabeza y siguió al anciano sin mediar palabra, procurando que los zapatos no hicieran ruido sobre el suelo de mármol. El mayordomo la condujo a través de un largo pasillo, desnudo a excepción de los distintos retratos familiares que colgaban de las paredes.

Charlotte se detuvo por fin cuando el criado llamó a la puerta del estudio. Respiró hondo para reunir coraje y apretó el ridículo con ambas manos a fin de impedir que le temblaran. A continuación, el anciano anunció su llegada y ella se adentró en la estancia.

Vio a Newark nada más entrar y sintió un vuelco en el corazón al contemplar su apuesto rostro. Era un hombre espectacular. Estaba sentado tras el enorme escritorio de roble, mirando algo que escribía mientras el sol que entraba por la ventana que había tras él hacía brillar su cabello rubio oscuro.

Tenía una piel perfecta, como ya había podido comprobar la semana anterior al observarlo de cerca a la luz de la lámpara, y sus perspicaces ojos de color avellana estaban rodeados por abundantes pestañas. Debía admitir que era increíblemente apuesto, y su instinto le decía que él lo sabía muy bien. Eso lo hacía más vulnerable a los elegantes encantos de las damas, por supuesto, pero no importaba. Charlotte tenía pensado conseguir de él algo más que unos cuantos revolcones entre las sábanas.

—Lady Charlotte Hughes, excelencia —anunció el mayordomo, sacándola de sus fascinantes pensamientos.

Charlotte irguió los hombros y observó a Newark con detenimiento mientras él se ponía en pie para saludarla sin apartar la vista de los papeles que tenía delante.

—Buenas tardes, lady Charlotte. Pase y tome asiento, por favor.

Le fastidió un poco que ni siquiera la hubiera mirado a la cara. Pero lo aceptó con elegancia, a sabiendas de que la conmoción que estaba a punto de provocar lo compensaría con creces.

El duque despidió al mayordomo con un gesto de la cabeza y volvió a tomar asiento mientras el criado abandonaba la estancia y cerraba la puerta.

Charlotte se acercó al escritorio en silencio y se sentó en el sillón de cuero negro que había enfrente. Después se dedicó a contemplarlo mientras él seguía concentrado en los documentos.

—Estaré con usted en un segundo —dijo con voz monótona, todavía absorto en lo que hacía.

Charlotte se sentó al borde del sillón y aguardó con la formalidad propia de toda dama de buena cuna mientras examinaba la estancia. El estudio, elegante y masculino, estaba decorado en tonos verdes y marrones. A su derecha había una chimenea en la que la leña ardía a fuego lento.

Al fin, el duque levantó la mirada, dejó la pluma en el tintero y se reclinó con aire despreocupado en la mecedora de roble para observarla sin ambages.

Charlotte se sintió un poco incómoda bajo aquel escrutinio. Los ojos avellana del duque la recorrieron de arriba abajo, aunque prestaron especial atención a su rostro.

—Ha dejado los anteojos en casa —comentó con una sonrisa maliciosa.

Ella intentó no mirar su boca, esa boca hermosa y sensual que con tanto descaro había besado la semana anterior.

—Solo los necesito para leer, excelencia —respondió con

voz suave—. Los utilizo cuando leo libros o partituras, y por su puesto también para bordar.

—Por supuesto. —Newark inclinó la cabeza a un lado y se rascó el mentón—. Es usted muy bonita.

Eso la pilló tan desprevenida que parpadeó con rapidez, segura de que su rostro se había puesto como la grana ante esa inesperada observación y de que eso había contribuido a incrementar la evidente arrogancia masculina. Sin embargo, era un cumplido que no podía tomarse a la ligera. Muy pocos de los hombres que la conocían como la sencilla Charlotte Hughes la consideraba bonita, y menos aún lo habían mencionado de una forma tan explícita como él.

—Vaya... es usted muy amable, excelencia —replicó tras un breve instante de vacilación.

Newark pareció divertido, y a Charlotte le encantó esa faceta suya, amigable y relajada.

El duque unió las manos sobre el vientre y entrelazó los dedos sin dejar de mirarla.

—¿Por qué no se ha casado? —preguntó sin rodeos.

Con el corazón desbocado, Charlotte frotó el cordón del ridículo al darse cuenta de que todavía no la había reconocido como la infame Lottie English, aunque ya no llevaba los anteojos. A decir verdad, había esperado que no lo hiciera, ya que pretendía sacar ventaja de su ignorancia.

—¿Por qué no me he casado? —repitió, fingiéndose sorprendida por la pregunta.

Él se encogió de hombros.

—Su hermano dijo que había rechazado a varios pretendientes, pero después de observarla con detenimiento, estoy seguro de que habrá tenido muchos.

¿Con detenimiento? Aunque le había hecho un cumplido, seguía sin saber quién era ella. Charlotte se esforzó por contener la risa.

—He estado muy ocupada, excelencia.

—¿Ocupada?

Charlotte esbozó una pequeña sonrisa.

—Con mi música.

El hombre arqueó las cejas.

—Ah, entiendo.

No entendía nada, y eso también le hizo gracia. Estaba claro que el duque asumía, como todos los demás caballeros, que ella no tenía nada más que hacer que esperar a casarse. Charlotte iba a disfrutar muchísimo con aquella conversación.

—Supongo que por eso está aquí —dijo Newark, interrumpiendo sus pensamientos.

—¿Que por eso estoy aquí? —No tenía ni la más mínima idea de qué quería decir, pues era bastante obvio que no estaba interesado en casarse con la tímida y remilgada lady Charlotte.

—Quiere que le devuelva su piano —explicó sin más.

Así que a eso se refería. Había asumido que estaba allí para suplicar que le devolviera su piano.

—Bueno... eh... sí, claro que sí.

El duque suspiró y unió los dedos de las manos.

—Estoy seguro de que el instrumento sería una buena dote por sí solo. Usted podría venderlo por una bonita suma y después comprarse un piano nuevo para... disfrutar de sus momentos de soledad.

Charlotte no pudo evitar mirarlo como si fuera estúpido. Lo contempló con la frente arrugada y llegó a la inmediata conclusión de que su hermano estaba endeudado desde sus perezosos pies hasta el último y grasiento cabello de su cabeza, y el duque de Newark pensaba que la única razón por la que había ido a visitarlo era recuperar algo que valoraba mucho. Le estaba dando un consejo, el pobre diablo, y los momentos siguientes no tendrían precio.

Charlotte se puso en pie de repente y dejó caer el ridículo en el sillón. Luego se acercó a la chimenea para observar la magnífica pintura al óleo que representaba a dos mujeres sentadas en un exuberante y colorido jardín. Debían de guardar algún parentesco familiar, dedujo, ya que las damas se parecían mucho a él.

—En realidad, excelencia —comenzó mientras observaba el retrato—, he venido aquí para algo más que para pedirle que me devuelva el piano.

Sabía sin necesidad de mirarlo que Newark la examinaría al detalle, y por ese motivo se había puesto su mejor vestido, muy ceñido y de escote bajo; por ese motivo se había peinado el revoltoso cabello en un recogido elaborado y elegante en lugar de utilizar un sencillo lazo. Quería que se fijara en ella.

—No sé muy bien qué puedo hacer por usted, lady Charlotte —dijo él al fin—, aunque estoy dispuesto a devolverle el instrumento que desea.

«El instrumento que desea.» Si él supiera...

Sin apartar la vista de la pintura y con un nudo en el estómago, esbozó una sonrisa antes de declarar con timidez:

—Podría casarse conmigo.

Después de largos instantes de porfiado silencio, Charlotte temió que él estallara en incontrolables carcajadas y se preparó para una reacción semejante. Pero la respuesta del duque fue mucho más comedida, y eso decía mucho en su favor. Newark parecía estar reflexionando, pero no sobre la maravillosa propuesta que le había hecho, sino sobre la forma más rápida de echarla de su casa.

Charlotte sonrió y se volvió para observarlo. La expresión masculina era, sin duda alguna, algo digno de contemplar. Los rasgos del duque se habían contraído en una expresión mezcla de consternación y desconcierto; fruncía el ceño con fuerza y tenía la boca abierta, lo que revelaba la estupefacción que le había provocado su escandalosa propuesta.

Puesto que él parecía haberse quedado sin palabras, Charlotte se encogió de hombros y añadió:

—Usted necesita una esposa y es obvio que yo preciso casarme cuanto antes. ¿Qué otra unión podría resultar más... adecuada?

A la postre, una vez recuperado, el duque se puso en pie muy despacio y apoyó una mano en la cadera mientras se pasaba la otra por el pelo.

Ella esperó, a sabiendas de que Newark no tenía ni la más mínima idea de qué decirle y de que probablemente la consideraba una chiflada.

—Bueno... lady Charlotte... —comenzó con voz controlada aunque seria—. Yo... esto... bueno, no necesito una esposa más de lo que necesito un piano.

—Pero sé tocar muy bien —replicó ella, toda ingenuidad. Tuvo que hacer un verdadero esfuerzo por reprimir el regocijo que le había provocado esa deliciosa respuesta.

El duque meneó la cabeza y se frotó los ojos con la yema de los dedos.

—Me consta que es cierto, pero esa no es la cuestión.

Pobre hombre. Lo estaba pasando fatal, aunque había que reconocerle el mérito de no haber intentado siquiera echarla de allí a patadas.

—Sé muy bien que el piano no tiene nada que ver con el matrimonio, excelencia, pero ¿no cree usted que el matrimonio sería mucho más... aceptable socialmente que convertirme en su amante?

Eso fue como un puñetazo en el estómago. Newark levantó la cabeza de pronto y abrió los ojos de par en par para observarla horrorizado.

—¿Cómo dice?

Charlotte caminó hacia él muy despacio, con las manos enlazadas a la espalda. Bajó la vista hasta la costosa alfombra que tenía a los pies para impedir que el hombre viera el placer y la satisfacción que brillaban en su mirada.

—Me consta que es usted consciente, milord, de que todo el mundo especula sobre su último... escarceo, por llamarlo de alguna manera. Y yo podría proporcionarle la respetabilidad necesaria para librarse de tan indeseable rumor. Soy la hermana de un conde, aunque un conde endeudado, como usted muy bien sabe. Creo que podríamos... ayudarnos el uno al otro con nuestras... necesidades mutuas.

Levantó los párpados para mirarlo a los ojos. En esos momentos estaba muy cerca de él y pudo ver que la miraba boquiabierto. Su hermoso rostro estaba ruborizado, por la vergüenza, esperaba ella, y los increíbles músculos de su pecho tensaban la inmaculada camisa de lino. Parecía completamente desconcertado por su audacia.

Sin apartar la mirada de sus ojos, Charlotte aguardó a que respondiera, a que dijera algo.

De pronto, el duque recobró la compostura y se enderezó mientras apretaba los puños a los costados. Sus rasgos faciales se endurecieron y su mandíbula se tensó al contemplarla, enfurecido por su osadía.

—Creo —dijo con frialdad— que ya ha dicho mucho más de lo que se espera de una dama de su posición. Olvidaremos este incidente y ninguno de los dos mencionará jamás su escandaloso comportamiento ante nadie. —Bajó la mirada hasta el escritorio y recolocó algunos papeles—. Tengo mucho que hacer, lady Charlotte. Le pido por favor que se marche.

En lugar de hacer lo que le pedía, ella acortó la distancia que los separaba y se situó a escasos centímetros de su autoritaria presencia; el dobladillo de sus faldas le rozaba las espinillas.

—Todavía tenemos muchas cosas que discutir, excelencia.

Newark era al menos quince centímetros más alto que ella, pero Charlotte sabía que su «escandaloso comportamiento», como él lo había llamado, lo había desconcertado. Y la intuición le decía que el hombre había llegado a un punto en el que estaba más que dispuesto a llamar al mayordomo para que la acompañara hasta la puerta.

—Deje que le aclare las cosas —dijo él sin rodeos, interrumpiendo sus divagaciones en un tono tenso e indignado—. Bajo esa fachada remilgada y esos rasgos ordinarios, es usted una golfilla descarada, y no se me ocurre nada para lo que yo pudiera necesitar a una mujer así. Del mismo modo que nunca le pediría que limpiara el polvo de mi casa, jamás se me ocurriría pedirle que fuera mi amante...

—Bueno, yo creo que sí —replicó ella mientras contemplaba su pecho. Había bajado el tono de voz hasta convertirlo en el susurro ronco que Lottie había utilizado la noche en que lo conoció—. De hecho, estoy bastante segura de ello.

El hombre estaba mucho más que desconcertado.

—¿Tiene usted la más mínima idea de con quién está hablando, señora? —inquirió con los dientes apretados.

Charlotte levantó la cabeza para volver a mirarlo a los ojos y le ofreció la más seductora de sus sonrisas.

—Creo que la pregunta adecuada sería: ¿Tiene usted la más mínima idea de con quién está hablando..., Colin?

Una repentina tensión impregnó la atmósfera y los arrastró hacia la tempestad de emociones ardientes que chispeaban entre ellos. Por un segundo, Charlotte temió que la golpeara; tal era la furia que revelaba su rostro.

Entonces, el duque bajó la mirada hasta sus pechos, elevados y expuestos gracias al corsé, provocándole la misma oleada de pasión que había sentido aquella memorable noche en su camerino.

Llena de audacia, alzó una mano para apoyarla sobre la piel cálida de su nuca. Newark dio un respingo al sentir el contacto, pero no realizó ningún otro movimiento.

—Querido Colin —susurró al tiempo que se inclinaba hacia él para dejar la boca a un suspiro de su barbilla—, ¿se mostraría más sensible con mis necesidades si primero cantara para usted?

El hombre alzó la cabeza de inmediato. Y se quedó estupefacto al comprenderlo todo.

Boquiabierto y con los ojos desorbitados, Colin se tambaleó hacia atrás. Sus rasgos mostraban el más absoluto desconcierto cuando se dejó caer en la mecedora.

—Santa madre de Dios... —murmuró.

Charlotte sonrió y se inclinó a un lado para apoyar la mano sobre los papeles y la cadera contra el borde del escritorio.

—Veo que le he desconcertado —señaló al tiempo que enarcaba una ceja.

Él no dijo nada; se limitó a mirarla fijamente con una expresión de pánico y perplejidad.

Charlotte jugueteó con la pluma del tintero y la hizo girar entre sus dedos con aire distraído.

—He venido a verlo porque esperaba que todavía... bueno... me necesitara —añadió con una voz que apenas revelaba la excitación que sentía.

Newark volvió a mirarla de arriba abajo, aunque esa vez casi con extrañeza, y se fijó en su cabello, en sus pechos y en la estrechez de su cintura. Estudio con detenimiento cada centímetro de su rostro antes de mirarla a los ojos de nuevo.

—Santa madre de Dios... Lottie...

De pronto, presa de una intensa oleada de satisfacción, Charlotte se irguió de nuevo y caminó alrededor del escritorio para sentarse en el sillón que había frente a él. La sensual Lottie desapareció para ser sustituida por su verdadera personalidad, lady Charlotte Hughes.

Colin siguió mirándola, como si tan solo quisiera comprender cómo era posible que lo hubieran engañado de esa manera. Ella le concedió unos instantes para aclararse las ideas. Se colocó las faldas alrededor de los tobillos y se sentó erguida una vez más antes de sujetar el ridículo sobre el regazo.

Al fin, el duque hizo un gesto negativo con la cabeza y se aclaró la garganta. Volvió a inclinarse hacia delante para apoyar las manos entrelazadas sobre el escritorio, aunque no logró ocultar el temblor que las sacudía.

—Lo siento... Lo siento. Lottie...

—Lo más adecuado sería que se dirigiera a mí como lady Charlotte, excelencia —lo interrumpió ella en tono agradable—, pero puede llamarme Charlotte a secas.

Él abrió la boca para decir algo, pero la cerró de golpe y frunció el ceño un poco al percatarse de su cambio de actitud.

—Charlotte... Yo... Yo solo...

—Se ha quedado sin habla, al parecer —le dijo antes de hacer una mueca con los labios—. Supuse que ocurriría algo así, pero no quería limitarme a decirle quién soy; quería que lo viera con sus propios ojos.

El duque se frotó la cara con la palma de la mano antes de entrelazar los dedos una vez más.

—¿Por qué?

Charlotte se encogió de hombros; sus ojos tenían un brillo especial.

—Era divertido.

Esa sencilla respuesta logró que la irritación del duque se avivara de nuevo. Sus rasgos se endurecieron una vez más mientras la observaba con suspicacia.

La sonrisa de Charlotte se desvaneció cuando volvió al motivo de su visita.

—Excelencia, es obvio que he venido aquí hoy con un propósito, y no es el de avergonzarlo ni el de suplicar que me devuelva un piano que, para empezar, jamás deberían haberle vendido. —Tomó una honda bocanada de aliento sin dejar de mirarlo—. Hablaba muy en serio cuando propuse un acuerdo entre nosotros, un matrimonio legal y vinculante, pero con... «beneficios» para ambos.

—Para ambos... —repitió él con expresión ausente.

Charlotte sabía que el hombre trataba de asimilar la información, de modo que se decidió a continuar.

—Exacto. —Se inclinó hacia delante, mostrando un brillo de determinación en los ojos—. No voy a jugar con usted. Necesito un marido, un marido rico que pueda permitirse llevarme al extranjero y apoyar mi carrera como cantante. Yo tampoco siento el menor deseo de casarme, pero un matrimonio sencillo entre nosotros acabaría con los problemas de ambos.

El duque infló los carrillos, quizá en un intento por reprimir una carcajada.

—¿«Un matrimonio sencillo», ha dicho?

Charlotte pasó por alto esa pregunta retórica y sonrió con indiferencia.

—Piénselo un momento, excelencia. Soy una dama con título y una reputación intachable, conveniente en todos los sentidos y con la mejor educación. Sé bordar, ejercer de anfitriona, organizar al personal de servicio y tocar el piano en cualquier situación. Satisfaré todas sus necesidades, incluyendo las del dormitorio, ya que me consta que usted deseará un heredero. No tengo intención de negarle nada de lo que merece como duque de Newark.

Con un brillo divertido en los ojos, Colin se reclinó en su asiento y ladeó la cabeza para observarla.

—Parece que ha pensado en todo —dijo muy despacio.

—También soy una mujer muy práctica —replicó ella.

—Sí, eso es evidente.

—Sin embargo, hay una condición —señaló Charlotte, casi con demasiada indiferencia.

—Suele haberlas —declaró el duque, que apoyó el codo en el brazo de la mecedora antes de descansar la barbilla sobre la palma de la mano.

Charlotte se sintió acalorada de repente, como si él la estuviese provocando de manera intencionada para ponerla nerviosa. Y funcionaba, la verdad, aunque se negaba a permitir que Newark lo descubriera.

—Me gustaría que financiara una gira para mí —explicó con mucha cautela—. Quiero cantar por toda Europa, excelencia. Puedo hacerlo, y sé que el público quedará asombrado por mi talento, pero como hermana del conde de Brixham, carezco de la oportunidad y de los medios económicos necesarios. —Resopló con fuerza—. Por no mencionar que mi hermano jamás me permitiría hacer lo que para él sería algo del todo ignominioso.

El duque lo meditó unos instantes antes de decir algo.

—Y si yo... financiara su gira, ¿qué me daría usted a cambio? —preguntó.

Ella enarcó las cejas.

—Ya se lo he dicho. Le proporcionaré un buen hogar, una esposa adecuada y un heredero, si es que lo desea.

—Ay, lady Charlotte —susurró el duque con voz ronca—, si de verdad estuviera dispuesto a soportar los inmensos problemas que me ocasionaría un matrimonio sencillo, lo desearía, sin duda.

Esa rápida respuesta, sugerente y falta de tacto, la pilló desprevenida. Parpadeó con rapidez, aturdida.

—Pero en realidad —agregó él con una sonrisa maliciosa—, puedo financiar su gira sin adentrarme en las cuestiones legales que requeriría el matrimonio.

Eso le dolió un poco, aunque intentó desechar la amargura que le provocaba que él no la creyera digna del cortejo apropiado para una dama.

—¿No aprueba el matrimonio, excelencia? —inquirió en un tono que tan solo delataba parte de su incredulidad.

—Lo apruebo de todo corazón —replicó él de inmediato—. Para todo el mundo menos para mí.

El comentario la dejó estupefacta. No había esperado que el duque se mostrara tan contrario a cumplir con lo que se requería de él y con su deber de tener hijos.

—Pero su obligación es engendrar un heredero.

—Sí, eso me dice todo el mundo que conozco. A menudo. —Su sonrisa perdió la fuerza—. Aun así, preferiría ser yo quien eligiera a mi dama y el momento de casarme con ella.

Charlotte se dio cuenta de pronto de que Newark podía rechazarlas, tanto a ella como a su generosa oferta. Se inclinó hacia delante y volvió a encarnar a la Lottie que él conocía, la fantasía que con tanta desesperación deseaba.

—Por supuesto que sí, Colin —convino en un apasionado susurro—. Solo estoy sugiriendo que consideremos nuestras opciones en conjunto, ya que es el momento idóneo para ambos y sé lo mucho que le gusta verme cantar, verme... sobre el escenario.

El duque alzó un poco las cejas, aunque sus ojos se entrecerraron en una expresión recelosa cuando ella cambió su comportamiento.

—Eso es cierto. Pero no tengo claro qué importancia puede tener.

—¿De veras? ¿Qué fue lo que me dijo? ¿Quizá que estar con Lottie English era algo que había deseado durante años?

Colin se puso serio y clavó en ella una mirada desafiante.

—Creo que recuerdo haber dicho algo parecido.

—Entonces permítame señalarle, milord, que soy una dama de buena cuna; la hermana de un conde para más señas. Jamás me convertiré en la amante de nadie, sin importar lo atractivo que sea... o lo mucho, muchísimo que lo desee. Sin embargo, estaría más que dispuesta a entregarme a mi marido.

Pronunció esas palabras en un susurro ronco e insinuante mientras se acariciaba el valle entre sus pechos con la yema de los dedos. Sintió una enorme satisfacción al ver que la mirada del hombre descendía para demorarse en ese lugar.

Colin reacomodó su enorme y masculino cuerpo en el asiento, apoyó las manos en los brazos de la silla y comenzó a mecerse sin dejar de estudiarla.

—Imagino que eso es lo que haría toda dama que se precie —comentó con sequedad.

Lo había atrapado, y él lo sabía. No había posibilidad alguna de que Lottie English se convirtiera en su amante sin que lady Charlotte Hughes fuera primero su esposa. Y ella era la candidata perfecta para ese puesto. La decisión, pues, dependía de lo mucho que la necesitara físicamente; de lo mucho que la deseara como mujer.

—¿Me encuentras atractivo, Charlotte? —preguntó momentos después—. ¿Tanto me deseas? ¿O acaso tu interpretación de Lottie es... solo eso, una interpretación?

Charlotte notó una oleada de calor en el cuello y las mejillas, pero no podía venirse abajo después de provocarlo como lo había hecho. Encogió uno de sus hombros antes de contestar.

—¿Acaso importa?

Colin se echó a reír, aunque el sonido carecía de todo rastro de buen humor.

—Sí, creo que sí. ¿Me casaría con una dama fría que solo cumple con su deber de esposa o disfrutaría de una apasionada relación amorosa con la mujer de mis sueños?

«La mujer de mis sueños...»

Charlotte se removió con incomodidad; el rubor se extendió hasta el nacimiento de su cabello y se le aceleró el pulso. No tenía ni la menor idea de cómo responder a esa pregunta de un modo satisfactorio.

—¿Debo asumir que prefiere la relación amorosa, excelencia? —preguntó.

Él la observó unos instantes sin revelar nada.

—Solo si el sentimiento es mutuo, lady Charlotte.

Ella tragó saliva y después se permitió admitir lo que sentía.

—Creo, milord, que es usted el hombre más apuesto de cuantos he conocido, o incluso visto, en toda mi vida.

Los ojos de él se iluminaron con una pizca de diversión, tal vez incluso de orgullo, y una sonrisa asomó a sus labios.

—La mayoría de las damas opinan lo mismo —agregó Charlotte en tono práctico antes de que él pudiera decir nada—. Pero eso ya lo sabe, estoy segura.

Los rasgos del duque se tensaron y el asomo de sonrisa se endureció poco a poco. Ella continuó antes de perder el coraje.

—Estoy más que dispuesta a convertirme en su amante, excelencia, a entregarle todo cuanto esté en mi mano en cuestiones íntimas, pero no lo haré sin casarme primero. La elección es suya.

Parecía molesto de nuevo, y lo cierto era que tenía motivos para estarlo, ya que le estaba poniendo un cebo, obligándolo a elegir entre sus necesidades racionales y los deseos más básicos de su naturaleza.

—Y una cosa más, milord —dijo con pies de plomo, observándolo con detenimiento.

El hombre resopló.

—No quiero ni imaginarme de qué puede tratarse... —replicó con voz tensa.

Charlotte pasó por alto el sarcasmo.

—Soy una dama muy comprensiva con los hombres como usted.

Colin frunció el ceño y cruzó los brazos sobre el pecho.

—¿Los hombres como yo?

Charlotte empezó a alisarse las faldas sobre las rodillas sin darse cuenta.

—Los hombres que tienen... ciertos problemas para ser fieles a su dama durante largos períodos de tiempo.

La osadía del comentario le fastidió una vez más, pero no dijo una palabra; se limitó a mirarla con ojos fríos y especulativos.

Ella esbozó una sonrisa tranquilizadora.

—No me hago ilusiones acerca de lo que sería nuestra vida matrimonial, milord, y siempre seré una persona práctica. Eso, por supuesto, si usted acepta mi proposición.

El duque se meció hacia atrás con la cabeza inclinada a un lado.

—Por supuesto...

—Soy una mujer inteligente —le aseguró Charlotte tras una brevísima vacilación—, y sé que los hombres tienen ciertas... necesidades básicas. Puede tener la certeza de que siempre miraré hacia otro lado cuando se canse de mí y elija a otra. Nunca he sido, ni seré, una mujer dada a los ataques de celos.

Colin ni siquiera parpadeó.

—Es bueno saberlo —replicó con aire pensativo—. Y bastante generoso por su parte, lady Charlotte.

Ella sonrió de oreja a oreja y se relajó al ver que se mostraba tan comprensivo.

—Sí, así lo creo. Además, viajaré bastante y es más que probable que no nos veamos mucho, algo que a usted le parecerá de lo más conveniente, sin duda.

—¿Eso cree?

—Desde luego.

Newark la estudió durante un instante y bajó la mirada hasta sus pechos una vez más. Charlotte le dio gracias a Dios por haber sido bendecida con un busto generoso. La voz era la mejor de sus cualidades, eso era evidente, pero era consciente de que a los hombres les importaba muy poco lo bien que cantara una dama. Sin embargo, siempre mostraban bastante interés en los pechos.

—¿Y qué ocurriría si usted se echa un amante, Charlotte? —preguntó él mientras se frotaba la mandíbula con la palma de la mano.

La cuestión la puso nerviosa.

—¿Cómo dice?

Él se enderezó un poco en la mecedora.

—¿Qué pasaría si yo la quisiera solo para mí? ¿Debería permitirle realizar esa gira operística por Europa que la apartaría de mi vista y le daría la oportunidad de buscar amantes en Francia, en Italia o en España? —Se rió entre dientes y enlazó las manos en el regazo—. ¿Es eso lo que espera de mí?

Para ser sincera, Charlotte jamás se había parado a pensar en eso. El acto sexual, tal y como ella lo conocía, consistía en hombres que gruñían y en esposas sumisas que entregaban a sus maridos los placeres que necesitaban a fin de que ellos pudiesen retornar lo antes posible a sus importantes obligaciones. Aunque había bromeado con el duque de Newark sobre la idea de convertirse en su amante la noche en que se conocieron en el camerino, nunca había considerado la idea de hacer tal cosa con ningún otro.

—¿No tiene una respuesta? —inquirió él con bastante brusquedad.

Charlotte sacudió la cabeza y parpadeó confusa.

—No, por supuesto que no. Quiero decir que... bueno... nunca lo había pensado.

Newark se echó a reír con genuino asombro.

—¿Me está diciendo que soy el único hombre al que ha considerado como amante?

Eso la enfureció.

—Mi vida es la música, excelencia —aseveró con los ojos echando chispas—. Sus necesidades, sus deseos y sus amantes me importan un comino, y ni siquiera he pensado en la posibilidad de aceptar a... otros hombres en mi cama. Así que no, puedo decir sin miedo a equivocarme que no siento el menor deseo de tener otro amante que usted. —Tras serenarse un poco, añadió—: Y solo cuando estemos casados.

Algo en sus palabras o en su comportamiento consiguió aplacarlo. Los rasgos de Newark se suavizaron y sus labios esbozaron una nueva sonrisa antes de que apoyara la cabeza en el respaldo de la mecedora de madera.

—Me ofrece usted una propuesta inestimable, Charlotte.

Con elegancia y un balanceo de las faldas, Charlotte se puso en pie muy despacio y se apretó el ridículo contra la cintura antes de mirarlo con expresión resuelta.

—Tengo la esperanza de que considere mi proposición con detenimiento, milord. Se la he hecho muy, muy en serio. No pretendo tomarme los votos matrimoniales a la ligera, y haré todo cuanto esté en mi mano para honrarlo con toda mi devoción.

Colin esbozó una sonrisa irónica.

—¿Como lo haría una abnegada esposa?

Por un momento, Charlotte se preguntó si se burlaba de ella, pero llegó a la conclusión de que no quería saberlo.

—Sí, exacto —contestó sin pretensiones.

El duque respiró hondo y dejó escapar el aire muy lentamente antes de ponerse en pie para enfrentar la mirada desafiante de Charlotte. Pero en lugar de limitarse a despedirla o a desearle un buen día desde el otro lado del escritorio, rodeó el mueble a toda prisa y se situó a escasos centímetros de ella con una expresión de suma satisfacción. Charlotte no supo qué hacer al respecto.

—¿Excelencia? —murmuró en tono preocupado.

Newark esbozó una sonrisa diabólica.

—Supongo que no me permitirá besarla hasta que estemos debidamente casados, ¿verdad?

Ella contempló su hermoso y atractivo rostro, que mostraba una expresión llena de humor.

—¿Debo entender que va a aceptar mi propuesta?

Contuvo el aliento, colmada de esperanzas, mientras soñaba con lo que sentiría al pisar el escenario de Milán por primera vez, con las rosas que le arrojarían, con los brindis y los elogios.

—Es... la oferta de matrimonio más tentadora que una dama me ha hecho jamás, eso debo admitirlo.

¿Eso era todo?

—Le he ofrecido todo lo que tengo, excelencia. Es una oportunidad perfecta para ambos. Nos necesitamos el uno al otro.

La sonrisa del duque se desvaneció y sus ojos se entrecerraron. Por un par de segundos, Charlotte temió haber cometido un error al suplicárselo.

Luego, en lugar de besarla como ella temía y deseaba que hiciera, Newark estiró el brazo y le colocó la mano bajo la barbilla para levantarle la cabeza mientras acariciaba sus labios con el pulgar.

Ella se estremeció y trató de apartarse, pero la parte posterior de sus rodillas chocó contra la silla en la que poco antes se había sentado.

—Eres un verdadero tesoro, ¿verdad? —murmuró el duque, que contemplaba con el entrecejo arrugado cada centímetro de su rostro.

Charlotte aspiró con fuerza cuando él apartó el pulgar de sus labios.

—Mi hermano me considera una lata. Pero trataré de comportarme como es debido cuando esté con usted, sobre todo cuando estemos con otras personas en un lugar público.

Él sonrió con malicia.

—Me alegra saberlo.

Charlotte esperó; estaba impaciente por marcharse, pero se sentía incapaz de apartarse de la calidez de ese cuerpo tan próximo al suyo.

—¿Tenemos un trato entonces, excelencia? —preguntó con osadía.

—Colin —la corrigió él.

Accedió a llamarlo por su nombre de pila.

—¿Tenemos un trato, Colin?

—Lo pensaré, Charlotte —respondió tras un inquietante momento de silencio.

Se percató de inmediato de que había utilizado exactamente las mismas palabras que ella había pronunciado la noche que él le hiciera su proposición en el teatro. Estaba claro que lo había hecho adrede, y no era la respuesta que ella deseaba. Con todo, tampoco era un rechazo. Supuso que debía concederle tiempo para que se acostumbrara a la idea. El matrimonio, después de todo, era un paso muy importante para cualquier persona.

—Yo... tengo que irme. Debo estar pronto en el teatro a fin de prepararme para la actuación de esta noche.

El duque se apartó sin rechistar y le hizo un gesto con la mano para indicarle que podía pasar.

—En ese caso, no permitas que te prive de tus devotos admiradores.

Charlotte le hizo una ligera reverencia y se alejó de él. Una vez que llegó a la puerta, se detuvo y echó un vistazo atrás.

Él seguía mirándola con los brazos cruzados a la altura del pecho.

—¿Vendrá usted esta noche? —preguntó con amabilidad.

La mirada masculina se volvió sombría.

—¿Quieres que vaya? —inquirió con aire pensativo.

Parecía tener verdadero interés en saberlo, y de pronto Charlotte quiso que supiera lo mucho que disfrutaba de su apoyo y de su adoración durante las actuaciones.

—Siempre he deseado que lo haga, Colin.

El duque suspiró con fuerza y clavó en ella una mirada ardiente antes de asentir con la cabeza.

—Ya veremos, lady Charlotte. Buenas tardes.

Era una despedida en toda regla, así que la aceptó con una pequeña sonrisa.

—Buenas tardes, excelencia.

Se recogió las faldas y salió de su estudio con la cabeza bien alta.

5

Colin llamó a la puerta de la oficina que sir Thomas tenía en Yard y entró sin aguardar una respuesta.

No estaba exactamente furioso, pero la expresión de su rostro y de sus ojos debía de revelar su agitación, porque el secretario de sir Thomas, John Blaine, levantó la cabeza de sus documentos al instante y lo miró asustado.

—¿Está dentro? Necesito verlo de inmediato —declaró Colin mientras se acercaba a la puerta cerrada de la oficina interior.

Blaine se puso en pie y se colocó la chaqueta, que le quedaba demasiado ajustada en la cintura.

—Está dentro, pero preferiría anunciarle su llegada primero, excelencia. Está bastante ocupado esta...

—Entonces hágalo ya mismo —lo interrumpió, en un tono algo más frío de lo que pretendía.

Blaine lo miró de soslayo a través de unos grandes anteojos que le recordaban a los que llevaba Charlotte: sencillos, gruesos y muy poco favorecedores. Sin embargo, aunque Charlotte conservaba su belleza tras ellos, ese hombre no podría ser menos atractivo. Su rostro parecía tirante, como si todo en la vida le pusiera tenso, y sus rasgos eran similares a los de un mapache: ojos grandes y oscuros, mejillas redondeadas, labios finos y una barbilla plana y retraída. Con todo, debía de ser muy bueno en lo que hacía, ya que sir Thomas confiaba plenamente en él. Y la apariencia carecía de importancia en ese trabajo.

Blaine llamó a la puerta interior y después giró el picaporte para asomarse a la estancia.

—Su excelencia el duque de Newark desea verlo, señor —dijo con voz suave.

—Hazlo pasar —fue la rápida respuesta.

Antes de que Blaine pudiera indicarle que entrara, Colin pasó a su lado y se adentró en la oficina sin fijarse apenas en la neblina de humo de tabaco que envolvía la oscura y mal ventilada estancia.

Sir Thomas estaba sentado, y parecía enfrascado en los documentos que había sobre el escritorio a la luz de una sencilla lámpara de aceite. Sin embargo, se puso en pie e inclinó la cabeza con formalidad cuando Colin tomó asiento en una vieja mecedora que había frente a la suya.

—Me has tendido una trampa, amigo mío —declaró Colin con cierta irritación, pasando por alto el hecho de que Blaine se encontraba a su espalda con la puerta abierta, a la espera de instrucciones.

Sir Thomas suspiró y se dejó caer de nuevo en su asiento sin apenas mirarlo.

—Eso es todo, John —le dijo a su secretario.

—Y no queremos que nos molesten —añadió Colin sin echar siquiera un vistazo por encima del hombro.

Sir Thomas sonrió.

—No, no queremos que nos molesten.

—Muy bien, señor —replicó Blaine en tono impasible antes de cerrar la puerta.

Colin no apartó la mirada de su mentor, que estaba sentado delante de él, mirándolo a su vez. La oficina de sir Thomas, una estancia pequeña y estrecha llena de pilas de papeles desordenados, estanterías con libros polvorientos y objetos extraños, parecía ese día más cargada y gélida que nunca, ya que las ventanas permanecían cerradas a causa de la llovizna y el aire frío. Pero Colin apenas le prestó atención a ese hecho. Su mente estaba concentrada en descubrir la verdad.

—¿Y bien? —insistió sin apartar la mirada de su amigo.

Sir Thomas se relajó un poco, se aflojó la corbata y apoyó los codos en los brazos de madera del asiento para entrelazar los dedos por encima del pecho.

—En realidad, me sorprende que no vinieras a verme a casa ayer —dijo con despreocupación.

Irritado por esa respuesta indiferente, Colin estiró una de sus piernas y cruzó los brazos sobre el pecho.

—Lo pensé, pero decidí que lo mejor sería aclararme antes las ideas.

—Ah, entiendo.

Colin resopló.

—No, no entiendes. —Después de frotarse la cara con la palma de la mano, agregó—: ¿Tienes la menor idea de los problemas que me has causado?

El hombre mayor alzó las cejas en un gesto inocente.

—¿Problemas? Querías conocer a Lottie English y yo lo hice posible.

Colin sacudió la cabeza y cerró los ojos por un momento antes de volver a mirar a su compañero.

—Deberías haberme dado a conocer su identidad. No estaba preparado.

—¿Preparado para qué?

—¿Cómo que preparado para qué? Para ella, por el amor de Dios —replicó con sequedad.

Sir Thomas lo observó con detenimiento durante unos instantes antes de inclinarse hacia delante y colocar las manos entrelazadas sobre el escritorio.

—¿Qué ha ocurrido para ponerte en este estado de nervios, Colin?

Aunque técnicamente sir Thomas era su jefe, también tenía un título inferior y casi nunca utilizaba su nombre de pila. El hecho de que lo hiciera en ese momento lo sorprendió bastante y aumentó su irritación.

Incapaz de permanecer quieto ni un segundo más, se levantó de pronto y se metió las manos en los bolsillos del abrigo empapado por la lluvia, mientras se acercaba a la ventana para echar un vistazo a la oscuridad reinante a primeras horas de la tarde.

—Me tiene acorralado —comentó con seriedad.

Sir Thomas rió por lo bajo y Colin volvió la cabeza para lanzarle una mirada asesina.

—No tiene ninguna gracia. Esa mujer quiere casarse conmigo, por el amor de Dios, y utiliza su... encarnación de Lottie English con el único fin de engatusarme para que acepte.

—¿Engatusarte?

—Sí, engatusarme.

Permanecieron en silencio unos instantes y Colin volvió a mirar por la ventana sin ver nada en realidad, mientras la lluvia salpicaba el cristal.

—No tienes por qué casarte con nadie si no quieres hacerlo. Y me consta que no es necesario que yo te lo diga, muchacho. Así que ¿cuál es el problema?

Colin se frotó los ojos.

—Todavía no estoy preparado para atarme de esa manera.

—Sí, eso lo has dejado bien claro —replicó sir Thomas—. Ante todo el mundo, diría yo.

Pasó por alto la segunda parte del comentario.

—No quiero casarme con una persona a la que apenas conozco. Y menos aún con una chica sencilla que toca el piano mejor que yo.

—Todo el mundo toca el piano mejor que tú...

—Esa no es la cuestión.

—... además, ella no es tan sencilla.

Colin soltó un gruñido.

—Es inteligente.

—Sí, lo es. Pero lo que en realidad me gustaría saber —añadió su supervisor— es qué demonios te ha hecho creer que tienes que casarte con esa chica.

Había asumido que sir Thomas formaba parte de todo

aquel maldito asunto, pero el tono de perplejidad del hombre le hacía sospechar que la idea de un matrimonio «conveniente» era cosa solo de Charlotte.

Se volvió para enfrentarse de nuevo a su superior y descubrió que los rasgos de sir Thomas habían adquirido una expresión dura. No parecía enfadado, solo irritado, como si aún le costara trabajo asimilar la gravedad de la situación que tan mal le estaba explicando.

De repente, Colin se sintió exhausto. Se quitó el abrigo y se acercó a la silla que había ocupado poco antes. Dejó la prenda en el respaldo y se sentó, desplomándose esta vez en el asiento.

—Tal y como me pediste —comenzó—, le hice una visita al conde de Brixham el viernes pasado para ofrecerle una bonita suma por el piano. El hombre se mostró de acuerdo y me lo vendió. Mientras estaba allí, tuve la fortuna de conocer a la astuta lady Charlotte, quien, como después he llegado a descubrir, me reconoció como el hombre que había conocido la semana anterior, mientras actuaba en los escenarios como Lottie English. Por supuesto, yo no tenía ni idea de que ambas mujeres eran la misma persona.

Su voz había ido aumentando de volumen durante la diatriba, así que se obligó a controlar la irritación. Sir Thomas se limitaba a mirarlo y a asentir con la cabeza, de modo que continuó.

—Al día siguiente, tuvo la osadía de venir a visitarme con una proposición de matrimonio. Matrimonio, por el amor de Dios... —Sacudió la cabeza—. Hay que reconocer que esa mujer tiene coraje.

—Supongo que te refieres a la dama...

Por supuesto que sabía que era una dama.

—¿Adónde quieres ir a parar?

Sir Thomas se incorporó un poco para acomodarse en la silla, que parecía incapaz de soportar su peso.

—A mí me parece un enlace de lo más provechoso —señaló con un encogimiento de hombros.

—Eso es irrelevante —rugió Colin.

Sir Thomas volvió a reclinarse en su asiento y lo observó de manera especulativa.

—¿Por qué has venido aquí si no querías saber lo que pienso sobre este asunto?

Colin estudió al hombre de arriba abajo.

—Quiero saber si su hermano está endeudado y si se trata de un problema para el que realmente son necesarias mis habilidades. —Hizo una pausa antes de añadir en voz baja—: No me habrás asignado un trabajo que no es más que una patraña, ¿verdad, Thomas?

Se dio cuenta de que su superior tardaba bastante en responder, aunque albergaba la esperanza de que no estuviese utilizando ese tiempo para idear una respuesta razonable. Necesitaba sinceridad.

Sir Thomas respiró hondo y dejó escapar el aire muy despacio a través de sus gruesos labios.

—Está endeudado; esa parte es del todo cierta. —Aguardó unos instantes antes de admitir con aire reflexivo—: Pero debo confesar que te envié allí para darte la oportunidad de conocer a lady Charlotte.

—¿Porque ya sabías que era Lottie English? —inquirió Colin, que sintió cómo los músculos se tensaban de forma dolorosa bajo sus ropas.

Sir Thomas asintió.

—Sí.

Esperaba algo más que una simple admisión, aunque había obtenido la sinceridad que deseaba.

—¿Por qué no te limitaste a decirme quién era? —preguntó exasperado—. Al menos así habría podido estar preparado para su insolente intromisión en mi casa.

Sir Thomas resopló.

—Tonterías. Además, eso no estaba en mis manos. Ella no quería... no quiere... que nadie lo sepa.

—¿Y cómo lo descubriste? —inquirió empleando un tono sarcástico.

El hombre se encogió de hombros.

—La Corona me paga para saber ese tipo de cosas.

—Eso es una ridiculez.

Sir Thomas se atusó el pelo de la coronilla.

—Digamos sencillamente que lo adiviné.

Colin se puso en pie de pronto.

—Conoces a la familia.

—Sí, y conocí a su padre bastante bien. Sin embargo, no confío en su hermano. Ha sido él quien la ha mantenido recluida bajo su dominio durante los tres últimos años; por lo visto, detesta la... carrera, llamémosla así, que ella ha elegido.

—Así que pensaste que quizá yo estuviera dispuesto a sacarla de la desafortunada situación que vive en su hogar casándome con ella, ¿verdad? —preguntó estupefacto.

Sir Thomas entrecerró los ojos.

—En absoluto. Pero querías conocer a Lottie English. Y me encargué de que lo hicieras.

—Y ahora he quedado como un estúpido —señaló Colin con cierta ofuscación.

—Estoy seguro de que lady Charlotte no cree eso; en caso contrario, no habría ido a tu casa para ofrecerse como posible esposa.

Con los nervios a flor de piel, Colin se frotó los ojos.

—Por ridículo que parezca, no puedes hacerte una idea de lo que ocurrió entre nosotros la noche de la ópera.

Tras un largo momento de silencio, sir Thomas suspiró.

—Te equivocas, Colin. Te aseguro que puedo hacerme una idea bastante aproximada.

El viento arreció y la lluvia, cada vez más fuerte, comenzó a azotar las ventanas con una fuerza que rivalizaba con la del tumultuoso torrente de sangre que le recorría las venas.

Por supuesto que lo sabía. Todo el mundo conocía su reputación con las damas. Le molestó bastante ser alguien tan transparente para la aristocracia, en especial cuando jamás se había jactado de sus escarceos sexuales. A decir verdad, lo único que quería era pasárselo bien, disfrutar lo más posible de la vida de soltero antes de que el deber lo atara a una esposa protestona y a una casa llena de mocosos. ¿Qué había de malo en eso?

Dejó escapar un gemido y comenzó a pasearse por la pequeña estancia con las manos apoyadas en las caderas y la cabeza gacha.

—No sé qué hacer —admitió con vacilación. Unas palabras que preferiría no tener que repetir nunca ante ninguna otra persona en el mundo.

Sir Thomas rió por lo bajo una vez más.

—Esa es la parte fácil. Es un matrimonio socialmente perfecto, y además podrás conseguir a la señorita English. Te aconsejo que te cases con esa muchacha.

—No quiero casarme —farfulló. Luego, al darse cuenta de que había sonado como un crío, añadió en tono serio—: Me refiero a que no quiero casarme ahora. No estoy preparado.

—¿Preparado para qué?

A Colin no se le ocurrió una respuesta para eso y fue evidente que sir Thomas se percató de la confusión que embargaba su mente.

—¿Me permites el atrevimiento de darte un consejo?

Colin dejó de pasearse y se irguió en toda su estatura antes de mirar a su superior una vez más.

—Por favor —dijo, haciendo un gesto despreocupado con la mano.

Sir Thomas lo miró a los ojos con los párpados entornados.

—Nadie está preparado para el matrimonio. No del todo. Sin embargo, es un paso que todos tenemos que dar al final, sobre todo alguien de tu posición social. Necesitas un heredero y, ahora que tu padre ha muerto, ha llegado la hora de que engendres uno. Esa es la responsabilidad para un hombre con tu título, y tengo la certeza de que ya lo has pensado en más de una ocasión. Lady Charlotte puede darte eso...

—Te pareces a ella, siempre tan práctica...

Sir Thomas esbozó una sonrisa comprensiva.

—Como tú mismo has señalado, es una mujer inteligente. Si te soy sincero, creo que ella ha pensado en esto con mucha más claridad que tú, y eso no es muy usual, porque las mujeres pueden llegar a ser de lo más irracionales en ocasiones.

—No estoy siendo irracional —dijo a la defensiva—. Intento ser lógico. Ni siquiera la conozco.

—Sin importar el tiempo que dure el cortejo, nadie conoce nunca a su cónyuge hasta que se casa —señaló su jefe con franqueza, al tiempo que enlazaba las manos sobre el regazo—. Podrías cortejar a lady Charlotte durante meses, llegar incluso a acostarte con Lottie English, pero eso no te prepararía para el matrimonio. —Bajó la voz hasta convertirla en un susurro antes de concluir—: Es obvio que os sentís atraídos el uno por el otro. Ese es el primer paso. Tienes la obligación de aceptar su... proposición. Consigue una esposa y un heredero. El resto será lo que tenga que ser.

—¿El resto? ¿Te refieres a los problemas? —inquirió Colin malhumorado.

Sir Thomas encogió un hombro.

—Tal vez. Pero el matrimonio también trae consigo muchas cosas buenas. Solo tienes que zambullirte de cabeza en él.

Colin esbozó una sonrisa.

—Si no supiera lo contrario, diría que has planeado todo este asunto.

El hombre enarcó las cejas en un gesto de inocencia.

—¿Yo? Jamás tendría la osadía de intentar planear tu futuro, muchacho.

Colin soltó un resoplido antes de estirar el brazo para coger su abrigo.

—Bien dicho, amigo mío.

—Pero Lottie English encarna las fantasías de cualquier hombre —añadió sir Thomas con un suspiro exagerado, al tiempo que volvía a reclinarse en su asiento—. Te envidio.

Colin tomó una honda bocanada de aire cuando por fin se dio cuenta de que su futuro había cambiado en el momento en que posó los ojos en esas sensuales curvas, tantos años atrás.

La deseaba. Llevaba mucho tiempo deseándola, y ahora podía tenerla ... de manera legal, por voluntad propia y para siempre. Todo lo que había dicho sir Thomas, todos los argumentos que había esgrimido llegaban a esa misma conclusión.

Tras ponerse el abrigo con movimientos bruscos, se volvió hacia la puerta.

—Te aseguro que me las pagarás por esto, Thomas —le advirtió esbozando una sonrisa.

—Me invitarás a la boda, ¿verdad?

Colin se calló una respuesta sarcástica mientras cerraba la puerta de la oficina y saludó a Blaine con una inclinación de cabeza antes de dirigirse al pasillo.

Por Dios, sus amigos se morirían de la risa cuando se enteraran de aquello. El magnífico espectáculo que había sido su vida hasta esos momentos estaba a punto de llegar a su fin. Pronto sería sustituido por una vida rutinaria en manos de una astuta mujer que lo deseaba por sus propios y egoístas motivos. Por todo menos por lo que él era como persona.

Aunque eso carecía de importancia, pensó mientras atravesaba las puertas principales de Yard para salir al patio aquella lúgubre tarde, embargado por una extraña sensación de tristeza que lo sacudió como un estremecimiento.

En realidad, nadie lo conocía.

6

Colin se encontraba en la austera sala de estar del conde de Brixham, peinándose el cabello húmedo con los dedos mientras esperaba la llegada de lady Charlotte. Había ido allí directamente después de dejar a sir Thomas. Quería aceptar su proposición antes de pensarse mejor las consecuencias a largo plazo y cambiar de opinión. Tras entregar el abrigo al mayordomo y solicitar una audiencia con el conde, se paseó por la gélida estancia y se detuvo para contemplar el horroroso papel de las paredes, lleno de melocotones y cerezas de brillantes colores, con la esperanza de que el gusto de la dama en cuestiones de decoración fuera algo más sofisticado. Esa habitación, aunque carente de muebles superfluos y fruslerías inútiles, revelaba un mal gusto incuestionable con toda esa cacofonía de colores estridentes: rojo vivo, amarillo limón y mandarina. No era una sala de estar, sino un puesto de frutas. Tal vez su futura esposa había elegido esa decoración, aunque no podía creer que Lottie English fuera tan poco elegante.

En menudo lío se había metido, por Dios. Ya la consideraba suya y aún no le había pedido la mano. Aunque la petición en sí era irrelevante a esas alturas. Todavía no había logrado decidir si le molestaba o le halagaba que ella le hubiera quitado todo el encanto a la que, con toda probabilidad, sería la única proposición de matrimonio que haría en su vida. No obstante, nunca había tenido las cosas fáciles y sus expectativas jamás habían sido las usuales.

—Qué agradable sorpresa, excelencia.

Colin enderezó los hombros para adoptar una postura imponente y entrelazó las manos a la espalda mientras el conde de Brixham entraba en la sala a toda prisa. El tono de su voz denotaba una mezcla de impaciencia y falso buen humor, pero su mirada era implacable. A juzgar por su expresión, el hombre no deseaba visitas ese día.

—¿Vengo en mal momento, Brixham? —preguntó, luchando contra el impulso de frotarse los ojos y dejar caer su agotado cuerpo en el canapé que había a su espalda.

—No, no, por supuesto que no —exclamó el conde haciendo un gesto despreocupado con la mano, antes de cerrar las puertas de la sala de estar para asegurar la privacidad. Pero de repente pareció inquieto por algo—. Espero que no haya venido porque ha cambiado de idea con respecto al piano.

—No, en absoluto —replicó Colin sin ambages.

Las gruesas cejas del conde se unieron en un ceño mientras le hacía un gesto para invitarlo a sentarse en el canapé.

—¿A qué debo el honor de su visita entonces, milord?

Al igual que en su primer encuentro, había algo en el comportamiento del conde que lo irritaba. Era obvio que no esperaba invitados para el té, ya que iba ataviado con un atuendo informal consistente en unos pantalones castaños de lo más sencillos y una modesta camisa con el cuello desabotonado. No llevaba joya alguna, aunque a Colin le daba la impresión de que era el tipo de hombre que las lucía siempre que le resultaba posible. Su aspecto y su comportamiento parecían los típicos de un inglés que se sentía a gusto en su hogar y en su ambiente, pero había algo bajo esa disposición tranquila que revelaba cierta tensión, tal vez una frustración causada por la incertidumbre de su más que cuestionable situación económica. Con todo, el conde de Brixham no había dicho o hecho nada inapropiado o grosero; no había hecho nada para granjearse semejante desconfianza por su parte. Pero ese hombre se convertiría muy pronto en su cuñado y Colin no conseguía atisbar nada agradable en él.

Tras hacer un esfuerzo por relajarse en el ajado canapé, cruzó las piernas y entrelazó los dedos de las manos sobre el regazo.

—He venido a hacerle una proposición a Charlotte —dijo sin andarse por las ramas.

El conde ni siquiera lo miró mientras se acercaba a él.

—¿Otra oferta? Le aseguro que ya no posee más antigüedades para su colección.

De no haber estado tan molesto por toda aquella situación, a Colin le habría hecho gracia la impertinente ignorancia del conde.

—¿Acaso insinúa que una dama como ella no tiene ningún valor? —preguntó en tono seco.

Brixham se detuvo junto a un sillón orejero, con el muslo apoyado sobre el brazo del asiento.

—¿Cómo dice?

Colin se encogió de hombros.

—Usted dijo que ella necesitaba un marido, y después de pensarlo bien, he llegado a la conclusión de que un matrimonio entre lady Charlotte y yo sería... óptimo. Así pues, he venido a pedir su mano.

Fue algo de lo más inesperado, sin duda, ya que el conde de Brixham pareció palidecer ante sus ojos y se quedó boquiabierto a causa de la incredulidad.

Colin aguardó con expresión despreocupada, disfrutando de la conturbación del hombre.

Al final, Brixham tragó saliva y se aferró al brazo opuesto del sillón que estaba a su lado antes de dejarse caer en el asiento.

—¿Por qué Charlotte?

—¿Por qué no? —Colin esbozó una sonrisa—. ¿Acaso importa?

Pasaron unos segundos de silencio. Luego el conde se recobró de repente de su asombro inicial y comenzó a arreglarse los puños de la camisa mientras se erguía en el sillón y asumía una postura formal.

—Le pido disculpas, excelencia. Es solo que no esperaba una oferta de matrimonio, en especial cuando usted pareció tan... poco atraído por mi hermana en nuestro anterior encuentro. Hace un par de semanas me pareció obvio que a usted no le interesaba casarse, y ahora... bueno... aquí está. —Rió entre dientes y se atusó el cabello de la parte posterior de la cabeza—. Estoy sorprendido, eso es todo.

Colin se obligó a permanecer quieto, molesto por no haber considerado el carácter repentino de la propuesta y lo que esta podría parecerle al hermano de la dama. Sin embargo, no tenía necesidad de explicar sus actos; el tipo precisaba apoyo financiero y estaba claro que deseaba librarse de la posibilidad de tener que cuidar de una hermana solterona durante toda su vida. Colin podía hacer eso por él, y ambos lo sabían.

Unió las yemas de los dedos por delante del pecho y asintió con la cabeza, como si comprendiera las inquietudes del conde.

—Tiene razón, por supuesto, pero después de considerar las cosas estos últimos días, he decidido que ha llegado el momento de cumplir con mi deber y casarme. Lady Charlotte resulta una opción lógica y socialmente aceptable. —Guardó silencio un instante para hacer hincapié en lo que había dicho antes de añadir—: Además, necesito un heredero.

Brixham lo estudió con detenimiento mientras se frotaba la barbilla con la yema de los dedos.

—Estoy más que dispuesto a aceptar su oferta, excelencia —admitió con un suspiro—. Pero creo que le será mucho más difícil convencer a Charlotte. Usted apenas la conoce y ella ya ha rechazado a todos los caballeros que intentaron cortejarla, a pesar de que a uno o dos de ellos los conocía desde que era niña.

Por inexplicable que pareciera, ese comentario lo sacó de sus casillas.

—Quizá si se lo pido en persona en lugar de hacer que

usted insista en que acepte mi proposición, ella se muestre un poco más... complaciente, ¿no cree?

Lo había expresado en forma de pregunta a fin de no insultar al conde y para hacerle saber que jamás utilizaría la fuerza o las amenazas con Charlotte, ya que era evidente que no funcionaban. Brixham deseaba con desesperación librarse de la carga que suponía su hermana, pero no sabía que la dama ya le pertenecía y que cualquier tipo de coerción estaba fuera de lugar.

A la postre, el conde rió por lo bajo y meneó la cabeza.

—No puedo negar que el enlace sería de lo más conveniente, excelencia, pero Charlotte puede llegar a ser todo un desafío.

—En ese caso, supongo que se convertirá en mi problema —replicó con un suspiro.

—Sí, bueno, es una muchacha muy testaruda —agregó el hombre—, bastante inteligente, y puede llegar a ser de lo más retorcida cuando quiere algo.

Si usted supiera..., pensó Colin.

—Creo que disfrutaré con ese tipo de desafío —le aseguró él con una sonrisa.

Brixham permaneció en silencio durante unos instantes. No dejaba de rascarse las patillas mientras su mente asimilaba todos los detalles y se deleitaba con la importancia que le reportaría convertirse en el pariente político del adinerado duque de Newark. No tardó mucho tiempo en acceder.

—Supongo que podemos aclarar los detalles algún día de esta misma semana.

Colin sabía en qué pensaba el hombre e hizo un gesto con la mano al tiempo que negaba con la cabeza.

—No hay prisa. Me preocupa menos su dote que la obligación de engendrar un heredero.

Los rasgos de Brixham se contrajeron en una sonrisa de auténtico alivio.

—Muy bien, excelencia —dijo, enderezándose con renovada confianza—. Si espera aquí, iré a buscar a mi hermana.

Colin asintió con la cabeza, pero no se movió.

Pasaron escasos minutos antes de que la avispada Charlotte entrara en la habitación. Su rostro expresó cierta sorpresa al verlo, aunque después pareció satisfecha y esbozó una diminuta sonrisa. Llevaba un sencillo vestido de mañana de color azul oscuro con escote cuadrado y corpiño ceñido, cuyas faldas caían en una cascada de seda hasta el suelo. Tenía una figura magnífica, y Colin no pudo evitar preguntarse cómo era posible que una mujer con un cuerpo tan espléndido pudiera cantar tan bien con un corsé tan apretado. Pero esa pregunta carecía de importancia en esos momentos. No tardaría en descubrirlo.

Resignado, Colin se puso en pie, tal y como exigía el decoro, pero procuró que su expresión no revelara nada.

—Excelencia —lo saludó ella en un susurro, al tiempo que se inclinaba en una reverencia.

—Lady Charlotte —dijo él muy despacio.

Pasaron unos instantes de incómodo silencio mientras ella paseaba la mirada entre su hermano y él. Brixham captó la indirecta y se aclaró la garganta antes de marcharse.

—Bueno, supongo que debo dejarlos a solas para que hablen. —Se detuvo frente a las puertas para añadir—: Estaré al final del pasillo, en mi estudio, si alguien me necesita.

Colin notó la tensión que chispeaba entre ambos hermanos y se preguntó cuál era la naturaleza de la relación que mantenían, mientras observaba la mirada penetrante que dirigió el conde a su hermana antes de salir de la estancia y cerrar las puertas. Ella, sin embargo, pareció ignorarla sin problemas, ya que sonrió con aire satisfecho mientras enlazaba las manos a la espalda y concentraba su atención en él.

—Me sorprende verlo aquí —afirmó en tono jovial.

Colin alzó las cejas ante ese intento de restarle importancia al asunto.

—¿De veras?

En realidad no era una pregunta, y ella no sintió la necesidad de responderla. No obstante, después de unos inquietantes segundos de silencio, la expectación del momento fue demasiado para ella. Sabía muy bien por qué había ido a verla, aunque al parecer acababa de darse cuenta de que él no pensaba poner nada de su parte para que aquel encuentro resultase fácil. Colin cruzó los brazos sobre el pecho, a la espera, mientras se fijaba en el rubor que teñía sus mejillas. Lo más probable era que estuviese más nervioso que ella, pero jamás lo admitiría ante nadie y sabía disimularlo muy bien.

—Hoy tiene un aspecto encantador —señaló al tiempo que la miraba de arriba debajo.

—Gracias —replicó ella enarcando una ceja—. Debo decir, milord, que usted está tan apuesto como siempre.

Colin tuvo que esforzarse para reprimir la sonrisa que amenazaba con asomar a sus labios.

—Es usted muy amable.

Durante algunos segundos, se limitaron a mirarse el uno al otro. Luego, después de respirar hondo para darse ánimos, ella preguntó con insolencia:

—¿Ha venido para hacerme algún tipo de proposición, excelencia?

A Colin le sacó de quicio tanta franqueza.

—Es usted un poco presuntuosa, ¿no le parece?

Charlotte tuvo el coraje de sonreír, impertérrita ante su irritación, y le dirigió una mirada de soslayo mientras se acercaba al canapé.

—No se me ocurre ninguna otra razón para su visita, milord.

—¿Quizá para rechazar de forma educada su propuesta?

Los pasos femeninos vacilaron y su frente se arrugó por un momento. No había esperado esa respuesta, y Colin sintió una absurda satisfacción al saber que se había apuntado ese tanto, por pequeño que fuera.

Entonces Charlotte sonrió de oreja a oreja, mientras avanzaba hacia él sin apartar la mirada de sus ojos.

—Podría ser, excelencia, pero no puedo evitar recordar el... entusiasmo que lo embargaba la noche que nos conocimos en la ópera.

—¿Entusiasmo? —repitió Colin, intentando que su voz y su semblante parecieran tan indiferentes como los de ella.

Charlotte lo miró con expresión inocente.

—¿Cómo si no lo llamaría usted? A mí no se me ocurre otra cosa.

Colin no lograba decidir si su audacia lo enfurecía o lo excitaba. La observó en silencio unos momentos y se fijó en su piel cremosa salpicada de pecas; en la inteligencia que mostraban sus grandes ojos azules, que destacaban aun sin la aplicación de cosméticos; en sus pómulos altos y en los rizos rojizos que habían escapado de la trenza que caía desde su coronilla hasta la mitad de su espalda. Sí, era un hombre muy, muy entusiasta, aunque se negaba a admitirlo delante de ella.

—Yo lo llamaría fascinación —dijo por fin. Mantuvo sus ojos fijos en los de ella para tratar de intimidarla, pero no pareció funcionar.

Charlotte apretó los labios para contener la risa.

—Bobadas. Es muy libre de rechazarme, y si aún no lo ha hecho es porque sabe que le he propuesto algo no solo tentador, sino también necesario para ambos. —Bajó la voz y se inclinó hacia él antes de agregar con picardía—: Le excita tanto la perspectiva como a mí, aunque entiendo que su excitación se debe a un motivo algo diferente.

¿«Algo diferente»? Sus motivos no podían ser más distintos. Colin se metió las manos en los bolsillos para resistir la tentación de rodearle el cuello y zarandearla... o acercarla un poco más para poder acariciarle la garganta mientras besaba otra vez esa hermosa boca.

—Me excitan muchas cosas —replicó con serenidad—, como muy bien sabe. Sin embargo, no me agrada en lo más mínimo la idea de que alguien, quien sea, pueda arrebatarme a mi esposa, sea cual sea el motivo.

Ella lo observó con la cabeza inclinada hacia un lado.

—Supongo que podría decirse que he deshinchado sus velas, ¿verdad? Eso debe de resultar muy difícil de aceptar para un caballero.

Colin estuvo a punto de soltar un resoplido.

—Aprecio su preocupación, Charlotte, pero creo que mis velas se encuentran en perfecto estado.

Ella se removió con incomodidad y sus mejillas se sonrosaron.

—Sé que, como hombre, necesita variedad en sus perspectivas, y que atarse a una sola dama podría acabar aburriéndolo. Sin embargo, como ya le dije en otra ocasión, la fidelidad en el matrimonio no es una de mis preocupaciones. Ambos nos beneficiaremos mucho de esta unión, y le aseguro, milord, que nadie aparte de nosotros conocerá nunca la verdad.

Esa sencilla y significativa declaración lo desconcertó un poco y tuvo que contener una réplica sarcástica. Cada vez más enfadado, se masajeó los agarrotados músculos del cuello con la palma de la mano mientras daba la espalda a Charlotte para acercarse al solitario sillón que había junto a la chimenea apagada, cuya tapicería de terciopelo en color mandarina estaba casi tan raída como la del canapé. Se situó detrás del sillón, entrelazó los dedos y apoyó los brazos sobre el respaldo antes de enfrentarse a ella con un nudo en las entrañas.

Charlotte cruzó los brazos por debajo de los pechos en un gesto defensivo, inconsciente al parecer de que lo único que conseguía de esa forma era hacer que el escote resultara aún más provocativo.

—En mi opinión, la variedad está sobrevalorada, lady Charlotte —murmuró segundos más tarde mientras la recorría muy despacio con la mirada—. Su generosidad en ese asunto es sin duda inconmensurable, pero ¿por qué iba a querer descarriarme si Lottie English calienta mis sábanas todas las noches?

La insolencia de la pregunta la dejó desconcertada. Se ruborizó de nuevo al ver que tenía la vista clavada en su escote y después se dio la vuelta para caminar hasta la ventana a fin de contemplar el jardín, oculto tras la gélida y persistente lluvia.

Se produjo otro largo silencio, aunque Colin no tuvo problemas para soportar la turbación femenina y la incómoda tensión que se había establecido entre ellos. Tenía la intención de mantenerse implacable en su planteamiento, de hacerle saber, más allá de toda duda, que aunque tal vez hubiera accedido a un matrimonio de conveniencia, él sería la figura autoritaria en su relación; que a pesar del hechizo que Lottie English había tejido a su alrededor, no permitiría que lo trataran como a un estúpido. Aun así, al observarla en esos momentos, aturdida por su llegada inesperada y por sus comentarios lascivos, no podía restar importancia a su belleza ni pasar por alto su inteligencia, su sofisticación o su exuberante atractivo sexual, todo disimulado bajo el modesto disfraz de dama de buena cuna.

Sí. Esa mujer le haría disfrutar durante mucho tiempo.

Fingió sentirse derrotado y se tragó el desasosiego antes de anunciar:

—Muy bien, milady. Según parece, no tengo más remedio que pedirle formalmente que sea mi esposa.

Supo de inmediato por su postura rígida y el hecho de que ni siquiera se dignó mirarlo que su petición de mano no la había halagado mucho. Pero ¿qué esperaba después de haberlo obligado a hacerlo? ¿Que se arrodillara para ofrecerle flores y un anillo? Con un gruñido de fastidio ante su propia ineptitud, apretó el respaldo con las manos y añadió en voz baja:

—¿Me harías el honor de casarte conmigo, Charlotte?

Era lo más que podía decir en esas circunstancias, y ambos sabían que ella no iba a rechazarlo.

Después de unos largos y tensos instantes, Charlotte echó la cabeza hacia atrás y suspiró con delicadeza. Colin aguardó una respuesta; sabía cuál sería esa respuesta, pero aun así sintió que se le secaba la boca mientras transcurría el tiempo y se alargaba aquel silencio enloquecedor.

Al final, ella se volvió para mirarlo con las manos enlazadas a la espalda. Permanecía erguida y arrogante, con una expresión calma e indescifrable.

—Será todo un honor para mí aceptar su proposición de matrimonio, excelencia —afirmó casi sin aliento.

Una inesperada mezcla de zozobra y lujuria desenfrenada lo recorrió por dentro. Colin se enderezó al darse cuenta de que estaba apretando con demasiada fuerza el respaldo del sillón. Tras recuperar la compostura, asintió con la cabeza; no sabía muy bien si debía decir algo después de haber obtenido su respuesta, pero decidió que no importaba. Charlotte se limitó a mirarlo sin decir lo que pensaba y, pasados unos instantes, él decidió seguir adelante y dejar claros los términos del acuerdo, por llamarlo de alguna manera, a fin de evitar cualquier malentendido por su parte con respecto a las condiciones del matrimonio que pronto se celebraría.

Frotó el respaldo aterciopelado del sillón antes de alejarse de él y enlazar las manos a la espalda. Clavó la mirada en la chimenea durante unos instantes y luego dio media vuelta para observarla desde el otro lado de la estancia.

—Ahora que estamos... comprometidos —anunció con indolencia—, hay unos cuantos detalles sin importancia que debemos discutir.

—Por supuesto —replicó ella—. Será un placer para mí planear la boda, aunque me gustaría casarme lo antes posible.

—A mí también —convino Colin antes de explicarle que sus razones diferían mucho de las de ella—. Y me consta que organizarás una boda preciosa, pero no me refería a eso.

Charlotte frunció el ceño el tiempo suficiente para que Colin se diera cuenta de que no había esperado que le planteara exigencia alguna o que pudiera poner sus propias condiciones al matrimonio, y eso le dio el coraje necesario para continuar. Tuvo que reprimir una sonrisa de absoluta satisfacción al comprender que volvía a tener cierta ventaja sobre ella.

—Muy bien, excelencia —declaró ella con un breve asentimiento de cabeza—. Supongo que debería haber imaginado que usted tendría sus propias preocupaciones.

Colin sonrió al escucharla, pero solo en su beneficio.

—Preocupaciones, no. Requisitos, sí.

Ella se mordió los labios con incertidumbre, pero mantuvo una postura lo más digna posible en su lugar frente a la ventana, con una mano a la espalda y la otra jugueteando con la cadena de oro que llevaba al cuello.

—Ya le he dicho que seré una buena esposa en todos los sentidos posibles. No imagino que otros requisitos puede haber. —De pronto una expresión horrorizada atravesó su rostro—. No esperará que deje...

—Jamás te pediría que abandonaras el teatro, Charlotte. No debes preocuparte por eso.

Ella, aliviada, relajó un poco la espalda.

Colin permaneció callado para instigar su curiosidad, disfrutando del momento. A la postre, se encogió de hombros.

—No, me refiero a los requisitos dentro del dormitorio. Debemos hablar sobre ellos antes de... intimar.

Charlotte ahogó una exclamación de sorpresa y abrió los ojos de par en par a causa de la indignación.

Por fuera, Colin permaneció impasible ante su respuesta; por dentro, se sentía encantado por su azoramiento y disfrutó al ver cómo sus mejillas se teñían de nuevo de un intenso rubor.

—No es necesario que discutamos algo semejante —replicó ella desafiante—. Creo que ya le he dicho que estoy dispuesta a proporcionarle un heredero. No hay nada más que decir a ese respecto, excelencia.

Aún con las manos a la espalda, Colin frunció el ceño y empezó a caminar muy despacio hacia ella.

—No es tan sencillo. Espero que me proporciones un heredero a cambio de los problemas que implican los vínculos del matrimonio, por supuesto, pero hay muchas más cosas en juego que acostarme contigo hasta que te quedes embarazada.

Ella parpadeó perpleja y retrocedió un poco al ver que se acercaba. En esos momentos, frotaba la cadena entre los dedos con ferocidad.

Colin enfrentó su mirada atónita con naturalidad.

—Aunque tengo la intención de hacerte mía en nuestra noche de bodas, no pienso dejarte embarazada en esa ocasión.

No espero un hijo de inmediato, y no quiero tenerlo tan pronto —afirmó en voz más baja.

Ella apartó la mano de su cuello y se rodeó con los brazos mientras lo miraba de la cabeza a los pies desconcertada.

—Eso... no tiene ningún sentido, milord. Un hombre con su posición necesita un hijo y yo necesito... —Respiró hondo y alzó la barbilla antes de agregar con un aplomo que no sentía—: Tenemos un acuerdo.

—Ah, sí. El acuerdo. —Colin cruzó los brazos sobre el pecho para contemplarla sin tapujos, enfrentando su hermosa y aturdida mirada—. Deja que te explique la situación, Charlotte: te financiaré una gira, pero solo bajo mis condiciones y en el momento que yo elija.

Ella lo miró boquiabierta.

—En recompensa por los problemas que todo esto va a ocasionarme —continuó—, espero pasar un poco de tiempo contigo antes de que te quedes embarazada; cuando esto ocurra, le entregaremos el bebé a una niñera y a todo un ejército de sirvientes que se encargarán de criarlo mientras tú te marchas al continente con tu piano. Hasta entonces, puedes continuar cantando aquí en Londres como hasta ahora y yo seguiré apoyando tus esfuerzos de todo corazón, siempre y cuando estés en casa cada noche para calentar mi cama. —Sonrió con malicia y se inclinó hacia ella para murmurar—: Quiero lo que hemos acordado, Charlotte, es decir: tenerte en mi cama atendiendo todos mis deseos; después tú podrás seguir adelante con los tuyos.

El desasosiego fue sustituido por la furia, y Charlotte se ruborizó de arriba abajo antes de entrecerrar los ojos y fulminarlo con la mirada.

—¿Quiere decir que tendré que ser su juguete hasta que se canse de mí? Qué conveniente para usted.

Colin trató de no mostrar la sorpresa que le había causado esa pregunta sobre algo que, para ser sincero, jamás se le había pasado por la cabeza. Y debía reconocer que Charlotte había tenido el coraje de permanecer en su lugar en una discusión que debía de resultar de lo más incómoda para una dama.

—No creo haber dicho eso —replicó—, aunque me parece recordar que formaba parte de tu argumento cuando trataste de convencerme de que un matrimonio entre nosotros sería de lo más conveniente.

Ella vaciló, pero contestó con sinceridad.

—Dígame una cosa, milord: ¿cómo espera mantenerme en su cama sin dejarme embarazada?

Colin se enderezó mientras se frotaba la mandíbula con la palma, sin saber muy bien si ella pretendía sacarlo de quicio con una pregunta tan ridícula o si de verdad carecía de información con respecto al acto sexual.

—¿Quieres que te lo explique aquí? —inquirió en tono grave y desafiante.

—Desde luego que no —respondió ella furiosa, al tiempo que echaba un vistazo a la puerta y se apartaba de él.

Se rodeó la parte superior de los brazos con las manos, sin duda para evitar darle un puñetazo.

—Lo que yo espero, Charlotte, es lealtad, devoción y obediencia durante nuestros interludios íntimos —dijo con suavidad en un intento por tranquilizarla—. Y a cambio de eso, te entregaré todo aquello que siempre has deseado... a su debido tiempo.

Durante un buen rato, ella no se movió, no retrocedió, no dijo nada. Colin sabía que no estaba siendo del todo irrazonable, y ella también, lo que explicaba su renuencia a alargar la discusión. Tenía la certeza de que su futura esposa luchaba por encontrar las palabras necesarias para mostrar su acuerdo, o al menos para acceder a sus demandas. Estaba seguro de que no le negaría nada.

—Se está haciendo tarde y debo marcharme —le dijo en tono serio y pensativo.

Charlotte se relajó de manera ostensible.

—Por supuesto, excelencia. Me pondré en contacto con usted para los preparativos de la boda y para averiguar qué miembros de su familia...

Él la interrumpió rodeándole la cintura con un brazo y tirando de ella con fuerza para apoderarse de su boca.

Demasiado aturdida para reaccionar, durante algunos segundos Charlotte se limitó a quedarse quieta entre sus brazos, con su cuerpo pegado al de él, sin responder al beso. Después dejó escapar un diminuto gemido y se rindió al abrazo, le rodeó el cuello con las manos y tiró de él para acercarlo más. Colin le sujetó la cabeza con una mano y le colocó la otra en la parte baja de la espalda antes de incrementar la intensidad del beso. La pasión que le provocaba el contacto de su voluptuosa figura prendió un fuego en su interior que no había esperado en absoluto. Se deleitó con la respuesta femenina y saboreó sus deliciosos labios durante gloriosos momentos antes de invadir la calidez del interior con la lengua. Pero en ese preciso instante recuperó la cordura y comenzó a apartarse de ella de mala gana.

Se produjo un instante de consternación mutua; Charlotte respiraba de una forma tan irregular como él y todavía no había apartado las manos de sus hombros. Luego, temblorosa, dejó caer los brazos y se acercó a la ventana, donde cerró los ojos y se cubrió la boca con la yema de los dedos.

Confuso e incluso frustrado por su propio comportamiento, Colin se irguió y apretó los dientes, deseando que los latidos de su corazón se aminoraran. No pretendía besarla con pasión. Su intención, aunque no la había meditado mucho, era darle un breve beso de afecto en la mejilla antes de marcharse. En esos momentos estaba excitado, aunque no era culpa de Charlotte, y lo único que deseaba era tumbarla en el canapé y besarla una vez más... en los pechos, en los muslos, entre las piernas. Tenía que largarse de allí.

—Acaba pronto con los preparativos de la boda —ordenó con voz ronca, casi sin aliento.

Ella no dio muestras de haberlo oído.

Tras peinarse el cabello con los dedos, Colin pasó a toda prisa a su lado para salir de la estancia.

7

Charlotte estaba sentada en la silla de satén blanco que había en su nuevo y hermoso vestidor, contemplando su reflejo en el espejo de marco dorado mientras su doncella de siempre, Yvette, le cepillaba en silencio el abundante cabello rizado.

Parecía bastante tranquila, decidió. Su piel resplandecía y tenía un color sonrosado debido al ajetreo de la semana anterior, y el brillo de sus ojos quedaba acentuado por el satén blanco de la bata, confeccionada especialmente para esa noche. Había sido un día agobiante, la boda de la temporada, y aunque estaba exhausta, aún no tenía sueño. Y eso era bueno, ya que quien se había convertido en su esposo pocas horas atrás la aguardaba en el dormitorio adyacente y había dejado muy claro que no tenía intención de mantenerse alejado durante mucho tiempo.

Lo había visto solo tres veces desde que le pidiera la mano seis semanas antes, y en esas tres ocasiones se había comportado de manera seria y formal. Bueno, siempre había estado increíblemente guapo y bastante atento, pero las cosas habían transcurrido tal y como la sociedad requería, en especial de cara a los chismorreos.

Sin embargo, se le hizo un nudo en el estómago al verlo cuando por fin se disponía a caminar hacia el altar para convertirse en su esposa. Nunca, en toda su vida, había conocido a un hombre más guapo que el duque de Newark, y ese día tenía un aspecto espléndido, con el cabello oscuro peinado hacia atrás para dejar al descubierto los masculinos rasgos de su rostro y esos ojos penetrantes que la estudiaban al detalle, desde la tiara hasta el hermoso vestido. Él llevaba un traje negro de seda con camisa blanca diseñado para la ocasión, y Charlotte supuso que todo el mundo se había dado cuenta de que no había dejado de mirarlo con admiración desde el comienzo de la misa hasta los momentos finales, cuando él le dio un beso breve y cálido en los labios para sellar su destino. Lo cierto era que había sido una boda grandiosa, y la única pega era saber que ella lo había obligado a estar allí.

Con todo, el duque había sido un compañero excelente y atento a lo largo del día, y había permanecido a su lado durante la recepción y la deliciosa cena que tuvo lugar a continuación. Había charlado durante un buen rato con Charles, que parecía más que complacido por el hecho de que su hermana hubiera conseguido un matrimonio tan conveniente, como si la boda fuera obra suya. Charlotte pasó ese hecho por alto, a sabiendas de que por fin se había librado de las garras de su hermano y de que podía hacer lo que le viniera en gana sin necesidad de escuchar las críticas que le merecían sus ideas y decisiones.

En esas pocas horas también había averiguado algo más sobre la personalidad de su marido, ya que había conocido a sus amigos. Todos le habían caído muy bien, aunque le gustaban especialmente sus esposas: Vivian, la duquesa de Trent, y Olivia, la duquesa de Durham; eran unas mujeres encantadoras que se habían mostrado amables con ella desde el principio y le habían proporcionado algunas pistas sobre la forma de pensar de su esposo y sobre su famoso sentido del humor. Aún no tenía muestra alguna de este último, pero algún día llegaría a conocer a Colin en cualquier circunstancia. Con el tiempo llegaría a apreciar a su marido, a conocer sus estados de ánimo y sus ocupaciones. Al menos, eso esperaba.

Por el momento, debía darle una buena nota por haberle concedido plena autoridad sobre su hogar y sus criados y por volver a decorar su dormitorio antes de su llegada. De eso se había enterado gracias a su ama de llaves, Trudy, una temperamental viuda de mediana edad con cuatro hijos ya crecidos. Solo llevaba tres meses trabajando allí, pero la mujer se había asegurado de que supiera que el duque había quitado todos los muebles y los adornos de la estancia para empapelar las paredes con lilas y encaje que hacían juego con las cortinas nuevas; también había comprado un armario enorme, una cama con dosel y un pequeño sofá de terciopelo para el dormitorio propiamente dicho, todo a juego con el tocador de madera blanca con incrustaciones doradas que se encontraba en el vestidor y frente al cual se hallaba sentada en esos momentos. Para completar el diseño y dar un toque de calidez al ambiente, se habían añadido gruesas alfombras de color lavanda que ocupaban casi la totalidad de los suelos de madera pulida. A Charlotte le había encantado desde el primer momento y estaba impaciente por tumbarse en su nueva cama, cubrirse con la colcha de estampado floral hasta los hombros y dormir toda una semana. Pero eso tendría que esperar.

De pronto, la puerta que había a su espalda se abrió un poco y Charlotte regresó una vez más al presente cuando se dio cuenta de que su flamante esposo había entrado en su dormitorio sin anunciarse. Lo observó durante un momento a través del espejo y se fijó en lo guapo que estaba aun después de un día tan agotador. A pesar de que su rostro quedaba iluminado por la luz de la lámpara, su expresión resultó indescifrable cuando paseó la mirada entre ella e Yvette, que había dejado de cepillarle el cabello al verlo entrar.

—Puedes retirarte —dijo sin miramientos a la doncella.

—Sí, milord —respondió Yvette con una reverencia. Después dejó el cepillo sobre el tocador y se marchó a toda prisa por la puerta que daba al pasillo.

Charlotte permaneció erguida en su asiento, algo desconcertada por su intromisión y un poco avergonzada por el hecho de que la doncella lo hubiera visto entrar a través de la puerta que conectaba ambos dormitorios, como si no pudiera esperar a consumar el matrimonio. Todavía iba ataviado con la ropa de la boda, aunque se había quitado todo menos los pantalones y la camisa. Llevaba el cuello de seda blanca desabotonado, lo que permitía atisbar el suave vello rizado que cubría su inmenso pecho. Esa visión provocó a Charlotte un hormigueo en los dedos de los pies y tuvo que tragar saliva para controlar su nerviosismo.

—Todavía necesito un poco más de tiempo, excelencia —dijo en tono arrogante al tiempo que se cerraba la bata sobre el pecho.

Él no dijo nada, ni siquiera prestó atención a la estancia. Se limitó a estudiar con aire distraído su rostro, el largo cabello que caía sobre sus hombros y la base de su garganta. Luego dibujó una sonrisa en su hermosa boca y llevó hacia delante las manos que tenía enlazadas a la espalda.

—Para ti, querida esposa —dijo al fin con voz ronca y grave mientras avanzaba en su dirección.

Charlotte no se movió de su silla; se sentía más insegura con cada segundo que pasaba, así que clavó la mirada hasta la brillante caja dorada adornada con un lazo de satén rojo que él sostenía en la palma de la mano.

—¿Un regalo? —preguntó confundida, en un intento por romper la tensión que amenazaba con invadir toda la estancia.

—Por supuesto —dijo él. Después añdió en un murmullo malicioso—: Algo que he mandado hacer especialmente para ti, Charlotte.

Ella sintió que se le secaba la boca. No sabía muy bien qué decir, ya que no comprendía en absoluto los motivos por los que su esposo le hacía un regalo. Colin ya estaba a su lado, aún sonriente, aunque parecía algo más pensativo que animado. Estaba lo bastante cerca para que ella sintiera la calidez de su cuerpo y percibiera la tenue esencia de su exclusiva colonia.

Tras aferrarse al borde del tocador con ambas manos para controlar el temblor de las mismas, se puso en pie muy despacio y enlazó los dedos frente al regazo antes de enfrentarse a él cara a cara.

—¿Es que no piensas aceptarlo? —preguntó él, que sostenía la caja entre ellos.

Charlotte parpadeó con rapidez mientras bajaba la mirada. Lo primero que se le vino a la cabeza fue que la caja era demasiado pequeña para contener un abrigo de piel o algún tipo de ropa, pero demasiado grande para joyas.

Su esposo rió por lo bajo.

—Ábrela, Charlotte.

Tenía un nudo en el estómago y el pulso acelerado, pero no podía eludir su insistencia por más tiempo. Sin hacer comentario alguno, cogió la caja que le ofrecía y desató el lazo con mucha lentitud. Podía sentir su mirada en el rostro, y tenía la certeza de que él ya había reparado en lo mucho que le temblaban las manos.

El lazo de satén se soltó sin problemas y su esposo se lo arrebató de las manos. Charlotte levantó la tapa de la caja y dejó al descubierto un envoltorio de seda rojo oscuro que se apresuró a retirar para revelar la creación que tanto parecía entusiasmar a Colin.

Se sintió desconcertada nada más verla, no solo por lo que parecía ser, sino por el hecho de que él se la hubiera regalado. Metió la mano en la caja para alzar con un dedo una delgada tira de encaje, y no pudo decidir si deseaba echarse reír como una histérica o abofetearlo por semejante procacidad.

Confeccionada en satén escarlata y negro, esa... cosa que él deseaba que se pusiera en su noche de bodas no le cubriría el torso, y menos aún a las piernas, los brazos y el pecho. Era algo parecido a un corsé, pero no tenía mangas ni tirantes para mantenerlo en su lugar; solo contaba con una capa de encaje negro transparente sobre el satén rojo que cubría las ballenas, las cuales se ajustarían a la perfección a sus costillas y elevarían sus pechos hasta alturas inimaginables.

El corpiño, si podía llamarlo así, se aseguraba con cuatro diminutos garfios forrados con satén que se introducían en otros tantos lazos de encaje negro situados desde la línea bajo el pecho hasta un dedo por debajo del ombligo, donde el tejido de satén se abría para dejar expuesta la parte más íntima de una mujer. Al parecer no había nada más en esa obscena prenda, y cuando le dio la vuelta notó que la espalda de satén desaparecía en la parte superior de las nalgas, donde era reemplazada por el encaje transparente, que caía hasta las rodillas en un diáfano volante. Para coronar tan escandaloso atuendo, en la caja había unos zapatos con tacones enormes (de al menos diez centímetros), cuyas puntas estaban cubiertas con plumas rojas.

No, Charlotte no estaba desconcertada; estaba muda de asombro. La mera idea de que una dama se pusiera algo como aquello... Volvió a mirar a su esposo a los ojos y rió por lo bajo.

A él no pareció hacerle gracia esa risa. De hecho, la miró con más intensidad, con un brillo de lujuria en los ojos que hizo desaparecer la sonrisa de Charlotte y aceleró los latidos de su corazón.

—No... —Volvió a contemplar la insustancial prenda que tenía en la mano antes de mirarlo a los ojos una vez más—. No esperará que me ponga esto, milord... —No era una pregunta, sino una afirmación, y esperaba haberla pronunciado con firmeza.

Newark avanzó un paso más y dejó la caja sobre el tocador.

—No te lo habría regalado si no deseara que te lo pusieras.

Charlotte dejó caer la prenda en la caja como si le quemara en los dedos y decidió explicarle sus razones.

—Disculpe mi renuencia, milord, pero me sería imposible dormir con esa cosa. Me congelaría.

Colin rió entre dientes. Le colocó la mano bajo la barbilla para alzarle un poco la cabeza y poder mirarla a los ojos.

—No te congelarás y no dormirás con eso puesto, querida esposa —susurró con voz ronca—. Esta prenda sirve para provocar, para hacer el amor. Para eso ha sido creada.

Charlotte abrió los ojos de par en par... cada vez más aterrada.

—No.

En lugar de seguir discutiendo con ella, su esposo bajó la mano, desató el cinturón y abrió la bata antes de que ella se diera cuenta siquiera de lo que hacía.

—¿Qué está haciendo? —preguntó al tiempo que daba un paso atrás y se sujetaba la bata a la altura del cuello para mantenerla cerrada.

Él esbozó una sonrisa maliciosa.

—Desnudarte.

Los ojos de Charlotte se abrieron en un gesto de horror.

—No pienso permitirlo.

Tras enderezarse un poco, Colin cruzó los brazos sobre el pecho y la miró sin tapujos.

—En ese caso, te doy cinco minutos, Charlotte. Cinco minutos para ponerte el corsé y venir a mi habitación, o...

Ella lo miró de arriba abajo, furiosa.

—¿O qué?

Colin se encogió de hombros.

—Lo que me venga en gana, puesto que soy tu marido. —Dicho eso, se dio la vuelta para caminar en dirección a la habitación adyacente. Sin volverse para mirarla, añadió—: Estaré esperándote, no lo olvides.

Charlotte deseó gritar cuando cerró la puerta y la dejó sola durante cinco minutos antes de... ¿De qué? No quería ni imaginárselo. Sabía que no tenía derecho a negarle nada, no si deseaba que él financiara su sueño.

Desmoralizada, bajó la mirada para contemplar el corsé y los zapatos que había en la caja.

Dios mío, ayúdame esta noche..., rogó en silencio.

—Me he casado con un bruto —susurró al tiempo que acariciaba el encaje con los dedos. Luego, tras respirar hondo para reunir coraje, comenzó a quitarse la bata muy despacio.

Colin contemplaba el parpadeo del fuego de la chimenea mientras se tomaba una copa de brandy, incapaz de controlar el deseo que lo embargaba durante la espera. Habían pasado al menos diez minutos desde que se marchara de su habitación, pero sabía muy bien que ella tardaría bastante más, aunque solo fuera para fastidiarlo. O para desafiarlo.

Charlotte vacilaba a la hora de aceptar sus obligaciones como esposa. Lo sabía. Pero aunque comprendía su miedo, no podía olvidar que hacer el amor a Lottie English sería la experiencia más memorable de toda la vida de su esposo y la única razón por la que este se encontraba allí en esos momentos. Anhelaba con desesperación el placer que pronto compartiría con la mujer a la que había deseado durante años y que entonces era legalmente suya.

Había reprimido sus necesidades a lo largo del día a sabiendas de lo que la noche les brindaría a ambos. La semana había sido larga, tediosa y ajetreada, y Charlotte había representado a la perfección el papel de futura duquesa de Newark, siempre majestuosa aunque recatada, elegante aunque sin pretensiones. Siempre una dama.

Como era de esperar, la suya había sido la boda de la temporada. Colin se había quedado sorprendido al contemplar el sofisticado y radiante aspecto de su esposa, ya que por primera vez desde que conoció a la hermana del conde de Brixham, ella tenía la gloriosa apariencia de una mezcla entre Lottie English y Charlotte. Aun así, no creía que nadie reconociera en ella a la famosa cantante de ópera; ninguno de los asistentes se imaginaría jamás que la nueva duquesa de Newark era la seductora soprano que se ganaba la vida sobre los escenarios. Tan solo Sam y Will, sus dos amigos íntimos, habían averiguado la verdad después del anuncio oficial de la boda, y ellos jamás se la contarían a nadie salvo a sus esposas. Y se había visto obligado a decírselo a ellos porque ese súbito matrimonio de conveniencia les parecería algo de lo más extraño en él, que había llegado hasta extremos insospechables para posponer sus obligaciones maritales.

Echó un nuevo vistazo al reloj situado en la repisa de la chimenea. Las doce y media de la madrugada. Habían pasado al menos veinte minutos desde que se marchara de su habitación y comenzaba a agotársele la paciencia. Encogió los hombros antes de relajarlos y estirar el cuello para aliviar la tensión que lo embargaba, decidiendo que le daría un par de minutos más. Después, entraría en su dormitorio y la seduciría; los detalles podían irse al infierno...

El chasquido del picaporte lo devolvió a la realidad, y Colin volvió la cabeza hacia la puerta de la habitación adyacente con el corazón desbocado.

Charlotte había apagado la luz del vestidor, de modo que no veía más que oscuridad detrás de ella. Tampoco escuchaba otra cosa que su propia y agitada respiración y el suave crepitar del fuego que ardía a su lado. De pronto, muy despacio, su esposa salió de entre las sombras y se adentró en su dormitorio.

Lo primero que sintió al verla fue una pizca de irritación, ya que aún llevaba puesta la bata y se la había atado con fuerza a la cintura. Luego, cuando echó un vistazo a los pies y vio que los zapatos con plumas que le había regalado asomaban bajo el dobladillo de la recatada prenda de seda, se sintió invadido por la lujuria más salvaje que había experimentado jamás.

Charlotte se había puesto el corsé que le había dado y lo había ocultado a propósito con la intención de seducirlo. El mero hecho de pensar en el placer que le proporcionaría quitárselo para verla desnuda estuvo a punto de postrarlo de rodillas.

Iba a suceder de verdad...

—Por el amor de Dios... —susurró mientras dejaba la copa de brandy sobre la repisa con dedos temblorosos. No podía dejar de mirarla.

Ella pareció vacilar mientras se adentraba un poco más en el cuarto, y su turbación se hizo evidente cuando recorrió con la vista la enorme cama de sábanas oscuras que él mismo había apartado, las velas que había colocado en las mesillas situadas a ambos lados del cabecero para darle un aire íntimo a la atmósfera, el canapé de cuero y la mesa cubierta de libros que había detrás de él. Luego, por fin, lo miró a los ojos.

Colin tragó saliva, se irguió cuanto pudo y respiró hondo para controlar sus movimientos y, si debía ser sincero consigo mismo, también las emociones encontradas que lo embargaban. Estaba muy hermosa con el cabello suelto cayendo por encima de uno de sus hombros y de su espalda hasta la cintura; se lo había apartado del rostro, que en esos momentos resplandecía bajo la luz tenue y parpadeante del fuego. Tenía el ceño ligeramente fruncido, se mordía los labios y tironeaba con delicadeza de las solapas de la bata para cerrarlas a la altura del cuello.

—Excelencia—murmuró con voz ronca y grave.

Colin esbozó una pequeña sonrisa.

—Eres toda una visión.

Ella se movió con incomodidad.

—Yo... siento mucho haber tardado tanto.

—La espera ha merecido la pena —dijo él en tono tranquilizador.

Charlotte parpadeó con rapidez y miró de nuevo a su alrededor, nerviosa.

—Tiene una habitación preciosa, milord. Muy masculina. Y no le he dicho lo mucho que le agradezco la decoración y los nuevos muebles de mi dormitorio.

Colin no sabía con certeza si hablaba en serio o solo pretendía volverlo loco, pero no pensaba ponerse a discutir sobre decoración en esos momentos.

—Ven aquí, Charlotte —le ordenó con suavidad.

Tras un segundo de indecisión, ella alzó la barbilla y avanzó hacia él. Los altos tacones de los zapatos repiquetearon sobre el suelo de madera.

Colin empezó a desabrocharse la camisa sin quitarle la vista de encima, a sabiendas de que no podría pedirle que se desnudara para él esa primera vez; sería algo demasiado embarazoso para Charlotte, ya que nunca habían estado juntos. Pero lo haría algún día.

Su esposa se detuvo a apenas un paso de distancia y contempló el fuego que tenía a su izquierda.

—¿No hace un poco de calor, milord?

Colin frunció el ceño y reprimió una risotada.

—Eso espero.

Ella lo miró a los ojos antes de bajar la vista para observar cómo se sacaba la camisa de los pantalones y comenzaba a quitársela.

—Quizá debería esperarlo tumbada en la cama —comentó al tiempo que se rodeaba con los brazos.

—¿En la cama? —repitió él—. No, mi querida Lottie. De momento, quiero que te quedes donde estás.

Ella dio un paso atrás con expresión preocupada. Colin extendió el brazo para tirar del lazo que le ceñía la cintura a fin de estrecharla contra él.

Su esposa dejó escapar una exclamación ahogada, pero antes de que pudiera decir algo, Colin se apoderó de su boca. Apenas podía contener la pasión que estalló en su interior ante el mero hecho de sentir esos labios suaves bajo los suyos. Intensificó el beso de inmediato, animándola a imitarlo mientras alzaba una mano para acariciarle la cabeza y enterraba los dedos en su sedoso cabello. Charlotte alzó las manos y las apoyó tímidamente sobre sus hombros al tiempo que comenzaba a devolverle el beso, a apretar la boca contra la suya con creciente abandono.

Su aceptación lo incendió por dentro. Había conocido a muchas mujeres en sus treinta y seis años, pero ninguna le había provocado un deseo como ese, así que decidió disfrutar del momento, saborear cada segundo mientras ella se rendía poco a poco a la pasión.

Con un gemido gutural, Colin tiró del lazo de satén de su cintura hasta que consiguió aflojarlo y la bata se abrió para él. Durante un brevísimo instante, temió que ella bajara las manos para cerrársela de nuevo, así que se apresuró a deslizar los labios por su mejilla y su cuello antes de mordisquear con suavidad el lóbulo de su oreja en un intento de acelerarle el pulso, de erizarle la piel... de lograr que se olvidara de las circunstancias y se rindiera a la necesidad.

Charlotte cerró los ojos y echó la cabeza hacia atrás para permitirle un mejor acceso. Con un suave gemido, dejó a un lado la cordura y se apretó contra la calidez de su cuerpo, rozando por primera vez su erección con las caderas y llevándolo al borde de la locura.

Ella empezó a masajearle los hombros con los dedos y, tras aspirar con fuerza entre dientes, Colin decidió que no podía esperar un momento más para desnudarla y verla por entero.

—Déjame verte —le pidió en un ronco murmullo, al tiempo que se apartaba lo justo para poder coger las solapas de la bata a la altura del cuello.

Charlotte levantó los párpados y lo miró a los ojos.

—¿Qué...? ¿Qué?

—Quítate la bata, Charlotte —repitió él antes de colocar el pulgar sobre sus labios húmedos—. Quiero verte.

Su esposa se estremeció de vergüenza, o de algo parecido, y echó un vistazo a la gigantesca cama antes de bajar la mirada al suelo. Colin no dejó de observarla con la esperanza de que ella se quitara la prenda sin ayuda y lo provocara con el corsé que le había regalado. Y aunque permaneció inmóvil durante unos instantes, al final le concedió su deseo. Charlotte respiró hondo y alzó las manos para retirar el satén que le cubría los hombros y los brazos antes de dejar que la prenda cayera al suelo.

Colin se quedó sin aliento y retrocedió un par de pasos para estudiarla con detenimiento a la luz del fuego.

Era una mujer deslumbrante... una diosa seductora cubierta por satén rojo y encaje negro transparente.

Ella mantenía los ojos cerrados y los puños apretados a los costados. Colin no pudo evitar preguntarse por qué se sentía tan incómoda cuando era obvio lo mucho que la deseaba.

—Eres mucho más hermosa que en mis sueños, Lottie —susurró con voz ronca y la boca seca.

Ella negó con la cabeza muy despacio, pero Colin rehusó aceptar semejante respuesta y se fijó en la perfección de su silueta, desde el abundante y sedoso cabello que le caía por los hombros y la espalda, hasta los dedos de sus pies, que asomaban bajo el penacho de plumas de los zapatos.

Posó la vista unos instantes en sus pechos exquisitos, firmes y redondos, y en sus pezones erectos, que se insinuaban bajo el encaje transparente. Después, con deliberada lentitud, siguió la línea del corsé, que se estrechaba a la altura de su cintura para terminar justo por debajo de su ombligo, donde se abría a los lados para ofrecerle una excitante visión del triángulo de rizos claros situado entre sus largas y firmes piernas.

—Dios, eres perfecta... —susurró con un nudo de deseo en la garganta.

Charlotte todavía tenía los ojos cerrados y no había dejado de temblar. Colin se desabrochó los pantalones a toda prisa y se los bajó hasta los pies. Después tiró de su esposa una vez más y la estrechó contra su cuerpo desnudo.

Ella jadeó, pero antes de que pudiera protestar o forcejear, Colin la abrazó con fuerza para que no pudiera moverse y se apoderó de su boca con un beso dominante e implacable que pretendía conseguir su rendición. Su esposa se resistió unos instantes, pero cedió poco a poco cuando él deslizó la lengua por su labio superior y la introdujo en la suavidad de su boca.

Sus respiraciones se mezclaron mientras él se deleitaba con la exquisita sensación que le provocada verla vestida con esa prenda tan provocativa y apretaba su miembro erecto contra el satén que le cubría el vientre. Le sujetó la cabeza de nuevo con una mano y bajó la otra para acariciarle las nalgas a través del encaje, lo que le provocó un hormigueo en los dedos.

Charlotte le rodeó el cuello con los brazos y comenzó a devolverle el beso con frenesí, provocándolo con los movimientos de su lengua. Dejó escapar un gemido cuando él metió la mano bajo el encaje y acarició la piel desnuda de la parte superior del muslo.

Ninguna mujer le había hecho sentir jamás una lujuria tan abrumadora y apremiante. Por fin estaba haciendo el amor a la embriagadora mujer que se había apoderado de sus fantasías, y en su propio dormitorio, como su marido. Charlotte jamás estaría con otro hombre, y él se convertiría en la envidia de todos los demás. Le resultaba fascinante pensar que podría tenerla cada noche, aplacar el deseo que lo impulsaba a hundirse en ella en ese mismo momento y aliviar el dolor que crecía en sus entrañas con cada segundo que pasaba.

Sin dejar de besarla, bajó el brazo y situó la mano detrás de su rodilla para apoyar su pierna sobre la cadera.

Charlotte interrumpió el beso de repente.

—¿Qué está haciendo? —inquirió con voz ronca, sonrojada por la pasión.

Colin posó los labios sobre su cuello y, en lugar de contestar a su pregunta, decidió mostrarle exactamente lo que estaba haciendo por medio de caricias y sensaciones.

Lamió con delicadeza su piel suave y acalorada. Charlotte soltó un gemido y alzó de manera instintiva la cabeza para proporcionarle un mejor acceso. Colin frotó su garganta con la nariz y recorrió la línea de su mandíbula con la lengua antes de succionarle el lóbulo de la oreja. Después, sin previo aviso, colocó la mano bajo el muslo que tenía apoyado contra la cadera y movió los dedos hacia la suavidad íntima y sensible de su entrepierna. Primero se limitó a acariciar los rizos con la yema de los dedos, pero después los introdujo entre los pliegues para acariciarla por dentro, para disfrutar de la humedad que la inundaba y que cubría sus dedos como si de miel tibia se tratara.

Su esposa gimió... y Colin estuvo a punto de llegar al orgasmo.

—Por el amor de Dios, Lottie... —dijo en un susurro atormentado—. No puedo esperar más.

—Por favor...

Sabía qué quería ella y necesitaba dárselo en ese mismo instante, antes de sufrir la humillación de correrse demasiado pronto y derramarse sobre el satén rojo del corsé.

Con un rápido movimiento, le rodeó la cintura con un

brazo y colocó el otro bajo la rodilla que le rodeaba la cadera antes de alzarla y retroceder con ella hasta el canapé que tenía detrás. Se adueñó de su boca con un beso abrasador, pero no hizo nada más hasta que notó que ella se rendía de nuevo a la pasión. Después, sujetándole la pierna con una mano y la parte posterior de la cabeza con la otra para que no pudiera interrumpir el beso de nuevo, la arrastró consigo hasta el suave asiento de cuero.

Desconcertada, Charlotte dejó escapar un grito ahogado cuando aterrizó sobre su regazo e intentó apartarse de él al sentir su miembro erecto contra la piel cálida y húmeda de la entrepierna.

Colin la sujetó con fuerza mientras luchaba por recuperar el control y aumentaba la intensidad del beso. Jugueteó con su lengua y la succionó hasta que ella comenzó a gemir de nuevo.

Charlotte se aferró a sus hombros con tanta fuerza que le arañó la piel, pero eso solo consiguió excitarlo más, aumentar su necesidad de estar dentro de ella.

La humedad de su sexo lo empapaba y los pezones cubiertos de encaje le rozaban el pecho. Le soltó la pierna y cambió de posición para que ella pudiera sentarse a horcajadas sobre él. Después le cubrió el pecho con la mano y deslizó el pulgar sobre el pezón antes de apretarlo con suavidad a través del encaje. Cuando su esposa jadeó y comenzó a retorcerse de nuevo, Colin supo que no podría soportarlo más.

Resignado, le sujetó las caderas con ambas manos a fin de levantarla lo suficiente para poder liberar su erección de ese cálido paraíso. Luego agarró su miembro por la base con una mano e interrumpió por fin el beso.

Contempló su hermoso rostro y se fijó en que tenía los ojos entreabiertos; se deleitó con su agitada respiración y con la chispa de deseo que reveló al lamerse los labios.

La recorrió hacia abajo con la mirada; estaba cubierta tan solo con una pequeña prenda de satén y encaje, y los rizos de su entrepierna rozaban la piel sensible de su enorme erección.

—Tengo que... hundirme dentro de ti, Lottie... —murmuró con voz rota al tiempo que colocaba la punta de su miembro contra sus pliegues íntimos y apretaba los dientes en un delicioso y agónico intento por demorar el orgasmo. Aguardó una eternidad a que ella dijera o hiciera algo. Charlotte se tensó, sacudida por un estremecimiento, pero por lo demás permaneció inmóvil. Tenía los ojos cerrados y se mordía el labio inferior... Y Colin no pudo aguantarlo más.

Comenzó a introducirse en su interior al tiempo que le empujaba las caderas hacia abajo para apretarla contra su sexo. Notó de inmediato una tensión poco familiar, la barrera de su virginidad, y se sintió desconcertado. Sin embargo, cuando ella le clavó las uñas en los hombros emitiendo un gemido, supo que estaba perdido.

Fue un orgasmo tan intenso, tan placentero, que la embistió con fuerza para hundirse en su interior... una, dos, cien veces. Charlotte gritó y luchó por alejarse, pero él le sujetó las caderas con ambas manos mientras echaba la cabeza hacia atrás. La penetró una y otra vez con el cuerpo cubierto de sudor, deseando experimentar la fuerza del orgasmo femenino antes de aminorar el ritmo y soltarla.

Su esposa se estremeció y Colin le colocó la mano sobre la espalda para estrecharla contra su cuerpo. Enterró la cara en su cabello y la acunó en su regazo para deleitarse con sus curvas, con el perfume de su pelo, mientras aguardaba a que su respiración se normalizara y los latidos de su corazón disminuyeran un poco.

La abrazó durante bastante tiempo, y ella no hizo intento alguno de moverse, ni de hablar. Se limitó a acurrucarse contra él, a disfrutar de la paz y la intimidad que se había establecido entre ellos. Igual que él.

A la postre, Colin notó que su miembro se deslizaba fuera de ella y, de mala gana, le apartó las caderas con suavidad para ponerla en pie frente a él. Esbozó una sonrisa al darse cuenta de que aún llevaba puestos los ridículos zapatos de tacón alto que le había comprado.

—Vamos a la cama —susurró con voz ronca al tiempo que se situaba junto a ella, embargado por una súbita somnolencia.

Con un suspiro trémulo, Charlotte se dio la vuelta para buscar la bata.

—Déjala donde está —le pidió Colin antes de cogerle la mano. Tiró de ella hacia la cama y esta se lo permitió sin rechistar. Se tumbó sobre las sábanas frescas a su lado después de quitarse los zapatos con los pies.

Colin tiró de las mantas para cubrir a ambos. Luego se acurrucó contra ella, enterró la cara en la calidez de su cuello, apoyó la mano sobre la parte superior del corsé para abarcar un seno cubierto de encaje y se dejó arrastrar hacia un sueño tranquilo y reparador.

8

Charlotte estaba sentada en el estudio de Colin, sobre la banqueta acolchada situada frente a su adorado piano, contemplando el teclado bajo la tenue luz procedente de la farola del exterior. La estancia olía levemente a tabaco, a cuero y a roble pulido, aromas masculinos que la molestaban porque le recordaban a él. No pudo evitar preguntarse si su esposo había colocado el piano en su estudio a propósito para que se acordara de él siempre que lo tocara.

Debía de estar a punto de amanecer, pero aún no tenía ni pizca de sueño. Se sentía nerviosa, incapaz de dormir después de lo que el duque le había hecho esa noche. Él ni siquiera se había enterado cuando salió con cuidado de su cama, y Charlotte esperaba que siguiera dormido durante horas, ajeno a su ausencia. Supuso que eso no le resultaría difícil, ya que se había quedado exhausto mientras buscaba placer en su cuerpo..., y esa idea le provocó un nuevo estremecimiento de vergüenza que la recorrió de arriba abajo.

Ya no llevaba puesta esa... prenda indecente, áspera y ceñida que le había regalado. Casi se la había arrancado del cuerpo cuando lo dejó allí durmiendo, y la había sustituido por su hermoso camisón tejido a mano y la bata que había elegido por su aspecto cómodo y sensual para la noche de bodas.

Mi noche de bodas..., pensó.

No sabía si llorar o reír por lo ridícula que era su situación actual. Sentía palpitaciones en la cabeza y aún le ardía la entrepierna. No sabía que sentiría un dolor tan agudo y no podía comprender por qué había creído que la consumación del matrimonio sería una experiencia agradable. Tal vez cuando el amor estaba presente en la unión había... una conexión más agradable. No lo sabía. Colin parecía haberlo pasado bien, pero ella no deseaba repetir semejante experiencia con su flamante marido nunca más. A esas alturas, ni siquiera le preocupaba no proporcionarle un heredero. Prefería quedarse en Inglaterra y actuar allí que revivir la vergüenza que había pasado esa noche.

Parpadeó con rapidez para contener las lágrimas de frustración y estiró el brazo para colocar un dedo sobre el *Do* medio, luego en el *Do* y el *Mi* y por último el acorde *Do, Mi, Sol,* dejando que las notas resonaran en el silencio de la estancia. La música siempre había conseguido serenarla, y deseó por un momento que no fuera esa hora de la madrugada para poder tocar y cantar como quería.

—¿Qué estás haciendo aquí?

Sorprendida por tan inesperada interrupción, apartó las manos del teclado y echó un vistazo por encima del hombro. Fue entonces cuando lo vio en el vano de la puerta, oculto entre las sombras. Se volvió hacia el piano y unió las manos sobre el regazo en un gesto recatado. Tuvo que respirar hondo para aplacar la furia que la invadía porque, a pesar de lo confundida que se sentía, el mero hecho de verlo le encendía la sangre, y le preocupaba que él pudiera darse cuenta.

—¿Charlotte? —preguntó él—. ¿Por qué estás ahí sentada en plena noche?

Supuso que debía responder. Cerró los ojos y agachó un poco la cabeza.

—No podía dormir —contestó con una voz que le sonó seca y distante incluso a ella.

Después de un largo momento de silencio, escuchó el crujido de las láminas de madera del suelo y los pasos masculinos sobre la alfombra. Unos segundos después, Colin encendió la lámpara de su escritorio. Charlotte abrió los ojos de nuevo, pero mantuvo la vista fija en el teclado hasta que él se colocó a su lado y no le quedó más remedio que mirarlo.

Solo llevaba puestos los pantalones y tenía las manos metidas en los bolsillos, con lo que su maravilloso pecho desnudo quedaba ante sus ojos. Aunque eso no parecía avergonzarlo en lo más mínimo. Por más que Charlotte deseara darse de bofetadas por permitir que el nerviosismo cubriera de rubor sus mejillas, el único pensamiento claro en su cabeza era lo guapísimo que estaba con el cabello revuelto y los ojos somnolientos.

—Supongo que no habrás venido aquí a practicar a las cuatro y media de la madrugada —dijo con evidente diversión, al tiempo que apoyaba la cadera junto al teclado.

Charlotte se enderezó en el banco e hizo todo cuanto estaba en su mano para ignorar su mirada... y la calidez que exudaba su musculoso cuerpo. Estiró el brazo para coger una partitura que había a su izquierda y comenzó a hojearla.

—Como ya le he dicho, excelencia, no podía dormir. Puesto que todavía no conozco bien su casa, no se me ocurrió otro lugar al que acudir.

Colin guardó silencio unos instantes; luego, tras llenarse los pulmones de aire y dejarlo escapar ruidosamente, se sentó en la banqueta a su lado sin mediar palabra. Charlotte se hizo a un lado para dejarle sitio, con la absoluta certeza de que él no se movería de allí aunque le suplicara que lo hiciera. Su única esperanza era que se hartara de la aburrida y escueta conversación y regresara solo a su cama.

—Toca algo —dijo.

Casi pudo sentir la caricia de sus ojos sobre la piel del rostro, y eso hizo que se encogiera por dentro y que se sintiera acalorada. Pero no se atrevió a mirarlo. En lugar de eso, prometió comportarse del modo más aburrido posible.

—No querría despertar a los criados...

—Bah, al diablo con los criados —la interrumpió él al

tiempo que le apartaba el cabello del hombro—. Quiero oírte tocar. Para mí.

Charlotte intentó no amilanarse ante esa forma tan íntima de hablar, ante la forma en que sus dedos le rozaban el cuello y le erizaban la piel.

—Creo que lo mejor sería irse a la cama, milord —replicó mientras trataba de ponerse en pie.

Colin la sujetó al instante por la muñeca para detenerla.

—¿Cuál es el problema, Charlotte? ¿Por qué te marchaste de mi lado?

Ella apretó la mandíbula para darse fuerzas y compuso un gesto decidido antes de volverse para fulminarlo con la mirada.

—¿Quiere saber la verdad?

—Solo la verdad —respondió su esposo, que inclinó la cabeza hacia un lado con expresión curiosa.

Charlotte no pudo callarse ahora que la herida se había abierto de nuevo.

—Me resultaba un poco..., no, me resultaba imposible dormir con ese incómodo corsé, milord.

Colin parpadeó sorprendido, y la miró de arriba abajo como si se diera cuenta por primera vez de que se había cambiado de ropa. Luego volvió a mirarla a los ojos a la vez que sonreía.

—Esperaba poder darme otro revolcón en la cama contigo, Charlotte —declaró con malicia—, pero a los hombres suele... entrarnos sueño después de hacer el amor con tanto vigor. Pero te aseguro que no habría dormido mucho tiempo teniéndote a mi lado.

A Charlotte se le llenó la frente de arrugas mientras meneaba la cabeza con incredulidad.

—¿Está usted chiflado, milord? ¿O no es más que un idiota?

Colin permaneció inmóvil unos instantes. Después, poco a poco, muy despacio, se apartó de ella y le soltó la muñeca. Ella pudo contemplar cómo se endurecía su expresión.

—¿Cómo has dicho? —inquirió en un susurro ronco.

Charlotte sonrió con desdén sin apartar la mirada de los rasgos implacables de su apuesto rostro.

—En primer lugar, lo que hicimos lo hicimos bastante lejos de la cama. Y en segundo, estoy bastante segura de que el amor tuvo poco que ver en ese asunto, ya que apenas pudo contenerse lo bastante para recordar con quién estaba.

La amargura de semejante declaración lo dejó del todo desconcertado... tanto que aspiró entre dientes y se echó hacia atrás como si ella lo hubiera abofeteado.

—No irá a decirme que usted no disfrutó, señora mía —dijo con tono serio—. Percibí cómo respondía cada centímetro de ese espléndido cuerpo tuyo ante mis caricias.

Una nueva oleada de rubor tiñó sus mejillas, pero Charlotte reprimió el impulso de apartar la vista de su intimidante mirada. En vez de eso, apretó los puños sobre el regazo y se inclinó hacia él para continuar con su diatriba, presa de la furia.

—¿Que disfruté? —masculló—. Usted no me acarició, milord, solo utilizó mi cuerpo y me humilló para satisfacer sus lascivas necesidades. Yo estaba dispuesta a entregarme como su esposa, pero usted me obligó a ponerme una prenda ridícula con zapatos a juego y me llamó por mi nombre artístico mientras tiraba de mí para sentarme sobre su regazo. —Las lágrimas le llenaban los ojos y decidió no seguir luchando contra ellas—. Me hizo daño, milord, al no tener en cuenta mis sentimientos o el hecho de que jamás había estado con un hombre, y todavía siento el dolor que me ha provocado con esa despiadada... adquisición de sus derechos. Si eso era hacer el amor, solo me cabe la esperanza de haber quedado embarazada esta misma noche para no tener que soportar su contacto nunca más.

Colin la miró boquiabierto, sin habla. Su rostro empalideció por momentos, algo evidente incluso bajo la tenue luz de la lámpara. Incapaz de soportar su compañía ni un momento más, Charlotte se puso en pie de pronto y rodeó la banqueta del piano para retroceder hacia la puerta, abrumada por la ira.

—Estaba impaciente por saciar su lujuria con mi cuerpo

de la forma más egoísta que se pueda imaginar, y sin embargo ni siquiera me ha pedido todavía que lo llame Colin.

Dicho eso, se dio la vuelta y salió del estudio con la cabeza en alto y la espalda rígida, para dejarlo a solas junto al piano, perdido en sus pensamientos.

Lo único que esperaba era que él se sintiera tan miserable como ella.

Colin se reclinó en el sofá de su dormitorio, con una pierna apoyada en el suelo y la otra flexionada sobre el brazo del mueble. Tenía una botella de whisky medio vacía en la mano que balanceaba por encima del borde del asiento mientras contemplaba el techo. Por fin había llegado el amanecer, pero no tenía ganas de moverse, de hablar con nadie ni de ponerse a trabajar. Ni siquiera tenía ganas de bañarse.

Se había pasado un buen rato tratando de pensar en algo práctico, en asuntos domésticos o en un trabajo que tuviera que realizar para sir Thomas, mientras se bebía el carísimo licor con entusiasmo y sin mirar nada en particular. No había funcionado. Lo cierto era que no podía sino revivir la noche que había pasado con su flamante esposa, la enloquecedora lujuria que lo había embargado, la forma en que ella había respondido al deseo arrebatador que los consumía, a cada una de sus caricias, a cada beso y a cada roce de sus labios sobre la piel. Sabía que Charlotte había respondido físicamente, de eso estaba seguro, pero jamás habría podido imaginar que no hubiera disfrutado con él ni del acto en sí. Estaba claro que lo había engañado de alguna manera... o que él había estado ciego.

En esos momentos estaba bastante borracho y se sentía herido, incluso avergonzado, mientras pensaba en cada instante del interludio que habían compartido, en la pasión con la que ella había respondido a sus besos y en la humedad que le había cubierto los dedos, en lo pronto que había accedido a ponerse lo que era sin duda un atuendo de lo más incómodo, en especial para una virgen. Y sabía que era virgen. Lo sabía mucho antes de casarse con lady Charlotte Hughes, por supuesto, aunque la línea entre Charlotte y la exótica y sensual Lottie parecía difuminarse en su mente, como ella le había echado en cara cuando lo reprendió por utilizar su nombre artístico. Aunque era cierto que deseaba acostarse con su esposa para legalizar el matrimonio, no había considerado las posibles consecuencias que tendría hacer el amor a la mujer de sus sueños. Su mayor deseo había sido tomar a Lottie en una tormenta de lujuria y pasión, de gemidos y jadeos; llevarla al orgasmo una y otra vez antes de obligarla a satisfacer sus propias necesidades sexuales. Quería convertirse en el mejor de sus amantes pero solo había conseguido dejarla dolorida por ser el primero.

De pronto, presa de una oleada de náuseas, escuchó una tenue melodía que se colaba en su dormitorio desde el estudio que había más abajo. Charlotte tocaba a las mil maravillas un minueto que él apenas reconocía.

Cerró los ojos y se llevó la botella a la boca una vez más para tomar un buen trago de whisky. Notó cómo le abrasaba el estómago y, por extraño que pareciera, se deleitó con la sensación.

¿Había sido un estúpido al imaginarse que podría pasar toda una semana con ella en la cama entre risas, caricias y abrazos apasionados? Después de la noche anterior, su esposa no quería saber nada de él. Jamás había contemplado a una mujer tan hermosa y, ni que decir tiene, jamás lo habían insultado de semejante manera al menospreciar sus habilidades sexuales. Él era Colin Ramsey, el noble duque de Newark, un hombre admirado por todas las mujeres del país y casado con una dama respetable. Sabía cómo tratar a las mujeres y lo más probable era que su esposa hubiera esperado una magnífica sesión de amor de alguien con su reputación... aun cuando la sociedad hubiera exagerado un poquito dicha reputación, admitió para sus adentros. Con todo, había dicho que la había dejado dolorida, y eso no solo le partía el corazón, también lo dejaba extrañamente humillado.

En esos instantes, tendido de espaldas en su dormitorio, con los pantalones de la boda y la camisa desabotonada, escuchó cómo tocaba al ritmo de las palpitaciones que sacudían su cabeza. Y cuanto más tocaba Charlotte, más le molestaba a él que la que se había convertido en su esposa menos de veinticuatro antes lo hubiera apartado de su lado después de una única noche y hubiera regresado a su pasión por el piano. Aquello era absurdo, y se convertiría en el hazmerreír de todo Londres si alguien llegaba a enterarse de lo bien que había conseguido manipularlo su esposa en un solo día. No pensaba permitir que le ganara esa batalla.

Decidido, trató de erguirse en el sofá, pero la habitación comenzó a dar vueltas de repente. Una vez que su agitado estómago se calmó un poco, se puso en pie muy despacio sin soltar la botella medio vacía.

¡Qué demonios! Tragó saliva con fuerza una vez más, se frotó la cara con la palma de la mano y caminó con cierta dificultad hacia el pasillo. Respiró hondo dos o tres veces para recuperar el equilibrio y después bajó a trompicones la escalera, siguiendo el sonido de la música hasta la puerta de su estudio. Una vez allí, la abrió solo lo justo para observarla y escuchar unos instantes antes de entrar.

Su esposa no le había oído, no se había percatado de su presencia, y eso le daba cierto margen de tiempo para pensar en cómo iniciar la conversación. Charlotte se había trenzado el cabello y se lo había recogido en la coronilla. Iba ataviada con un sencillo vestido de mañana de color verde claro, con amplias faldas que se extendían alrededor de la banqueta del piano y unas mangas abullonadas que rozaban el lóbulo de sus orejas con cada movimiento de sus hábiles dedos.

Abatido por un insoportable dolor de cabeza, Colin apoyó su inestable cuerpo contra el marco de la puerta y cruzó los brazos a la altura del pecho, sujetando la botella de whisky abierta con una mano.

—Qué hermosa... —dijo en un tono de voz lo bastante alto para que ella lo oyera.

Sorprendida, apartó los dedos del teclado y se dio la vuelta para mirarlo con su deliciosa boca abierta.

Colin esbozó una media sonrisa, pero no dijo nada; se limitó a disfrutar de su desconcierto.

Charlotte se quitó los anteojos antes de mirarlo de arriba abajo. Colin imaginó que ya se había fijado en la botella que sostenía en la mano y en que todavía llevaba la misma ropa que la noche anterior, aunque parecía no poder apartar la vista de su pecho, lo que constataba que le gustaba su cuerpo, al menos desde un punto de vista artístico.

—Me gusta que me mires —dijo en voz baja arrastrando las palabras. Entornó los párpados para observar su rostro.

Su esposa compuso una expresión tensa antes de erguirse en el asiento y colocar las manos sobre el regazo.

—Está borracho, milord.

Él asintió con la cabeza.

—La verdad es que sí, milady. —La estudió en busca de algún tipo de reacción, pero ella ocultó muy bien lo que sentía tras una expresión irritada.

—Me marcharé dentro de unos minutos —declaró en tono arrogante—. He programado una clase con mi instructor vocal y a mediodía debo acudir al teatro. Vamos a empezar con los ensayos de *The Bohemian Girl,* de Balfe, hoy mismo.

Colin se irguió de nuevo y comenzó a caminar hacia ella.

—Pareces muy ocupada para ser una dama recién casada —replicó, al tiempo que se rascaba la barba de un día que le cubría la mejilla.

Ella resopló con fuerza.

—A diferencia de usted, yo tengo un trabajo...

—¿A diferencia de mí? —la interrumpió él, intentando con todas sus fuerzas no parecer ebrio—. ¿Acaso crees que no tengo trabajo que hacer?

—A decir verdad, no tengo ni idea de en qué ocupa usted su tiempo, milord —contestó ella.

—De eso no cabe la menor duda —acotó él con la misma rapidez sin añadir nada más.

Charlotte arrugó el entrecejo, confusa por semejante evasiva, aunque Colin percibió con satisfacción que ella no podía dejar de mirar su pecho desnudo. De repente, como si se diera cuenta de lo que hacía y de dónde tenía clavada la vista, notó que las mejillas se le ruborizaban y se dio la vuelta. Tras ponerse en pie con elegancia, plegó los anteojos y los guardó en un bolsillo lateral del vestido antes de coger una pila de partituras para colocarlas en un ordenado montón a modo de despedida.

Eso sacó de sus casillas a Colin, que deseó rodearle la cintura y estrecharla contra su cuerpo para que no tuviera más remedio que prestarle toda su atención. Pero con eso solo conseguiría enfadarla e impedir que le hablara con franqueza de lo que pensaba.

Se apresuró a acercarse a ella y colocó una pierna entre la banqueta y el instrumento, de forma que las faldas de su vestido le cubrieron la pantorrilla. Luego se inclinó hacia un lado para poder mirarla a la cara. Charlotte ni siquiera reaccionó; se limitó a seguir ignorando el hecho de que él se encontrara en la habitación.

—Te dejaré en paz para que vayas a ocuparte de tus asuntos, Charlotte —murmuró con aspereza—, pero antes tienes que responder a una pregunta.

Ella dejó escapar un suspiro exagerado antes de poner los brazos en jarras y volverse hacia él.

—¿Y qué pregunta es esa, excelencia?

Colin respiró hondo y estiró un brazo para tomar una de sus manos. En su favor había que decir que no trató de apartarla; ella tan solo lo miró con exasperación.

—Quiero saber —susurró él muy despacio— si quedaste satisfecha anoche.

Charlotte ladeó la cabeza y recorrió su cuerpo con la mirada una vez más, fijándose especialmente en la botella que sostenía junto al costado.

—Si no recuerda lo que ocurrió anoche, excelencia, tanto mejor. Yo estoy tratando de olvidar ese incidente.

¿Incidente? El comentario reavivó su indignación, como sin duda pretendía su esposa.

—Mi memoria funciona a la perfección, señora mía —replicó él con un gruñido grave—, y eso hace que tu respuesta sea aun más importante. Recuerdo lo que sentí cuando te tenía encima de mí, pero estaba bastante absorto en mi... propia satisfacción. Quiero oír de tus labios que tú también quedaste satisfecha.

Charlotte entrecerró los ojos y se esforzó en vano por liberar su muñeca.

—Me niego a hablar de la intimidad que compartimos, milord, sobre todo porque no comprendo a qué se refiere y usted apenas es capaz de articular palabra —señaló—. Ahora, si hace el favor...

—¿Quedaste satisfecha, Charlotte? Eso es lo único que quiero saber; después dejaré que te marches.

Ella meneó la cabeza, desconcertada.

—Su pregunta no tiene sentido. Todo el incidente resultó del todo insatisfactorio como unión marital, en especial porque iba ataviada con un atuendo ridículo. Es obvio que recuerda esa parte, y creo que podemos dar esto por terminado. —Soltó un resoplido y se irguió aún más antes de mirarlo de la cabeza a los pies una última vez—. Está muy borracho y lo mejor sería que regresara a la cama para dormir toda la noche. Ahora mismo.

Como era de esperar, en semejante estado de embriaguez no pudo reaccionar con rapidez cuando ella dio un tirón para soltar su mano y retrocedió con las partituras musicales apretadas contra el pecho a modo de escudo hasta dejar el piano entre ellos.

—Ahora debo marcharme —afirmó—, así que si me disculpa...

—No.

Eso la dejó atónita.

—¿Cómo dice?

Colin perdió el equilibrio por un instante, pero apoyó la

cadera de nuevo contra el piano en un intento por mantenerse en pie.

—He dicho que no; al menos, todavía no —dijo, haciendo lo posible por concentrarse en su rostro.

La respuesta la dejó desconcertada. Lo contempló con los ojos abiertos como platos y después los entrecerró para fulminarlo con la mirada; se había dado cuenta de que, como esposa, no podía desafiar su autoridad, y eso la ponía furiosa.

Colin se frotó los ojos mientras reflexionaba. Había algo en su respuesta que lo atormentaba, aunque gracias al maldito whisky y al terrible dolor de cabeza no lograba saber con exactitud por qué. Necesitaba dar otro trago a la botella, pero se abstuvo de hacerlo porque sabía que su esposa se enfadaría aún más si bebía delante de ella.

Charlotte seguía mirándolo con una furia casi palpable; tenía los labios apretados y una expresión desafiante mientras aguardaba como una buena esposa a que le diera las instrucciones pertinentes. De pronto, como si se hubiera golpeado la cabeza contra una pared de ladrillos, Colin llegó a la conclusión de que era posible que ella no hubiera comprendido la pregunta, que tal vez no supiera nada acerca de los placeres del dormitorio. Era posible que ignorara por completo que...

—¿Llegaste al clímax, Charlotte? —preguntó con voz ronca.

Ella pareció confusa durante unos segundos, y no dejó de apretarse las partituras contra el pecho. Luego se sintió escandalizada y ahogó una exclamación; sus mejillas se inundaron de rubor, algo que a Colin le agradó sobremanera. Decidió acercarse un poco más, de modo que se alejó del piano y rodeó la banqueta para avanzar hacia ella con pasos cuidadosos.

—Sabes qué es llegar al clímax, ¿verdad? —afirmó en lugar de preguntar. Ella continuó mirándolo con los ojos desorbitados; el tono verde del vestido acentuaba el sonrojo de su piel y los reflejos rojizos de su cabello—. Quiero saber si llegaste al clímax cuando me introduje en tu interior anoche.

Verás... a mí me pareció que lo hiciste, que disfrutaste tanto como yo. ¿Estoy equivocado?

Charlotte tragó saliva, pero después recuperó la compostura y se irguió una vez más ante él.

—Esta conversación es un disparate, milord —susurró—. Me niego a...

Colin la agarró de un brazo y la arrastró contra su cuerpo, aunque ella trató de liberarse de inmediato.

—Suélteme —siseó con los dientes apretados.

Él la abrazó con fuerza y agachó la cabeza para contemplar su hermoso rostro sonrojado.

—Responde a la pregunta.

—Quizá, cuando se le pase la borrachera, sea capaz de recordar que detesto lo que me hizo. Fue escandaloso, desagradable y humillante en todos los sentidos. No hubo nada placentero en ello.

Colin soltó su brazo como si lo abrasara y trastabilló un par de pasos hacia atrás, pero estiró el brazo para agarrarse a la repisa de la chimenea cuando la habitación comenzó a girar. Charlotte volvió a pasar por su lado con las partituras en una mano, las faldas en la otra y la cabeza bien alta.

—¿Charlotte? —la llamó cuando ella llegó a la puerta.

Su esposa se detuvo, pero no lo miró.

—¿Sí? —inquirió con furia.

—Me gustaría que me llamaras Colin a partir de ahora —murmuró con amargura; era posible que hubiera articulado mal todas las palabras, pero ya no le importaba—. Sobre todo cuando compartamos momentos íntimos en el futuro.

Durante unos largos y silenciosos instantes, ella no hizo nada. Después, sin mediar palabra, sin dignarse siquiera a fulminarlo con la mirada, salió del estudio con la barbilla en alto, como si tuviera cosas mucho más importantes que hacer.

Colin permaneció donde estaba mucho tiempo, más decepcionado de lo que lo había estado en toda su vida. Todavía seguía aferrado a la botella de whisky, que finalmente dejó sobre la repisa de la chimenea.

—Soy un maldito imbécil —admitió en voz alta.

Después se abotonó la camisa por si se encontraba a algún criado por el camino y regresó a trancas y barrancas a su habitación. Allí vació el contenido de su estómago y se arrastró hacia la cama.

9

A Charlotte le resultaba harto difícil concentrarse en el tedioso sermón que le estaban dando al reparto de la última producción de Balfe, *The Bohemian Girl,* que se estrenaría en el Royal Italian Opera House de Covent Garden el otoño siguiente. Al ver a los actores supo con certeza que sería una representación magnífica... siempre que lograran que Adamo Porano, uno de los mejores tenores italianos, dejara de quejarse por todo, incluida la calidad de los alimentos que les proporcionaban durante los ensayos. El gerente del teatro, Edward Hibbert, había dado al famoso Porano el papel principal con la esperanza de poder atraer también a Balfe, el compositor británico moderno más prestigioso, que se encontraba en el continente finalizando la versión francesa en cuatro actos de *La Bohémienne,* cuyo estreno estaba programado para el año siguiente en Ruán. Y si Balfe acudía, el teatro podría ser honrado también con la presencia de la reina Victoria, lo que conllevaría ventas espléndidas y un incremento de sueldo y publicidad para todos. Si cumplir todos los deseos de Porano hacía que eso fuera posible, ella misma contrataría a un chef italiano y lo alimentaría bocado a bocado. Por curioso que pareciera y a pesar de que se encontraba en un escenario operístico y profesional, pensar en el gran Balfe hizo que recordara a su marido, un aristócrata con más dinero y contactos entre la élite de la sociedad que ninguna otra persona que conociera. Quizá Colin pudiera concertar una presentación o incluso llevarla a Ruán para conocer al hombre si ella se lo pedía. Pero era probable que el elegante y generoso duque de Newark exigiera que se pusiera un nuevo corsé para darle un revolcón a cambio del favor, y esa idea la hizo estremecerse por dentro.

—No estás prestando atención —susurró Sadie, situada a su izquierda.

Charlotte ofreció a su amiga y compañera soprano una sonrisa irónica y se enderezó un poco en un intento por concentrarse en lo que decía Walter Barrington-Graham, el director de la obra, que los reprendía por haber olvidado o chapurreado algunas notas, o ambas cosas, durante el segundo acto.

Le habían dado el papel de la soprano principal e interpretaría a Arline; era la primera vez que representaba ese papel, aunque, puesto que hacía años que cantaba, ninguna de las arias le resultaba desconocida. Ser reprendida por Barrington-Graham tampoco era algo nuevo para ella, así que abrió el abanico y comenzó a agitarlo contra su pecho para intentar no bostezar durante la perorata.

El reparto había tomado asiento en el escenario del teatro vacío, donde se reunirían casi a diario durante los dos meses siguientes a fin de practicar, coordinarse y prepararse para la noche del estreno. Los ensayos durarían varias horas todos los días: al principio no habría más que un pianista y su música; luego seguirían con la colocación en el escenario; y al final comenzarían los ensayos generales, con los disfraces, el maquillaje y la orquesta al completo, conducida por el célebre director francés Adrien Beaufort. Entretanto, ella se vería sometida a las recriminaciones diarias de Barrington-Graham, quien afirmaba que si actuaban tan mal frente al público, el gobierno restituiría el destierro a Australia y él sería el primero en marcharse, hundido en la deshonra. Era una idea absurda, pero así eran los dramas.

Charlotte no pudo evitar soltar un gemido y volvió a hundirse en la silla cuando Adamo la emprendió con el director y el pianista al más puro estilo italiano. Los que trabajaban entre bastidores no habían dejado de martillear y serrar alrededor del escenario mientras fabricaban los decorados, y al parecer eso había distraído tanto a Adamo que este creyó necesario quejarse del jaleo que echaba por tierra su concentración y le hacía equivocar las notas. Charlotte encontró esa excusa bastante graciosa, ya que el tipo llevaba trabajando en el teatro alrededor de veinticinco años y sin duda podía practicar en medio de un alboroto. Pero claro, él era la estrella.

Sadie le dio unos golpecitos impacientes con el abanico en el regazo y Charlotte se vio obligada a pensar de nuevo en los asuntos relacionados con los ensayos... y en Colin. Había pasado una semana desde el fiasco de su noche de bodas y durante ese tiempo no lo había visto más que algunos instantes, por lo general cuando pasaba por su lado o en los almuerzos. Por lo visto había decidido respetar sus deseos y dejarla en paz; a Charlotte le parecía muy bien y, para ser franca, esperaba que él no volviera a mencionar jamás la conversación ebria y humillante que habían mantenido en su estudio. Menuda pesadilla. En cierto sentido le había sorprendido que su esposo no la obligara a meterse en su cama todas las noches, aunque quizá él todavía se sintiera avergonzado por la forma en que se había comportado con ella una semana atrás.

Pero el celibato autoimpuesto de Charlotte no duraría mucho. Había comenzado con la menstruación el día anterior y ella se había deprimido bastante, ya que después de reflexionar con detenimiento sobre su espantosa noche de bodas, deseaba con toda su alma haberse quedado embarazada. Al menos, de esa forma habría cumplido con las obligaciones para con su marido. Con todo, también sabía lo que ocurriría si se quedaba embarazada. La Sociedad de Chismosos Londinenses, como le gustaba llamar a los cotillas, se enteraría de que Lottie English había desaparecido o se había casado, y ella tendría que esconderse o fingirse enferma durante muchos meses. Cualquiera de esas opciones dañaría seriamente su carrera, y ese era un riesgo que no deseaba asumir todavía.

Aun así, ahora era la duquesa de Newark y tenía un marido que la controlaba; dicha limitación significaba que necesitaba mantener en secreto su identidad más que nunca y representar su papel a la perfección. Eso implicaba acudir al teatro tal y como había hecho con anterioridad, vestirse con ropas modestas y prácticas que no llamaran la atención y peinarse con un estilo conservador. Nada de glamour. No obstante, la noche del estreno y durante uno o dos meses después sería la fascinante Lottie English, entregada al público que la adoraba. Ella sería la estrella.

—¡Lottie!

El grito la sacó de sus cavilaciones y dio un respingo antes de enderezarse y sonreír al señor Barrington-Graham, quien al parecer le había estado hablando sin que ella se enterara.

—¿Cómo ha dicho, Walter?

—Por favor, ocupe su lugar a la izquierda del escenario —le ordenó con exasperación el hombre alto y algo demacrado, mientras se mesaba los ralos mechones de su aceitoso cabello—. Todos los demás... ¡fuera!

Charlotte puso los ojos en blanco y Sadie esbozó una sonrisa sarcástica, le estrechó la mano y avanzó junto con el resto del reparto hacia las salidas. Llevaban todo el día ensayando el segundo acto, pero se había dado cuenta de que Walter confiaba en que ella pudiera ayudar a Porano a continuar con los ejercicios, de modo que repetirían el dueto. Una vez más. Después la esperaba un apretujado y caluroso viaje hasta casa, un baño tibio, una cena ligera y la cama. Apenas podía esperar...

Porano situó su corpulenta figura en la parte central del escenario y comenzó a rascarse la barba negra y rizada mientras estudiaba la partitura. Charlotte se recogió las faldas y se colocó a la izquierda, tal y como le habían pedido. Era probable que Walter los quisiera separados: a Porano más cerca del piano para que pudiera escuchar la melodía desde de su derecha y a ella cantando a su izquierda mientras Walter daba palmas desde su posición al frente del estrado de la orquesta.

El equipo había abandonado sus asientos, así que no había nadie salvo ellos en el escenario. Una vez que el señor Quintin, el pianista habitual, señaló que estaba preparado para tocar, Walter empezó a dar palmas para marcar el tempo y alzó la mano para dirigir.

La melodía dio comienzo.

Con las rodillas ligeramente flexionadas y los hombros echados hacia atrás, Charlotte escuchó la música, permaneció erguida para elevar el diafragma, respiró hondo a través de la nariz... y entonces llegó el caos.

Primero un chirrido, después un crujido de las vigas. Charlotte levantó la vista al instante.

—¡Muévete, Lottie!

A pesar del pánico, la voz de su marido penetró en su cabeza y ella saltó hacia delante en el preciso momento en que un travesaño de madera se precipitaba desde lo alto. Walter la agarró del brazo y tiró de ella, pero no antes de que la esquina de la viga la golpeara en la parte posterior del muslo y la hiciera caer de bruces cerca del borde del escenario.

De pronto, los miembros del reparto y del equipo que trabajaba entre bastidores se situaron a su alrededor sin dejar de decirle cosas y de empujarla. Su corazón latía con fuerza dentro del pecho, sentía la boca seca y se había quedado sin voz.

—¡Lottie! Ay, Dios mío, Lottie, ¿estás herida? —preguntó Sadie, que se abrió paso entre el pequeño grupo de gente para arrodillarse a su lado. Le temblaba la voz y parecía alarmada.

Charlotte aún intentaba recobrarse de lo ocurrido cuando Walter se hizo cargo de la situación.

—Atrás todo el mundo. Atrás —dijo en un tono autoritario y preocupado—. Déjenla respirar, por favor.

Todos comenzaron a hablar a la vez y, si bien la conmoción ya había empezado a desvanecerse, Charlotte no podía dejar de pensar en Colin, sentado en la parte trasera del teatro. Era muy probable que su oportuno grito de advertencia le hubiese salvado la vida. Tan confusa como estaba, no lograba decidir si se sentía agradecida por su interferencia o furiosa por el hecho de que la hubiese seguido a hurtadillas. Pero por el momento carecía de importancia. De repente, su esposo se arrodilló junto a ella, le rodeó los hombros con uno de sus fuertes brazos y la ayudó a sentarse.

—¿Estás herida? —inquirió con voz grave y seria.

Charlotte alzó una mano temblorosa para taparse la boca y meneó la cabeza, pasando del aturdimiento inicial a la incredulidad.

—Me golpeó... me golpeó en la pierna.

Él la miró a los ojos con expresión crítica.

—¿Estás herida? —preguntó de nuevo.

—No —contestó ella en un susurro—. No... no creo... —Dio un respingo al intentar mover la pierna. El dolor sordo del muslo se había convertido en un aguijonazo, y Charlotte tomó aliento con los dientes apretados—. Quizá un poco, pero... ya estoy mejor.

Colin entornó los párpados y siguió mirándola con escepticismo.

—¿Puedes ponerte en pie?

Charlotte asintió y se aferró a sus brazos mientras su esposo tiraba de ella con delicadeza para ayudarla a levantarse. Se aferró a él y apoyó su peso primero sobre la pierna sana y después sobre la otra, desde la punta del pie hasta el talón, hasta que el dolor comenzó a disiparse.

—Estoy bien —dijo con fingida jovialidad.

—¿Excelencia? —lo llamó Sadie.

Colin se dio la vuelta y cogió la taza que le ofrecían.

—Es brandy —explicó, al tiempo que daba palmaditas a Charlotte en el brazo.

—Bébete esto —le pidió su esposo, que lo olió antes de colocarle el vaso junto a los labios.

Charlotte hizo lo que le pedían sin rechistar y dio varios sorbos al fuerte licor que le abrasaron la lengua antes de deslizarse por su garganta.

La multitud comenzó a dispersarse entre susurros. Dos

de los musculosos miembros del equipo de escenografía se encargaron de levantar la viga y llevarla hacia la parte posterior del escenario; Adamo la emprendió con una de sus típicas diatribas italianas y no dejó de agitar las manos en el aire mientras se alejaba; Edward Hibbert, el director del teatro, se llevó a Walter a un lado para conversar con él en voz baja. Charlotte se sentía mejor; había recuperado el control de sus emociones, así que se concentró en la respiración para poder mantenerse en calma. No se atrevía a mirarse la herida allí, ya que habría tenido que levantarse las faldas hasta un punto rayano en la indecencia, pero sabía que no estaba sangrando. No se trataba de esa clase de herida, aunque era muy probable que tuviera un horrible moratón a la mañana siguiente. Con todo, supuso que debía sentirse agradecida. Si la viga la hubiera golpeado en la cabeza, a esas alturas estaría muerta.

Cuando Colin se situó tras ella por fin, Charlotte notó de inmediato que la gente se apartaba instintivamente de su presencia autoritaria; varios de los miembros secundarios del reparto y de los encargados de vestuario lo miraron sobrecogidos antes de efectuar una reverencia o inclinar la cabeza a modo de saludo. Incluso en esos momentos, Charlotte sabía que todos se cuestionaban la razón por la que se encontraba en un ensayo a puertas cerradas y su pronta reacción ante el percance. Estaba claro que chismorrearían durante días sobre la forma de actuar de su esposo y la evidente preocupación que mostraba por ella. Y aunque ninguno de ellos conocía al duque de Newark personalmente, sí estaban al tanto de su reputación, de modo que las especulaciones se transformarían muy pronto en rumores. Lo único que cabía esperar era que sus compañeros de reparto fueran lo bastante considerados para no formular ninguna pregunta delicada acerca de las razones que tenía el duque para asistir al teatro a verla un día tras otro.

—Excelencia —dijo con una sonrisa forzada en los labios—, le agradezco mucho su ayuda, pero creo que ya estoy bien. De verdad.

Colin se pasó los dedos por el cabello y la miró de arriba abajo con los ojos entrecerrados.

—Mi cochero la llevará a casa.

Era una aseveración que no admitía réplicas y los pilló a todos desprevenidos, incluida a ella. Solía utilizar el transporte público para que nadie sospechara nada. Sin embargo, no podía ponerse a discutir con él delante de todo el mundo. Y ninguno de ellos se atrevería a cuestionar a un aristócrata, aunque aquel espectacular giro de los acontecimientos se convertiría en la comidilla del teatro una vez que se marcharan... sobre todo entre las mujeres.

Tras asegurar a Walter, a Sadie, e incluso a Porano, que ella se sentía mucho mejor y que estaría bien, Colin hizo un gesto con la mano y dijo:

—Por aquí, señorita English.

Mientras cojeaba hacia la puerta de bastidores con la mano de su esposo bajo un codo, Charlotte echó un último vistazo por encima del hombro a los trabajadores que se encontraban alrededor de la zona donde había sufrido la herida; todos ellos estudiaban las vigas y murmuraban entre sí.

Luego, sin más, subió a uno de los ornamentados carruajes de su esposo para regresar a casa.

El trayecto hasta la casa fue lento y caluroso. Las calles estaban abarrotadas y el ambiente del interior del carruaje parecía estancado, así que lo que solía ser un viaje corto se convirtió en un periplo pesado, bamboleante e incómodo.

Charlotte estaba sentada enfrente de él y miraba por la ventanilla que había entreabierto con la esperanza de disfrutar de una brisa que jamás llegaba. Tenía la frente arrugada en un gesto pensativo y su piel estaba pálida a pesar del calor que trataba de aplacar agitando de vez en cuando el abanico. Colin no había dicho gran cosa desde que abandonaron el teatro, y ella no parecía tener muchas ganas de hablar, algo del todo comprensible dados los acontecimientos que habían tenido lugar poco antes. Aun así, debía de sentirse bastante conmocionada y él supuso que, como su marido y protector, tenía la obligación de exigir respuestas a unas cuantas preguntas delicadas sobre un accidente que, después de notables consideraciones, parecía altamente sospechoso. Había escuchado el martilleo y después un crujido, un grito y un estrépito entre las vigas. Había sido el instinto lo que le había hecho gritar. Aquella había sido la única vez en tres horas que Charlotte estaba de pie a solas, sin otros miembros del reparto a su alrededor, y todo el episodio parecía... planeado. O un accidente extraordinariamente oportuno. Aunque quizá él fuera demasiado suspicaz.

Cambió de posición en el abrasador asiento de cuero y se subió las mangas de la camisa en un intento por aliviar el calor antes de decidirse a hablar del tema con ella.

—¿Te importa que sea franco contigo, Charlotte? —preguntó en un tono algo más protector de lo que esperaba.

Ella parpadeó con rapidez y se volvió para mirarlo.

—¿Cómo dice?

Colin esbozó una sonrisa tranquilizadora.

—No creo que lo que ha ocurrido hoy en el escenario haya sido un accidente.

Ella se limitó a mirarlo durante un buen rato, aunque su rostro mostraba una agitación que Colin pudo leer como si se tratara de un libro abierto. Después se alisó las faldas y volvió a apartar la mirada.

—Claro que fue un accidente —replicó suspirando—. Los accidentes son muy frecuentes en el teatro, excelencia...

—No los accidentes intencionados —la interrumpió él, irritado por su renuencia a aceptar que se trataba de un asunto importante o a admitir ante él que también tenía sus dudas.

—Los accidentes, por definición, no pueden ser intencionados —dijo exasperada, antes de unir las manos sobre el regazo—. Pero la verdad es que no puedo entender por qué piensa que alguien trataría de hacerme daño de forma deliberada.

—¿De veras? —replicó él con las cejas enarcadas.

—Es una idea absurda —le reprochó ella.

Tras encogerse de hombros, Colin la presionó en busca de detalles.

—¿No crees que puede haber un par de personas en la obra que sientan celos de tu éxito, que podrían conseguir algo si tú... quedas incapacitada de algún modo?

Charlotte se removió con incomodidad en su asiento.

—Por el amor de Dios, hoy hace muchísimo calor...

—Deja de eludir el tema y habla conmigo, Charlotte.

Ella lo miró de pronto con los ojos entrecerrados y una expresión indescifrable.

—¿Quiere hablar? Muy bien, entonces respóndame a una pregunta, milord: ¿por qué estaba usted allí?

Por un brevísimo instante, a Colin le pareció que ella consideraba en serio la posibilidad de culparlo de lo ocurrido, ya que había sido él quien la había avisado del peligro, la única persona en el teatro en esos momentos que no tenía motivos para estar allí y el único de quien ella desconfiaba. No obstante, le costaba creer que su esposa dudara de él hasta esos extremos. Era mucho más probable que se hubiera puesto furiosa al descubrir que había estado vigilando todos sus movimientos sin que lo supiera y sin su consentimiento.

—Estaba allí porque me encanta el teatro —contestó en un tono despreocupado—. Y ahora que... bueno, ahora que mi esposa es la soprano estrella de la próxima producción de la ópera más famosa de Balfe, se me ocurrió que podría pasarme por allí y comprobar por mí mismo a qué te dedicas todos los días cuando te alejas de mí.

Charlotte sopló para apartarse un mechón rizado de la mejilla.

—No debería haber estado allí, milord.

Colin sonrió.

—Creo que nadie en su sano juicio me negaría la entrada.

Eso pareció desconcertarla. Lo miró a la cara con los párpados entrecerrados en un gesto pensativo y con la cabeza inclinada hacia un lado.

—¿Acaso no tiene nada más importante en que ocupar su tiempo, milord?

Colin deseaba conocerla mejor, confiar más en ella, antes de revelarle en qué consistía con exactitud su trabajo para la Corona. Así pues, en lugar de decirle la verdad, contestó con indiferencia:

—Lo cierto es que no. Tengo unos empleados magníficos que se encargan de administrar mi propiedad a las mil maravillas, y eso me deja todo el tiempo del mundo para disfrutar viéndote.

Charlotte esbozó una media sonrisa y volvió a apartar la mirada sin dignarse a hacer comentario alguno. Colin intuyó que eso era una muestra del poco aprecio que le merecían tanto él como su aparente holgazanería. No importaba. Con el tiempo descubriría la verdad, y sería un placer ver la expresión de su cara cuando lo hiciera.

Trató de estirarse un poco, ya que sentía las piernas entumecidas y doloridas. Todavía estaban a unas cuantas calles de distancia de su hogar y avanzaban con bastante lentitud, ya que debían detenerse de vez en cuando para ceder el paso a los peatones y a los carruajes de alquiler, lo que daba tiempo a que los ruidos y los olores de la ajetreada ciudad se colaran a través de las ventanillas y asaltaran sus sentidos.

—Hoy has cantado muy bien, como siempre —comentó en un nuevo intento por sonsacarle información, dado que disponían de la privacidad necesaria y todavía tardarían un buen rato en llegar.

—Conozco bien la música —admitió ella mientras miraba a través del cristal—, pero aún me cuesta armonizar la octava más alta del segundo acto con el señor Porano. Él afirma que la culpa de que no quede perfecto es mía, pero todos sabemos que la verdad es que tiene problemas con el tempo...

—¿El señor Porano tiene problemas con el tempo? —intervino Colin con una sonrisa.

Ella lo miró de soslayo, con sus preciosos labios entreabiertos, pero los cerró de inmediato y resopló con fuerza.

—Da igual. Estoy segura de que esto le resulta de lo más aburrido.

Colin aguardó unos momentos antes de hablar.

—La verdad es que no. Estoy al tanto de las excentricidades del gran tenor italiano. No olvides que soy un ferviente admirador de la ópera, Charlotte.

Ella meneó la cabeza muy despacio y sonrió con sarcasmo al darse cuenta de que le estaba tomando el pelo.

—El tipo es un bufón con mucho talento, pero, por supuesto, jamás admitiré haberle dicho algo así, milord.

Colin esbozó una sonrisa, disfrutando con las bromas.

—Así que un bufón, ¿eh? ¿Y los demás intérpretes?

Charlotte abrió el abanico una vez más y comenzó a agitarlo con aire distraído.

—He cantado con la mayoría de ellos en otras ocasiones, así que conozco sus aptitudes y su manera de interpretar la música.

—Ya veo. —En realidad le importaban un comino los demás, su talento o su falta de él, pero hablar con ella le daría la oportunidad de descubrir quiénes de ellos tenían razones para estar resentidos con su esposa, o para odiarla lo suficiente para intentar matarla.

—Bueno, pues cuéntame quiénes son —insistió al tiempo que se enjugaba el sudor del cuello con la palma de la mano.

—¿Quiénes son?

—Tus compañeros de reparto. —Se encogió de hombros—. ¿Quién interpreta cada papel?

Durante un par de segundos, Charlotte se limitó a mirarlo con escepticismo, como si quisiera preguntarle qué demonios le importaba eso a él. Al final se decidió por no hacerlo y respondió a la pregunta.

—Bueno —comenzó tras un rápido suspiro—. Porano interpreta a Tadeo, el líder, aunque en mi opinión es demasiado viejo para ese papel... un problemilla insignificante que no parece tener mucha importancia en la ópera. Anne Balstone, quien por cierto es una magnífica contralto, interpreta a la reina de los gitanos. Solamente he actuado con ella en una ocasión, pero es una persona encantadora, si bien algo presuntuosa.

—¿No lo son todos? —inquirió él con expresión burlona.

Charlotte sonrió con sarcasmo.

—Por lo general no es más que una fachada. Según mi experiencia, muchos cantantes de talento, incluso aquellos más famosos, son bastante inseguros.

—¿Y tú?

—¡Ja! Desde luego que no.

Colin la observó con detenimiento durante unos instantes; estaba disfrutando bastante con aquella charla, y la sonrisa genuina que resplandecía en el rostro de su esposa lo tenía embobado. Era una mujer preciosa, aun ataviada con ese vestido marrón y sencillo y con el pelo recogido en la coronilla. Pero no quería estropear el momento dirigiendo la conversación hacia temas más íntimos.

—Continúa —la apremió con un gesto de la mano—. ¿Quién más forma parte del reparto?

Ella frunció los labios y se frotó la nariz con un dedo.

—Yo interpreto a Arline, como bien sabe, la soprano principal. Sadie Piaget, una joven soprano francesa que ha actuado conmigo en todos los escenarios de Inglaterra durante casi tres años, desempeña el papel de Buda, la acompañante de Arline. Por desgracia, Buda no canta en esta ópera, de modo que también forma parte del coro. Puede que sea la única persona del reparto a la que yo consideraría mi amiga. —Se dio unos golpecitos en los dedos con el abanico mientras reflexionaba—. Luego está Raul Calvello, un bajo italiano que lleva actuando en los teatros británicos durante alrededor de treinta y cinco años y que se considera casi inglés. Es un hombre bastante callado, muy agradable.

—Lo conozco —afirmó Colin—. Me pareció un poco raro. Nunca se ha casado y ocupa su tiempo libre haciendo trabajos de jardinería en el campo.

Charlotte enarcó las cejas en un gesto de sorpresa.

—Vaya, es cierto que lo conoce. —Sonrió de nuevo—. Me cae bien; jamás se muestra exigente ni intimidante.

Y seguro que planta sus rosas a ambos lados de la cerca, pensó Colin, aunque jamás le mencionaría algo así a su esposa.

—Por supuesto, también hay papeles menores —continuó—, interpretados por cantantes procedentes de toda Inglaterra, entre los que se encuentran Stanton Lloyd, que interpreta al patriarca de los gitanos, y John Marks, en el papel del sobrino de Raul.

—Y ninguna ópera estaría completa sin los músicos, los trabajadores de escenografía, el director de la representación, el de la orquesta, el del teatro... —añadió con un movimiento circular de la muñeca.

—Muy cierto —convino Charlotte—, aunque no todo el mundo está presente en cada ensayo. De hecho, no nos reuniremos todos hasta que empecemos con las pruebas de vestuario, para las que aún faltan varias semanas. Hasta entonces, acudiremos al teatro a diferentes horas.

Colin se inclinó hacia delante en el asiento del carruaje; sudaba a causa del maldito calor, pero comprobó agradecido que ya casi estaban en casa. Quería llegar al meollo de la conversación antes de que se apearan y ella desapareciera durante el resto de la noche, dejándolo una vez más a solas con sus pensamientos y presa de un deseo implacable.

—Dime una cosa —comenzó en voz baja mientras se frotaba las palmas—, ¿quién, de entre los que has mencionado, ganaría algo haciéndote daño u obligándote a dejar la ópera por cualquier medio posible?

Ella se echó hacia atrás, molesta de nuevo.

—Nadie, milord. Esa es la razón por la que he tratado de explicarle que este... incidente que me ha ocurrido hoy no ha sido más que un accidente.

Había mucho más en ese «incidente» de lo que ella quería admitir. Charlotte sabía algo más. Algo dentro de él le decía que así era.

—¿Qué me dices de Sadie? ¿Obtendría tu papel si abandonaras la obra? ¿No la convertiría eso en la estrella?

Charlotte se echó a reír.

—¿Sadie? Sadie y yo somos amigas.

—Eso no responde a mi pregunta.

—No, supongo que no —replicó ella con serenidad. Después de una pausa de un par de segundos para aclararse las ideas, explicó—: Si yo llegara a sentirme... indispuesta, por decirlo de alguna manera, o bien cancelarían la producción o bien traerían a otra soprano famosa de Irlanda o de Europa para interpretar el papel de Arline, probablemente alguna que ya hubiera hecho ese papel. Si le soy sincera, Sadie carece de la experiencia y de la fama necesarias para cantar con Porano o para generar el dinero que se precisa para pagar al reparto, y mucho menos a toda la orquesta y al resto de los trabajadores. Si le dieran el papel protagonista, sin duda el teatro perdería mucho dinero y, si eso ocurriera, se desatarían todo tipo de rumores. En el peor de los casos, desde ese momento en adelante, los cantantes más afamados declinarían las invitaciones creyendo que jamás les pagarían o, aún peor, que tendrían que actuar con un protagonista desconocido o para palcos vacíos; los espectadores no verían razón alguna para comprar butacas, y al final, la Royal Italian Opera House perdería su reputación como uno de los mejores teatros de Gran Bretaña, si no de Europa. —Se relajó un poco en el asiento—. Y créame, milord, todos los que formamos parte de la representación lo sabemos muy bien.

Colin no pudo reprimir una sonrisa.

—¿Me estás diciendo que tú eres la responsable del éxito del mejor teatro operístico de Inglaterra?

Charlotte cambió la posición de los pies sobre el suelo del carruaje.

—Eso no es lo que he dicho ni lo que pretendía decir, y usted lo sabe.

—Lo sé, sí —replicó él con aire despreocupado—, porque tienes toda la razón. Si te sintieras indispuesta, tal y como tú lo has llamado, yo renunciaría a mi palco. ¿Por qué iba a asistir a la ópera si la gran Lottie English no está en el escenario?

Eso la hizo titubear y unir las cejas en un gesto de incertidumbre.

—¿Está tratando de halagarme, excelencia?

Colin se acomodó mejor en el asiento acolchado.

—Por lo general no necesito hacerlo. Siempre resulto encantador.

Charlotte meneó la cabeza y sonrió con fingido desagrado antes de volver a prestar atención a lo que ocurría fuera.

Él esperó un momento sin dejar de observarla.

—¿No estás un poco enfadada por lo que ha ocurrido? —preguntó con seriedad.

—Si estoy enfadada por algo, milord —contestó ella de inmediato sin dignarse mirarlo—, es porque toda la gente que estaba hoy en el teatro cree ahora que usted y yo somos amantes...

—Bueno, dado que en el presente no somos amantes, no mentirás cuando los saques de su error —la interrumpió en un tono irónico con la esperanza de resaltar ese hecho.

Y al parecer funcionó. Ella comenzó a moverse con nerviosismo: cambió la posición de los hombros y se golpeó los dedos con la punta del abanico.

—Aun así, las especulaciones se extenderán como la pólvora —aseguró segundos después.

—Pero tu reputación está a salvo —replicó él—. Las estrellas de la ópera de todo el mundo siempre tienen amantes, Charlotte, y por lo general se las admira por ello.

Ella lo miró con aire pensativo.

—Sé que esta es la profesión que yo misma he elegido, pero lo cierto es que en el fondo sigo siendo una dama.

Colin asintió.

—Sí, lo eres. Y una dama casada. Si alguien descubriera tu identidad, todos sabrían que estás casada con tu amante.

Charlotte siguió mirándolo unos instantes, como si tratara de memorizar sus rasgos faciales. Luego cerró los ojos y apoyó la cabeza en el respaldo del asiento, con una sonrisa de satisfacción en los labios.

—Y todos se equivocarían...

Ese comentario tan falto de tacto lo puso furioso. Era su esposa, aunque desde luego no era su amante, y si ella se salía con la suya, jamás volverían a serlo. Colin no tenía ninguna intención de permitir que eso ocurriera.

Se levantó de su asiento a toda prisa y se sentó justo al lado de su esposa, sobre las amplias faldas de su vestido.

Charlotte no podía moverse y abrió los ojos de par en par antes de mirarlo con incredulidad.

—¿Qué demonios está haciendo?

Decidido, Colin le sujetó las mejillas con ambas manos y atrajo los labios femeninos hacia los suyos.

Su esposa no luchó contra él. De hecho, y para su más absoluto deleite, después de la sorpresa inicial comenzó a responder al inesperado contacto y lo besó con frenesí antes de rodearle el cuello con los brazos para estrecharlo con fuerza.

El beso no tardó en adquirir un carácter ardiente y apasionado que le provocó una dolorosa erección. Charlotte gimió y le aferró los hombros a través de la camisa; él atrapó su lengua y la succionó, perdido en una nube de deseo. Comenzaron a respirar entre jadeos, y Colin se vio obligado a utilizar toda su fuerza de voluntad para reprimir el impulso de desnudarla y hacerle el amor allí mismo, en el sofocante interior del carruaje. Por el amor de Dios, ¡habría dado cualquier cosa por que ella lo acariciara donde más lo necesitaba!

Se apartó un poco para dejar un reguero de besos húmedos y abrasadores a lo largo de su cuello. Charlotte echó la cabeza hacia atrás y se aferró a sus hombros con vehemencia, suplicándole más sin palabras. Colin apartó la mano de su mejilla y la colocó sobre su pecho, justo por encima del escote del vestido. Ella no pareció notarlo.

Charlotte gimió cuando deslizó la lengua por la línea de su mandíbula, atrapada en la misma tormenta de sensaciones que lo zarandeaba a él. Colin tenía el cuerpo empapado en sudor, su erección se apretaba contra los ceñidos pantalones y, justo en el momento en que se decidió a bajar la mano para cubrir uno de los pechos por encima del vestido y apretarlo con suavidad, el carruaje se detuvo enfrente de su casa.

Sorprendida, su esposa se quedó inmóvil entre sus brazos.

—Basta. ¡Basta! —susurró al tiempo que apartaba la cara de la suya.

Mareado, Colin respiró hondo, aunque no apartó la mano de su pecho hasta que ella se la quitó de encima como si la abrasara.

De repente, el cochero abrió la portezuela y Charlotte dio un empujón a Colin en los hombros con todas sus fuerzas, para apartarse de él tanto como le fuera posible.

Colin reaccionó en un santiamén. Con un movimiento rápido, se inclinó a un lado, agarró el picaporte y tiró de él para arrancarlo de las manos del conductor y cerrar la puerta de golpe.

—No hemos terminado —murmuró con voz ronca al tiempo que le sujetaba la barbilla con la mano libre.

—Está loco, milord —susurró ella; el desasosiego y la frustración brillaban en sus ojos.

Colin le colocó los dedos sobre los labios con suavidad.

—Eres tú quien me vuelve loco, Charlotte. Te necesito, y tú lo sabes.

Ella parpadeó unas cuantas veces, tragó saliva y se enderezó antes de apartarle los dedos.

—Estamos dando un espectáculo y los criados comenzarán con las especulaciones...

—Me importan un comino los criados —intervino Colin con la mandíbula tensa—. Estamos casados, cariño, y me duele no actuar como tal, tanto dentro como fuera del dormitorio; en especial cuando la forma en que respondes a mis besos me dice que tú me necesitas tanto como yo a ti.

El rubor de las mejillas femeninas se acentuó.

—Usted sabe para qué lo necesito —fue todo lo que se le ocurrió decir a Charlotte.

Colin estuvo a punto de soltar una carcajada.

—Sí, lo sé, y quiero oírtelo decir.

Ella forcejeó para liberarse, pero Colin no estaba dispuesto a soltarla.

—Dilo —repitió en un murmullo grave y vehemente.

—¿Qué es lo que quiere que diga? —preguntó Charlotte furiosa—. ¿Qué necesito su dinero? Pues sí, lo necesito. Ahora, suélteme.

—También me necesitas físicamente —insistió él al tiempo que le recorría el labio inferior con el pulgar.

Charlotte le apartó los dedos de un manotazo.

Colin no se amilanó.

—Admite eso, al menos.

—No sea ridículo —replicó ella.

—Dime una cosa —comenzó Colin muy despacio; tenía la intención de demostrar que el deseo de su esposa era incluso mayor que el suyo para conseguir que lo creyera—. Dime que sabes que existe pasión entre nosotros, que te sientes atraída hacia mí y que me necesitas físicamente.

Charlotte desvió la vista hacia la portezuela antes de volver a mirarlo a los ojos.

—¿Y si me niego?

—Te haré el amor aquí y ahora.

Ella compuso una expresión horrorizada.

—No se atrevería.

—Y tú me lo permitirías. De eso no me cabe ninguna duda —susurró él mientras deslizaba la mano desde su cuello hasta el pecho.

De repente, y para su más absoluto asombro, los ojos de Charlotte se llenaron de lágrimas.

—No soy ninguna estúpida, Colin —susurró con voz trémula—. No me deseas. Deseas a la sofisticada y sensual Lottie English, la fantasía a la que conociste en el camerino durante la actuación. Siempre la has deseado. Ahora, suéltame.

Fue un momento realmente decisivo para él. Se limitó a parpadear con un nudo en las entrañas. Charlotte lo había dejado sin habla y, durante esos breves instantes de confusión y pasividad, ella se escurrió bajo su brazo, aferró el picaporte y abrió la puerta.

Con majestuosa dignidad, ofreció ua mano al cochero, que permanecía junto a la portezuela con expresión circunspecta.

—Creo que me retiraré temprano —afirmó por encima del hombro—. Buenas noches, excelencia.

Colin ni siquiera miró al criado mientras se apeaba del carruaje y la seguía en silencio. Por primera vez en toda su vida, una mujer y sus emociones lo habían conmovido profundamente.

10

La cena había sido monótona y bastante tranquila, a pesar de la tensión que invadía la atmósfera. Aunque habían acabado de comerse el postre tan solo unos minutos antes, Colin ni siquiera recordaba cuál había sido el plato principal. Gallina asada, quizá. ¿O había sido pato?

Al igual que había hecho desde que se besaran en el carruaje tres semanas atrás, se había pasado toda la noche concentrado en su esposa, ataviada con un vestido de seda color melocotón y con un recogido flojo en la coronilla. Sus mejillas sonrosadas resplandecían mientras reía, partía el asado y charlaba alegremente con las esposas de sus dos amigos, Vivian y Olivia, como si él ni siquiera estuviese allí. Tampoco había prestado atención a los otros dos hombres, ya que las tres damas se habían sumergido en una conversación sobre trivialidades femeninas tales como los perfumes, las costureras y la última moda, temas que no le importaban en absoluto y sobre los que, a decir verdad, no sabía nada.

Will y Sam lo habían animado un poco al recordar algunas de sus travesuras infantiles, pero sabía que sus amigos se preguntaban por qué parecía tan ensimismado. Siempre era el más bromista de los tres, y sin embargo esa noche se había mostrado bastante retraído, absorto en sus cavilaciones y preocupaciones internas, pensando por primera vez en lo hermosa que estaba Charlotte a la luz de las velas.

—Bueno, ¿tomamos un brandy en el estudio, caballeros? —dijo Sam, interrumpiendo sus pensamientos.

Colin apartó la vista de las frambuesas con crema que le quedaban en el plato y se obligó a esbozar una sonrisa.

—Excelente idea.

—Sí, marchaos ya, por favor —insistió Vivian con un gesto de la mano—. Nos estáis aburriendo muchísimo.

—¿Que os estamos aburriendo? —replicó Will con fingida indignación, al tiempo que se ponía en pie y dejaba la servilleta sobre la mesa—. Creo que esta noche he escuchado todo cuanto necesito saber sobre perfumes.

Sam también se puso en pie.

—No es muy emocionante, ¿eh?

Colin hizo girar el pie de la copa de vino entre los dedos.

—Tal vez esa perfumista que tienes por esposa pueda encontrar una esencia apropiada para la dueña de mi corazón, Samson. Mi querida Lottie debería utilizar una fragancia cálida y exótica a un tiempo.

Tan evidente sarcasmo hizo que todos guardaran silencio. Las cinco personas que ocupaban la habitación se volvieron para mirarlo con distintas expresiones de incomodidad y desconcierto, incluida Charlotte, quien tras unos segundos se ruborizó y bajó la vista hasta su regazo. Aquello fue suficiente para aplacar la irritación que lo embargaba.

Tras dejar lo que le quedaba de vino en la mesa, Colin se puso en pie y realizó una pequeña reverencia.

—¿Nos disculpan entonces, señoras?

—Desde luego —señaló Olivia casi con arrogancia.

Sam se echó a reír por lo bajo, y eso lo enfureció aún más, pero los tres se marcharon del comedor y se dirigieron hacia el estudio sin decir ni una palabra más. Una vez dentro, Colin rodeó el piano y avanzó sin vacilar hacia el aparador de roble.

—Esto es antiguo —dijo Will, que estaba situado detrás de él, frente al teclado—. ¿Es de ella?

—Por supuesto que es de ella —respondió Colin de mal humor—. ¿Me has visto tocar alguna vez?

—Últimamente no, por suerte.

Colin dejó escapar un gruñido.

—Por si queréis saberlo, sí, Charlotte toca muy bien, como debería hacer cualquier buena esposa.

—Ah —intervino Sam mientras se sentaba en uno de los sillones orejeros de cuero—. ¿Y es una buena esposa?

—La pregunta del siglo —dijo Colin, que sirvió el líquido ambarino de la licorera de cristal en tres vasos—. ¿Qué es con exactitud una buena esposa?

Will rió entre dientes y se acercó a él para coger su bebida, antes de rodear el piano y colocarse de espaldas a la chimenea apagada.

—¿Ya te preguntas eso y acabas de casarte? Yo todavía estoy intentando descubrir en qué consiste ser un buen marido.

—¿Antes de que te abandone? —inquirió Sam entre risas.

—Pues sí —replicó Will—. Soy demasiado viejo para buscar a otra mujer que me vuelva loco con sus manías.

Colin apenas escuchaba las bromas mientras caminaba con los dos vasos restantes en la mano para ofrecerle uno a Sam; después rodeó el escritorio y se dejó caer en su mecedora. Aprovechó los momentos de silencio que siguieron para levantar una pierna y apoyar el tobillo en el borde del escritorio. Sabía que a sus amigos les intrigaban su matrimonio y la actitud distraída que había mostrado esa noche, sobre todo porque se había negado en redondo a atarse a una esposa durante casi treinta y cinco años. Como era de esperar, no le decepcionaron.

—Bueno, ¿ella también te vuelve loco con sus manías? —quiso saber Sam, que enarcó las cejas mientras daba vueltas al vaso en la mano—. ¿O todo es como creíste que sería?

—Ambas cosas. —Colin dio un sorbo al brandy y sonrió con ironía antes de murmurar—: Y más.

—¿Más? —Sam estiró las piernas y las cruzó a la altura de los tobillos—. Así que tan mal están las cosas, ¿eh?

—¿Acaso he dicho yo eso? —replicó él. Se había enfadado de nuevo, pero intentó por todos los medios que sus amigos no se dieran cuenta.

Will extendió un brazo encima de la repisa de la chimenea.

—A juzgar por lo que he visto esta noche, yo diría que las cosas... no van según lo planeado.

Colin sonrió con sorna y alzó la copa en una parodia de brindis.

—Ese, amigos míos, es el secreto del matrimonio. No hacer planes.

—Sí, pero... bueno... —Sam se aclaró la garganta—, tú eres el único hombre que he conocido en mi vida que jamás ha fracasado a la hora de conquistar a las mujeres. Y está claro que esta noche no tienes pensado hacer eso.

Confundido, Colin se frotó los ojos con la yema de los dedos.

—No te sigo.

—Lo que quiero decir —explicó Sam— es que, aunque al parecer no puedes quitarle los ojos de encima, tu esposa apenas te presta atención, y eso que llevas casado menos de un mes. Y en lugar de tratar de flirtear con ella o tratar de ganarte su atención, te has mostrado sarcástico y taciturno, algo de lo más inusual en ti. —Se encogió de hombros antes de añadir—: Will y yo nunca hemos sido encantadores, pero ¿tú? Aquí ocurre algo que no sabemos.

El primer impulso de Colin fue decirles a ambos que todo iba a las mil maravillas en su vida matrimonial y, aun más importante, que no tenían ningún maldito derecho a preguntar cómo les iba a su esposa y a él. No obstante, sabía que estaban preocupados de verdad, y eso hizo que se lo pensara dos veces. A decir verdad, podía dejar todo aquel asunto a un lado mintiendo, pero aquellos eran sus mejores amigos y le habían preguntado de manera indirecta si podían ayudarlo en algo. Hablar de los asuntos íntimos con los amigos no era algo que se soliera hacer, pero tampoco era algo extraño. No sabía muy bien cómo comentar ciertas cosas sin humillarse a sí mismo, pero tal vez un poco de humillación mereciera la pena si ellos podían darle algún consejo sobre cómo manejar a una esposa... en especial cuando ella le ocultaba cosas a propósito, sobre todo durante los momentos íntimos. A ese respecto, solo podía asumir que las mujeres de sus amigos no eran tan insensibles como su propia esposa, ya que Vivian le había dado un hijo a Will y Olivia estaba embarazada del bebé de Sam. Decidió que valía la pena probar.

Cada vez más incómodo, Colin se frotó la nuca con la palma de la mano, bajó la pierna al suelo y se inclinó hacia delante para apoyar los brazos sobre el escritorio antes de comenzar a dar vueltas a la copa mientras la miraba fijamente.

—Confieso que mi matrimonio con la famosa soprano ha sido un poco más... complicado de lo que esperaba en un principio —reveló por fin con voz tensa. Para su alivio, ninguno de sus compañeros se echó a reír.

—El matrimonio siempre es complicado al principio —le aseguró Will con tranquilidad—. En especial cuando, como tú, te casas con alguien a quien en realidad no conoces.

—Y todo el mundo tarda algún tiempo en sentirse verdaderamente cómodo dentro del matrimonio —añadió Sam.

Frustrado al ver que ninguno de ellos le ofrecía más que los comentarios que podría haber obtenido hablando con cualquiera de sus hermanas, Colin se peinó el cabello con los dedos de manera brusca.

—Os agradezco tan sencillas respuestas, caballeros, pero no tenéis ni la más mínima idea de lo que estoy hablando.

Sam sonrió.

—¿Crees que no hemos sufrido tanto como tú?

Colin apuró el brandy con un par de tragos, se puso en pie de repente y comenzó a pasearse sobre la alfombra, frente al piano.

—No —aseguró con fingido buen humor—. Creo que ninguno de vosotros dos ha sufrido tanto como estoy sufriendo yo.

Will tomó un sorbo de su vaso.

—¿Cuál es el problema en realidad?

Colin se detuvo y bajó la vista al suelo.
—Es difícil de explicar.
—Ay, Dios mío... —murmuró Sam.
Él levantó la cabeza de golpe.
—¿Qué?
—¿Ya necesitas una amante?
Aturdido por la pregunta, Colin se echó a reír.
—¿Has perdido la razón? Nada complicaría más las cosas que eso. Sobre todo antes de que Charlotte y yo...
Se hizo un silencio sepulcral en la estancia.
—¿El problema es Charlotte? —preguntó al final Will con genuina preocupación.
Colin cerró los ojos y se pellizcó el puente de la nariz antes de tragarse el orgullo.
—El problema es que puede que haya... cometido un error con ella.
—¿Un error? —preguntaron sus amigos al unísono.
Por Dios, así no llegaría a ningún sitio. Irguió los hombros, enlazó las manos en la espalda y bajó la voz para evitar que los criados pudieran escucharlo.
—Está enfadada conmigo porque no... no le gustó nuestra noche de bodas.
Nada podría haber conmocionado más a sus dos amigos, de eso estaba seguro. Ambos lo miraban boquiabiertos y con el ceño fruncido. Sam comenzó a negar con la cabeza, ya que esa admisión de su ineptitud en la cama lo había dejado desconcertado.
Supuso que todo aquel asunto resultaba bastante gracioso viniendo de él, ya que ostentaba una infame, o mejor dicho, una grata y escandalosa reputación en cuanto a sus proezas sexuales y sus métodos de seducción. Si sus problemas en el dormitorio llegaban a conocerse, caería en desgracia hasta extremos que no quería ni imaginarse. Aunque lo cierto era que eso carecía de importancia en esos momentos.
Se echó a reír de pronto y eso pareció sacar a los demás de su estupor. Poco después, todos se reían a carcajadas; no a sus

expensas, sino porque esos dos hombres, que siempre habían sido unos amigos maravillosos, comprendían a la perfección lo extraña que debía de resultarle esa situación.

—Santa madre de Dios... —dijo Sam—. No hablas en serio, ¿verdad?

Colin se serenó al instante y sacudió la cabeza, asqueado consigo mismo.

—Me temo que sí. Y no sé qué hacer al respecto.

Todos se quedaron callados de nuevo tras esa muestra de sinceridad. La casa también estaba en silencio, y las damas sin duda seguían discutiendo sobre la moda actual, sobre el inminente parto de Olivia, o sobre los chismorreos cotidianos, cualesquiera que fueran. Y allí estaba él, en medio de su estudio, cansado y exhausto tras semanas de incesante deseo, pidiendo ayuda a sus amigos más íntimos para seducir a su esposa. Jamás había vivido una situación tan extraña.

—Bueno... —dijo Will después de soltar un ruidoso suspiro. Se apartó de la chimenea para sentarse en el sillón orejero que quedaba libre y estiró las piernas antes de cruzarlas por los tobillos a fin de ponerse cómodo.

—Bueno, sí —repitió Colin. Sentía el cuerpo tenso, así que comenzó a caminar de nuevo por delante del piano.

—Siéntate, Colin, me estás poniendo nervioso —le exigió Sam con un gesto de la mano.

Colin se dejó caer de inmediato en la banqueta acolchada del piano y se inclinó hacia delante para apoyar los codos encima de las rodillas y entrelazar los dedos de las manos. Bajó la vista al suelo cuando notó que un desagradable rubor ascendía por su garganta. ¿Cómo demonios podía contarles algo como aquello?

Will carraspeó con fuerza.

—Quizá deberías empezar por el principio. Quieres nuestro consejo, ¿no es así?

Colin esbozó una sonrisa irónica y levantó la vista sin alzar la cabeza.

—Está claro que debería pedírselo a alguien.

Sam se rascó la parte posterior del cuello.

—No hace falta..., bueno, no hace falta que nos des muchos detalles, pero ¿cuál es exactamente el problema?

Él cerró los ojos un momento, mientras los recuerdos de esa noche lo asaltaban como si no hubiera transcurrido más de una hora desde entonces. Recordaba el intenso deseo que había sentido al verla desnuda por primera vez, ataviada con esa seductora cosa de encaje y satén que no dejaba nada a la imaginación. Supuso que debería empezar por ahí.

—Todo fue bien durante la boda y la cena —comenzó en voz baja mientras miraba a uno y a otro—. Pero mientras se preparaba para la noche, le di un regalo especialmente creado para ella, o más bien la obligué a ponérselo para mí. Cuando llegó a mi habitación estaba... impresionante. Hermosa. Pero a la mañana siguiente estaba furiosa y me dijo que no quería que le hicieran el amor nunca más. —Al menos yo, pensó, pero eso no lo dijo en voz alta.

Durante unos instantes nadie dijo nada, ninguno de ellos se movió siquiera. Entonces, Sam se frotó la mandíbula con los dedos con expresión pensativa.

—Explícanos cómo era ese regalo.

Colin tragó saliva.

—Era... algo parecido a un corsé... Una prenda confeccionada con satén rojo y encaje negro, con zapatos a juego.

Will se echó a reír una vez más.

—En nombre de Dios, amigo mío, ¿en qué demonios estabas pensando?

—No pensaba —respondió Sam en su lugar, al tiempo que trataba de contener sus propias carcajadas tapándose la boca con la mano.

A Colin se le retorcieron las entrañas.

—Admito que fue algo audaz por mi parte, puede que incluso me equivocara. Pero acababa de casarme con Lottie English...

—No —intervino Sam—, acababas de casarte con lady Charlotte Hughes.

Molesto, Colin se apretó las manos con fuerza.

—Ya, pero es que Charlotte es Lottie.

—No, no lo es. La dama reservada con la que hemos cenado esta noche es encantadora por derecho propio, pero sin duda no es la misma mujer sofisticada y exuberante que he visto en la ópera —musitó Sam, que parecía igual de molesto—. Lottie es la fantasía de cualquier hombre; Charlotte es tuya, una aristócrata que acudió a ti, su marido, como cualquier virgen en su noche de bodas.

Colin compuso una mueca.

—No lo entiendes. Sé que son personas diferentes, pero no puedes sugerir que tienen personalidades distintas. Me casé con la mujer más sensual y excitante...

—Cuando está sobre el escenario —acotó Will—. Actuando.

—Y me consta que así la hiciste sentirse con semejante regalo: como una actriz que estaba allí para llevar a cabo una representación en tu noche de bodas —dijo Sam en un tono teñido de humor y de una pizca de desagrado—. No es de extrañar que no quiera saber nada más de ti. —Después de una pequeña pausa, añadió con cautela—: Piensa una cosa, Colin: ¿de verdad quieres que ella actúe para ti en la cama? Porque eso es probablemente lo que ella cree.

Colin levantó la cabeza de golpe, desconcertado por esas palabras. Sus dos amigos lo miraban con recelo, como si de verdad esperaran que admitiera que solo deseaba a Charlotte por eso. De pronto empezó a comprender, y las palabras que le había dicho su esposa regresaron para atormentarlo: «... me obligó a ponerme una prenda ridícula con zapatos a juego y me llamó por mi nombre artístico...» «No me deseas. Deseas a la sofisticada y sensual Lottie English...».

En ese momento lo entendía todo. Colin se irguió muy despacio y respiró hondo mientras bajaba la vista hasta la gruesa alfombra que había a sus pies.

Hasta entonces, jamás se le había pasado por la cabeza algo semejante. Sí, como todo el mundo sabía, deseaba a esa mujer de fantasía que lo había embelesado durante tres años; y todos sabían también, incluida Charlotte, que esa era la razón fundamental por la que se había casado con ella. De eso no había ninguna duda. No obstante, nunca había querido ni esperado que ella actuara en su beneficio, que interpretara un papel en el que no se sentía cómoda. Actuar en la cama sería como fingir al hacer el amor, y fingir haciendo el amor no requería sentimiento alguno. Y al fin y al cabo, sin sentimientos no había intimidad real, y mucho menos diversión. Fue necesario el tremendo impacto de esa idea para que se diera cuenta de lo mucho que había ofendido a su esposa.

—No, por supuesto que no es eso lo que quiero —replicó al fin, al tiempo que se reclinaba sobre las teclas al descubierto, que emitieron un sonido discordante y desagradable—. He sido un estúpido.

—Quizá un estúpido no, pero sin duda desconsiderado —lo corrigió Sam—. El corsé debió de sorprenderla bastante.

O asustarla, pensó él.

—Y es probable que no comprendiera en absoluto lo que deseabas de ella —intervino Will.

No tuvo la menor oportunidad de hacerlo, se dijo Colin.

—Bien, ¿qué sugerís que haga ahora? —murmuró desinflado.

Will resopló.

—¿Por qué no la seduces? Es lo que deberías haber hecho en primer lugar.

Colin se peinó el cabello con los dedos.

—Estoy seguro de que a vosotros dos os parece algo muy fácil, pero es obvio que yo metí la pata con ella la primera vez, y ahora me parece una estupidez hacer algo así.

Se arrepintió de haber respondido aquello casi al instante. Él era el único de ellos tres que jamás había tenido problemas para seducir a una mujer, el único que siempre resultaba encantador, y sabía con toda certeza que sus amigos estaban pensando eso mismo.

Se produjo un largo e incómodo silencio, un momento lamentable que Colin no olvidaría aunque viviera cien años. Nunca había hecho nada tan difícil... como admitir ante sus amigos que su flamante esposa, dejando a un lado lo atraída que se sentía por él, no lo deseaba como hombre. La humillación que sentía en esos momentos debía de ser casi palpable.

A la postre, Sam dejó escapar un prolongado suspiro y dijo con franqueza:

—El problema es tuyo, por supuesto, pero te sugiero que saques partido de su inocencia. No esperes que se comporte como una mujer experimentada, Colin, porque es obvio que no lo es. Has cometido un error, pero todavía es tu esposa y puedes acostarte con ella. Empieza desde el principio. No esperes nada de ella y enséñaselo tú.

—¿Aunque ella no muestre el más mínimo interés? —replicó él con mordacidad.

—No estás pensando con claridad —añadió Will en tono grave y concluyente—. No hay duda de que a la dama le gustas y de que se siente atraída por ti. Sácale partido a eso también. Dale lo que desea, no lo que se espera. Sedúcela cuando menos lo sospeche. Y, por el amor de Dios, ve poco a poco.

Poco a poco. Estaba a punto de estallar a causa del deseo insatisfecho y su esposa dormía en la habitación de al lado noche tras noche, pero lo más probable era que esas fueran palabras sabias en lo que a las mujeres se refería. Will y Sam, ambos casados, lo sabían. Su verdadero problema, tal y como él lo veía, era que en realidad jamás había tenido que esforzarse para seducir a una mujer. Las mujeres podían desearlo o no, pero, según su experiencia, su encanto fallaba en muy raras ocasiones. El hecho de que Charlotte fuera su primer desafío auténtico era el colmo de la ironía. Su encanto tendría que superar la inteligencia de ella si quería tener éxito en una seducción prolongada; pero si lo tenía, la recompensa sería enorme.

Una vez considerada la idea, Colin se puso en pie de nuevo y se acercó a la ventana que había detrás de su escritorio. Cruzó los brazos a la altura del pecho y apoyó un hombro contra uno de los paneles de cristal. Todo estaba en silencio y no se veía nada más que el cielo negro: no había luna, ni lluvia, ni siquiera estrellas. Solo silencio. La calma antes de la tormenta.

—Hay una cosa más —dijo con tranquilidad. Se volvió para mirarlos una vez más antes de añadir—: Estuvieron a punto de matarla en el teatro hace tres semanas.

—¿Qué?

La pregunta provenía de Will, que se había echado hacia delante con expresión seria. Sam permanecía inmóvil en su asiento, con aire pensativo.

Colin tiró hacia atrás de la mecedora que había junto a su escritorio y se dejó caer en ella antes de reclinarse y enlazar las manos sobre el regazo.

—Se cayó una viga del techo cuando ella estaba sola en el escenario. Le pasó a escasos centímetros de la cabeza, y solo porque yo grité a tiempo para que se moviera. Ella restó importancia al asunto e insistió en que no era más que un simple accidente. Pero yo he hecho algunas indagaciones por cuenta propia y por lo visto no es la primera vez que le ocurre algo así en ese teatro. O bien se miente a sí misma o bien me miente a mí por alguna razón que desconozco. En cualquier caso, comienzo a creer que tiene problemas.

Ninguno de sus amigos dijo nada mientras asimilaban aquella preocupante información.

—¿Crees que esos... percances tienen algo que ver contigo? —preguntó Sam por fin.

Colin se encogió de hombros.

—No sabría decirte. No he sido capaz de intimar lo bastante con ella para averiguarlo.

—¿Y por qué no? —quiso saber Will—. Aunque no muestre interés alguno por el dormitorio, sigue siendo tu esposa.

«No muestre interés alguno por el dormitorio.» Escuchar eso hizo que Colin deseara romper algo. En lugar de hacerlo, esbozó una sonrisa amarga y se levantó de la mecedora.

—¿Queréis otro trago, amigos míos? Yo lo necesito.

Sam hizo un gesto negativo con la cabeza; Will le entregó su vaso cuando pasó por su lado. Colin se acercó a toda prisa al aparador y sirvió licor para ambos. Su vaso contenía algo más de lo que debería, pero decidió que le importaba un comino levantarse con dolor de cabeza.

—Yo puedo protegerla en casa —dijo al fin, volviéndose para mirar a sus amigos con los dos vasos en las manos—. Pero en el teatro será difícil. Según parece la pongo nerviosa, y para ser sincero, presentarme allí todos los días resultaría algo... fuera de lugar, por decirlo de manera suave. Extraño, incluso. Todo el mundo se preguntaría qué demonios estoy haciendo allí. —Hizo una pausa antes de añadir con sarcasmo—: Todo el mundo salvo el gran Porano, que al parecer solo piensa en sí mismo.

Sam se acomodó mejor en el sillón.

—¿El gran quién?

Colin meneó la cabeza y se alejó del aparador.

—Da igual.

—Podrías decirles la verdad a ellos también o, mejor aún, dejarles asumir que tienes cierto interés romántico en Lottie English —propuso Will al tiempo que cogía su vaso—. Nadie sabe que vosotros dos estáis casados. Imagina cuántas posibilidades te da eso.

—Imagina los rumores que despertaría —dijo él. Dio un buen trago al brandy y después se sentó una vez más en la mecedora—. Y aunque esa sería una excusa maravillosa para permanecer cerca de ella, no creo que Charlotte aprecie que interfiriera en su trabajo.

—Si crees de veras que se encuentra en peligro, tal vez debas alertar a las autoridades —sugirió Sam.

Colin negó con la cabeza.

—No puedo —dijo con voz seria—. Ya lo había pensado, pero no tengo prueba alguna de que haya una conspiración para hacerle daño, tan solo... una corazonada. Y, al parecer, a nadie salvo a mí le preocupa.

—Podemos probar otra cosa —comenzó Will, que tenía los ojos entrecerrados mientras contemplaba el brandy que giraba muy despacio en el interior de su vaso—. Debe de haber más mujeres en el teatro en quienes tú podrías... concentrar tu atención.

—Vaya, esa sí que es una buena idea —replicó él en tono amargo antes de apurar con un par de tragos lo que le restaba de bebida—. Dejar que mi esposa me vea coqueteando con otra y crea que mi reputación sigue intacta.

—Espera un momento —intervino Sam, que esbozó una media sonrisa mientras paseaba la vista entre sus dos amigos—. No es una mala idea, Colin. ¿Hay otras mujeres jóvenes en el teatro a diario?

Colin soltó un gruñido.

—Por supuesto que sí. O eso creo.

—En ese caso, piénsalo bien —prosiguió Sam—. Charlotte no podrá eludirte del todo si tú acudes allí con la falsa pretensión de cortejar a otra, y eso evitaría que ella se viera obligada a revelar la relación que tiene contigo a cualquiera demasiado curioso. —Sonrió de oreja a oreja—. Y, dejando las buenas intenciones a un lado, quizá consiguieras ponerla un poco celosa si ve que dedicas tu atención a otra.

Colin albergaba ciertas dudas. No tenía el menor interés en cortejar a otra mujer en esos momentos, pero le gustaba la idea de despertar los celos de su esposa. Eso podría llevarla hasta su cama más rápido que una lenta seducción. O quizá no. También era posible que a ella no le importara en absoluto. Tendría que ser muy cauteloso con ese planteamiento. Aun así, había una cosa que todavía lo preocupaba.

—Todo el país sabe que estoy casado con lady Charlotte, la respetable hermana del conde de Brixham —dijo, enojado de nuevo sin ninguna razón de peso—. Si soy demasiado descarado, demasiado obvio, lo más probable es que la sociedad se entere de que le soy infiel.

Sam parpadeó.

—¿Y eso te molesta?

La pregunta, aunque sincera, lo puso furioso.

—Por supuesto que me molesta. No soy ningún canalla, por el amor de Dios.

—Entonces no seas descarado —señaló Will al tiempo que encogía uno de sus hombros—. Si tienes cuidado, no habrá más que especulaciones sobre qué haces y con quién. Rumores sin pruebas reales. Al final, solo Charlotte y tú sabréis la verdad, y eso es lo que importa.

Colin se frotó los ojos. Le dolía la cabeza, tanto a causa del alcohol que había bebido como de tanto pensar bajo su influencia. Necesitaba dormir.

Por fin, Sam echó un vistazo al reloj de pared y se puso en pie.

—Es casi medianoche y estoy exhausto.

—¿Que tú estás exhausto? —replicó Colin con una débil sonrisa.

Sam se pasó los dedos por el cabello.

—Un día, cuando dejes embarazada a tu esposa, sabrás de qué hablo. Pero en serio, debo llevar a Olivia a casa.

Will terminó su brandy antes de levantarse del sillón.

—Nosotros deberíamos marcharnos también. Partimos hacia Cornwall la semana que viene y seguro que hay cosas que Vivian necesita incluir en el equipaje.

Colin se apartó de la mecedora por última vez y se desperezó.

—Resulta asombroso lo dóciles que os habéis vuelto. Es una pena, la verdad.

—Ser dócil tiene sus ventajas —admitió Sam mientras los tres avanzaban hacia la puerta del estudio—. Y si te soy sincero, es mucho mejor que vivir solo, en todos los sentidos.

Solo. Con mi esposa en la habitación de al lado, pensó Colin.

Tendría muy en cuenta los consejos que le habían dado esa noche, todos. Lo cierto era que estaba harto de sentirse confuso y de tener que andarse con pies de plomo para no molestarla. Era un hombre casado; tenía una esposa a la que debía proteger y cuyo cuerpo necesitaba con desesperación. Había llegado el momento de tomar algunas decisiones.

Había llegado el momento de actuar.

11

Ataviada con un práctico camisón de algodón, Charlotte estaba sentada frente a su tocador y contemplaba el reflejo de su rostro en el espejo. Sus mejillas seguían sonrosadas a causa de los efectos del vino. Había dado las instrucciones pertinentes a Yvette, que acababa de marcharse a dormir, para que no la molestaran hasta las ocho de la mañana si no se despertaba por sí sola antes. Después de las cuatro horas de ensayo en el teatro, la cena y la charla con los amigos de Colin, se sentía completamente agotada y estaba impaciente por tumbarse bajo las sábanas para pasar una larga y merecida noche de sueño.

No había vuelto a ver a su marido desde que se marchara a tomarse un brandy con los caballeros, y eso estaba muy bien. Esa incómoda tensión que los invadía siempre que estaban cerca el uno del otro le provocaba una extraña agitación y le impedía concentrarse en cosas más importantes. De hecho, era muy consciente de que él se había pasado toda la cena mirándola, del mismo modo que era consciente de él como hombre. Bueno, quizá esa no fuese la forma correcta de expresarlo. Era del todo normal que ella, como mujer, reaccionara a su masculinidad, a ese físico poderoso y a ese rostro tan apuesto. Lo que había entre ellos no era más que una inoportuna atracción física que sin duda desaparecería con el paso del tiempo. Hasta entonces, tendría que ser inteligente y mantenerse alejada de él cuanto le fuera posible. Y al parecer, el trabajo era un buena manera de lograrlo, aunque en ocasiones sus pensamientos giraban en torno a él incluso mientras trabajaba.

El beso que le había dado en el carruaje hacía tres semanas todavía perduraba en su memoria... y en sus labios. Lo recordaba sin cesar, para su más absoluto fastidio. Ese hombre había tejido un hechizo a su alrededor y le sacaba de quicio ser consciente de que no era necesario siquiera que él estuviera en la habitación para que deseara que la besara de nuevo. Por todas partes.

Se estremeció de arriba abajo y cogió el cepillo del tocador para retorcerlo entre las manos antes de comenzar a peinarse.

Sabía que los «accidentes» del teatro eran intencionados; pero no estaban destinados a hacerle daño, sino a asustarla. También sabía a qué eran debidos, aunque, a pesar de que había pensado mucho en el tema de un tiempo a esa parte, seguía sin poder determinar quién de entre sus amigos y colegas podía haberse aliado con su hermano. Y Charles debía de estar detrás de todo aquello. Si bien no estaba al tanto de la partitura de Händel que ella poseía, su hermano era la única persona que deseaba que renunciara al teatro para evitar que su buen nombre cayera en desgracia en caso de que su identidad llegara a conocerse entre los miembros de la alta sociedad. Con todo, no estaba actuando solo, ya que, salvo la noche del estreno, nunca se rebajaba a mostrar su rostro en semejante lugar. Había conseguido la ayuda de alguien, y al único que Charlotte podía descartar era a Porano; el tenor no tenía tiempo para pensar más que en su propia fama, y además, lo más probable era que ese asunto ni siquiera le interesara.

Colin acudiría en su ayuda si ella se lo pedía, pero no estaba dispuesta a hacerlo. Todavía no lo conocía bien, no sabía si podía confiarle su secreto o si trataría de vender la única propiedad que era tan solo suya, la pieza que podía asegurarle la independencia durante el resto de su vida, con la sencilla excusa de que le pertenecía legalmente por ser su marido. Estaba claro que su esposo no necesitaba el dinero que proporcionaría su venta, pero Charlotte aún no tenía claras sus intenciones en lo que a ella se refería, en ninguno de los aspectos de su vida matrimonial, y eso le daba qué pensar.

—Tienes un cabello muy hermoso.

Sorprendida, Charlotte ahogó una exclamación al oír el sonido ronco de su voz en la puerta adyacente.

—Estaba a punto de irme a la cama, milord —dijo al tiempo que dejaba el cepillo sobre el tocador.

Pudo ver cómo él avanzaba en su dirección con una sonrisa maliciosa.

—¿Lo has pasado bien esta noche? —inquirió Colin con aire despreocupado.

El corazón de Charlotte empezó a latir con fuerza.

—Por supuesto, excelencia. Sus amigos son gente adorable.

Él asintió como si esperara una respuesta semejante y se situó tras ella para contemplar su reflejo. Los rasgos masculinos tenían una expresión reflexiva mientras la estudiaba a través del cristal. Colín estiró una mano y le cogió unos cuantos mechones de cabello antes de enredárselos en los dedos. Preocupada por sus posibles intenciones, Charlotte abrió los ojos de par en par, pero se mantuvo inmóvil, concentrada en su postura, por miedo a despertar su ira si se apartaba de golpe.

Al fin, él soltó las sedosas hebras de cabello y le apoyó las manos sobre los hombros antes de observar una vez más su rostro reflejado en el espejo.

Charlotte sentía la piel cálida de sus manos incluso a través del tejido del camisón, pero no se movió.

—¿Sabes? —murmuró su marido con suavidad, al tiempo que inclinaba la cabeza hacia un lado—. Recuerdo haberte pedido que me llamaras Colin el día después de nuestra boda, pero todavía no te he oído pronunciar mi nombre durante una conversación informal.

¿Qué podía hacer ante un comentario semejante? ¿Disculparse? Para ser sincera, ni siquiera podía recordar si había utilizado alguna vez su nombre de pila o no, pero el comportamiento poco habitual de su esposo y su inesperada presencia en su dormitorio comenzaban a intimidarla. Y si bien no le asustaba su proximidad, ni el hecho de que le hubiera puesto las manos encima y la mirara con aire pensativo, jamás se había sentido tan vulnerable en toda su vida.

—La verdad es que estoy muy cansada, Colin...

—Levántate, Charlotte —la interrumpió él con amable insistencia.

Ella parpadeó un par de veces.

—¿Que me levante? —repitió.

Su esposo entrecerró los ojos para observarla y esbozó una pequeña sonrisa.

—Aún no estás en la cama, ¿verdad?

Charlotte sintió cómo se le aceleraba el pulso en las venas.

—Es cierto, pero...

—En ese caso, levántate. —Apartó las manos de sus hombros y retrocedió un paso—. Aquí mismo.

No podía negarle una petición en apariencia tan simple e inocente; no se le ocurría ninguna razón para hacerlo. Tras apoyar las manos en el tocador y sin atreverse a enfrentar la intensa mirada que la contemplaba a través del espejo, Charlotte hizo lo que le pedía y se levantó muy despacio.

Con un rápido movimiento, su esposo apartó la silla que había detrás de ella y ocupó su lugar con su poderoso cuerpo, dejándola atrapada sin siquiera tocarla. A Charlotte se le secó la boca. No podía moverse.

—¿Qué estás haciendo? —susurró.

Sin dar ninguna explicación, él se inclinó un poco para poder situar la mejilla junto a la suya, sin dejar de observarla a través del cristal. Entonces, una vez más, le puso las manos en los hombros por encima del camisón y comenzó a masajeárselos suavemente con los dedos.

—Cierra los ojos —le pidió con voz ronca. Sus labios casi le rozaban la oreja.

En un estado de ánimo cercano al pánico, Charlotte tragó saliva.

—Excelencia...

—Cierra los ojos, Charlotte —repitió con algo más de insistencia—. Relájate.

¿Cómo demonios iba a relajarse? La tenía hechizada, casi cautiva entre sus brazos. Con todo, ella sabía de manera instintiva que si lo empujaba para apartarlo o si lo reprendía con furia, él la dejaría marchar. Al menos, confiaba en que lo hiciera.

Tras respirar hondo para infundirse coraje, hizo lo que le pedía y bajó los párpados. Sentía su aliento cálido sobre la piel, percibía el tenue aroma de la colonia y el brandy, y las puntas de su cabello rubio oscuro le hacían cosquillas en la mandíbula, provocándole escalofríos.

Su marido empezó a incrementar la presión de las manos sobre sus hombros. Las bajó poco a poco hacia la parte superior de los brazos y luego volvió a subirlas para masajearle el cuello. Luego estiró los dedos hacia delante para acariciarle con suavidad las clavículas, justo por debajo del cuello del camisón. Charlotte no pudo evitar dejarse llevar. Era maravilloso, y, casi sin darse cuenta, se echó un poco hacia atrás para acercarse más a su torso.

—¿Por qué haces esto? —preguntó en un susurro.

—Chist. Nada de preguntas —replicó él en voz baja—. Me marcharé dentro de unos instantes, pero antes quiero mostrarte algo.

Charlotte se acercó aún más a su amplio y musculoso pecho. No tenía ni la más mínima idea de qué era lo que iba a mostrarle, y mucho menos de cuáles eran sus intenciones, pero en esos momentos le daba igual. Sus evasivas, junto con esa manera experta de masajearle los músculos doloridos, la estaban excitando hasta lo indecible.

—Voy a darte la primera orden directa como marido tuyo, Charlotte.

De pronto sintió que se le doblaban las rodillas y estuvo a punto de rendirse, a punto de dejar que su cuerpo se relajara contra él. Se vio obligada a recurrir a toda su fuerza de voluntad para mantener la compostura.

—La orden es la siguiente —continuó él sin aguardar una respuesta—: mientras te muestro lo que quiero enseñarte, tendrás que quedarte ahí sin moverte y sin hablar, y mantener los ojos cerrados. Asiente con la cabeza si lo has entendido.

¿Entender? Una diminuta parte de ella quería apartarse de su lado, correr hacia la cama y esconderse bajo las sábanas. Pero al parecer no era capaz de hacer lo que le dictaba la lógica mientras él le masajeaba los hombros y los brazos, mientras le recorría los omóplatos con los pulgares y deslizaba la yema de los dedos por su garganta en caricias suaves como plumas. Al final, obedeció y asintió con la cabeza.

De inmediato, la respiración de su esposo se aceleró y este comenzó a deslizar la nariz a lo largo de su oreja para después, tras una pequeña pausa, recorrer el lóbulo con los labios. Charlotte se estremeció y aspiró con fuerza entre dientes, rendida al deseo líquido que inundaba su vientre. Sabía que era muy probable que él hubiera notado su reacción, pero decidió que carecía de importancia. Al final, Colin tiró de ella para apoyarla contra su pecho amplio y duro, y el calor que emanaba de su cuerpo le entibió la espalda a pesar de las ropas. Comenzó a recorrerle los brazos de arriba abajo con la yema de los dedos hasta que Charlotte notó que se le ponía la piel de gallina; no la estaba tocando de manera indecorosa, pero la hacía anhelar... algo que estaba fuera de su alcance. Fueran cuales fuesen los propósitos de su marido, ella no podía seguir luchando contra ese delicioso esfuerzo por su parte, aunque le costó Dios y ayuda no gemir y darse la vuelta para entregarse a él. En lugar de eso, e incapaz de evitarlo, se limitó a apoyar la cabeza sobre su hombro para disfrutar de la calidez y la fuerza que la envolvían.

—Un minuto más —susurró él contra su garganta—, y te dejaré en paz.

¿Dejarla en paz? No quería que la dejara en paz, quería que la tocara de esa forma durante horas.

Colin siguió acariciándole los brazos un par de minutos más antes de detenerse.

—Ahora abre los ojos... —murmuró.

Charlotte tardó un poco en reaccionar y después, muy despacio, abrió los párpados y enfrentó su mirada en el espejo.

Contempló su propio reflejo y se fijó en el rubor de sus mejillas, en sus labios húmedos y entreabiertos, en el pulso acelerado de su garganta. Sin embargo, cuando posó la vista en él, se quedó sin aliento y embargada por una increíble sensación de asombro. Nunca en su vida había presenciado esa vehemencia en un hombre, esa oscura determinación que le tensaba la mandíbula, ese deseo en la mirada. Y había sido ella quien le había provocado esa reacción... sin hacer nada.

—Eres una mujer muy hermosa, Charlotte —dijo con voz grave y tensa, con la mejilla contra su sien.

Ella no pudo responder. Tenía un nudo en la garganta y sentía el cuerpo ardiente y tembloroso.

Colin percibió su debilidad. Apretó los labios y la rodeó con los brazos para estrecharla con fuerza al tiempo que recorría con los labios la línea de nacimiento del cabello en la frente. Luego posó uno de los brazos bajo sus pechos y deslizó el otro para sujetarle la cadera y empujarle el trasero hacia atrás, contra él.

Charlotte aspiró de manera brusca al sentir la prueba rígida del deseo que le inspiraba. Sin embargo, por mucho que deseara escapar de su lado, no pudo hacerlo. La había hechizado.

—Esto es lo que me ocurre cuando te toco, cuando estoy tan cerca de ti, cuando pienso en ti, Charlotte —le susurró al oído sin apartar la mirada de la de ella—. Y pienso en ti cada minuto del día.

Charlotte abrió los ojos en un gesto de incredulidad; su esposo los entrecerró cuando alzó la mano con audacia para cubrirle un pecho por encima del camisón. No hizo nada más; permaneció inmóvil, tentándola, a la espera.

—Colin... —susurró ella.

Él tomó una honda bocanada de aire y luego, ante la atenta mirada de Charlotte, bajó la cabeza para besarle la mejilla mientras metía la mano bajo el camisón a fin de cubrirle el pezón desnudo con la palma.

Incapaz de resistirse, Charlotte soltó un gemido ante tan exquisita caricia y le apretó los brazos con las manos por miedo a que le flaquearan las piernas.

—¿Te gusta esto? —preguntó su esposo, que la miró una vez más a los ojos a través del espejo.

—Sí... —susurró ella, al tiempo que asentía con la cabeza de forma casi imperceptible.

Colin deslizó la yema de los dedos por el pezón un par de veces y ella se lamió los labios antes de apretarse contra su mano, presa de una súbita necesidad que recorrió su cuerpo de arriba abajo. Su esposo lo percibió, pero no dejó de acariciarla ni de mirarla con ese brillo abrasador en los ojos. Fue en ese momento cuando se apartó de ella.

—Buenas noches, querida esposa —susurró tras besarle la oreja por última vez.

Y acto seguido, retrocedió y se marchó a través de la puerta del dormitorio contiguo sin hacer el menor ruido, dejándola sola en la frialdad de su habitación.

12

Charlotte estaba sentada lo más erguida posible frente a su marido en el carruaje que él había alquilado esa mañana para llevarla al ensayo, ojeando las partituras de música para no tener que mirarlo o iniciar una conversación.

La había observado en silencio durante casi una hora, aunque fingía estar adormecido, con las manos enlazadas sobre el regazo y el cuerpo relajado, como si no tuviese ninguna preocupación en el mundo. Ella, sin embargo, era incapaz de aplacar los latidos acelerados de su corazón, el nerviosismo que la embargaba y el hormigueo que sentía por dentro siempre que recordaba lo que le había hecho la noche anterior. A decir verdad, tampoco era que hubiese ido muy lejos en lo que a caricias se refería, pero fuera cual fuese su propósito, había tenido éxito. El resultado había sido de lo más desagradable, tanto por lo que le había hecho sentir antes de dejarla sola y frustrada por su debilidad, como porque no sabía si él trataría de hacer algo parecido de nuevo. Y de ser así, mucho se temía que no sería capaz de resistirse.

Para ser sincera, habría recordado aquello incluso aunque él no hubiera hecho nada más que tocarla. Pero había hecho mucho más que eso. La había embelesado, confundido, y sí, también había conseguido que se asustara cuando más tarde se puso a pensar cómo conseguía despertar en ella unos sentimientos que ni siquiera comprendía con el mero hecho de tocarle los hombros y susurrarle al oído. Dejando a un lado que estaban casados y que Colin tenía el derecho legal de acercarse a ella con cualquier excusa, lo cierto era que no la había obligado a entregarse. Sin embargo, el recuerdo que la había mantenido despierta toda la noche, el recuerdo que, por extraño que pareciera, la avergonzaba y la estremecía a un tiempo, era el de su miembro rígido apretado contra ella, el hecho de saber que lo había excitado sin hacer absolutamente nada. Ojalá supiera cómo utilizar eso para sacar partido a su situación.

—¿En qué piensas?

Charlotte dio un respingo al oír la pregunta que interrumpía sus cavilaciones y por un momento temió que él pudiera leerle la mente. Tras reprenderse a sí misma por tan ridícula idea, replicó:

—En el tercer acto.

Colin esbozó una sonrisa y la miró con los párpados entrecerrados.

—Me sorprende bastante, porque has estado contemplando la misma página durante diez minutos.

Ella dejó correr el comentario y comenzó a pasar las páginas sobre su regazo.

—¿Has dormido bien? —inquirió su esposo momentos después.

La pregunta le aceleró los latidos del corazón. ¿Qué esperaba que le respondiera?

—He descansado muy bien, gracias —contestó con voz aburrida y sin mirarlo a la cara.

—Has traído un montón de música —señaló él con aire casual.

Charlotte se encogió de hombros.

—El trayecto hasta el teatro es bastante largo.

—Ah. —Esperó unos segundos antes de preguntar—: ¿Y necesitas todo eso para hoy?

Ella levantó la vista un momento. Si su esposo estaba decidido a mantener una conversación, lo más probable era que no hubiese forma de evitarlo. Al menos, el tema de la música aseguraba una charla neutral.

—No, no necesito todo esto para hoy —admitió suspirando—, pero tengo un montón de piezas en mi camerino y las ojeo con frecuencia; y de cuando en cuando las cambio por aquellas que guardo en casa. —Alzó unas cuantas páginas con ambas manos—. En su mayoría son ejercicios de práctica.

—¿Ejercicios de práctica? —repitió él al tiempo que enarcaba las cejas.

No parecía interesado en absoluto, aunque Charlotte debía admitir que tampoco había obviado el tema.

—Esto —explicó mientras levantaba un pequeño fajo de papeles— son vocalizaciones, series de notas creadas según distintas escalas y arpegios, o a veces intrincadas melodías, que por lo general se cantan a capela, con el pianista solo como guía. Todos los cantantes deben calentar las cuerdas vocales a diario.

—Entiendo —dijo Colin—. Jamás creí que cantar fuera tan complicado.

Charlotte sonrió, cautivada por su buen humor.

—Cantar es fácil. La música puede ser complicada. Unir las dos cosas resulta casi siempre o muy frustrante o muy gratificante. En ocasiones ambas cosas.

—¿Como el problema con el tempo del señor Porano?

Charlotte sabía que le tomaba el pelo, pero, por sorprendente que pareciera, lo estaba pasando bien. Sonrió y asintió con la cabeza.

—Exacto, aunque para ser justa debo decir que todos los cantantes tienen problemas a los que enfrentarse, ya sean grandes o pequeños.

—¿Y cuál es tu problema?

—Yo no soy solo la excepción —aseguró ella suspirando exageradamente—, también soy la soprano principal. Por lo tanto, no tengo problemas.

Colin esbozó una sonrisa.

—También eres muy modesta.

Charlotte se encogió de hombros y volvió a concentrar su atención en la música.

—Todos debemos esforzarnos por hacer las cosas lo mejor posible. Yo me esfuerzo por ser la persona más modesta que conozco.

Eso lo hizo reír.

—¿Y dónde están tus anteojos? —inquirió segundos más tarde.

Ella alzó la vista.

—¿Cómo dice?

Colin la señaló con el dorso de la mano.

—Tus anteojos. No los llevas puestos, aunque me dijiste que los necesitabas para leer música.

La verdad era que se sentía muy poco atractiva con esas enormes lentes sobre la cara y, por simple vanidad, no le gustaba ponérselas cuando su marido andaba cerca. No obstante, jamás admitiría algo semejante delante de él.

—Supongo que los olvidé —dijo sin más, al tiempo que bajaba la vista una vez más hacia las partituras que tenía en el regazo.

—Seguro que tenías la cabeza en otras cosas esta mañana —comentó Colin suspirando con afectación—. Cualquiera puede distraerse, sobre todo después de una noche semejante.

Charlotte se quedó paralizada, y aunque notó que se le ruborizaban las mejillas, no se atrevió a mirarlo a la cara. Había dicho eso a propósito para ponerla nerviosa, y se negaba a darle la satisfacción de saber que su táctica había funcionado. Se negó a responder y, gracias a Dios, él no la presionó para que lo hiciera.

Permanecieron en silencio durante algunos minutos, hasta que el carruaje, que serpenteaba a través del tráfico, tomó la curva final del camino hacia el teatro.

Charlotte comenzó a amontonar los papeles que tenía en el regazo.

—Bueno, ¿y cuáles son sus planes para hoy, milord? —preguntó con aire jovial, contenta por poder librarse por fin de su dominante presencia.

Colin respiró hondo y se enderezó en el asiento.

—No estoy seguro.

Ella frunció el ceño, algo nerviosa ante la evasiva.

—No puede quedarse a mi lado todo el tiempo, milord. ¿No tiene asuntos que atender relacionados con la propiedad?

Su esposo negó con la cabeza.

—No.

Charlotte no sabía si bromeaba o intentaba ponerla furiosa.

Enfadada, apiló las partituras con aire indignado y después enlazó las manos justo encima del montón.

—En ese caso, tal vez debería encontrar una causa en la que ocupar su tiempo, excelencia —señaló—. La verdad es que no estoy dispuesta a soportar su molesta presencia en los ensayos día tras día.

Se produjo un momento de incómodo silencio.

—¿Mi presencia te molesta, Charlotte? —murmuró él a la postre.

Lo había preguntado de tal forma que ella estuvo a punto de reprenderse a sí misma por haber sido tan cruel. Pero era mejor ser honesta.

—No pretendía ser grosera, excelencia —admitió, aunque con menos humos—. Pero lo cierto es que usted... me pone nerviosa. No sé por qué. Además, no entiendo por qué le resulta tan interesante mi trabajo.

Colin sonrió de buena gana.

—Tu trabajo no me interesa en absoluto.

Ella se removió incómoda en el asiento.

—Yo no soy una causa, excelencia.

Su marido inclinó la cabeza a un lado mientras le recorría el rostro con la mirada.

—¿Pensaste en mí después de que me marchara anoche? —preguntó en voz baja momentos después.

Charlotte notó cómo el calor le subía por el cuello hasta las mejillas.

—Eso no tiene nada que ver con esta conversación.

—Sí, claro que tiene que ver —replicó él con expresión astuta.

Ella apretó los labios, irritada.

—¿Le importaría dejar de mostrarse tan evasivo? Le he preguntado en numerosas ocasiones a qué dedica su tiempo, dónde va y por qué se muestra tan interesado en mí y en lo que hago, pero en lugar de darme respuestas ha decidido empezar a seguirme. —Resopló con fuerza y añadió sin pensar—: Tal vez necesite una amante, milord.

Había hablado sin pensar y deseó de inmediato poder retirar sus palabras.

Colin enarcó las cejas, desconcertado.

—¿Es eso lo que quieres, Charlotte? ¿Que me busque una amante? —Deslizó la punta de su zapato de arriba abajo por su pantorrilla, cubierta por las faldas del vestido, y bajó la voz para confesar—: No lo creo, la verdad. Además, jamás pensarías algo así después de los maravillosos momentos que compartimos anoche y lo mucho que nos excitamos ambos. Por ahora no necesito a nadie más que a ti.

Aturdida por tanta sinceridad, Charlotte lo miró boquiabierta mientras su cuerpo parecía derretirse como la mantequilla. Debía de gustarle dejarla perpleja, porque de pronto se inclinó hacia delante y susurró:

—Hemos llegado, querida mía. ¿Quieres que te acompañe adentro?

Charlotte no podría haber reaccionado más deprisa. Saltó del asiento, tiró del picaporte y abrió la portezuela antes de que el cochero se hubiera apeado para ofrecerle su ayuda.

Colin no creía haber disfrutado nunca de un viaje en un carruaje alquilado en toda su vida. En un principio había pensado en tomar uno de sus carruajes más pequeños para estar más cómodo, pero Charlotte lo había convencido de que no lo hiciera. Imaginó que ella tenía razones de peso, ya que muchos los verían llegar y se preguntarían qué clase de relación mantenían. A él le importaba un comino lo que pensara la gente, pero sabía que a Charlotte no le ocurría lo mismo, así que había accedido a complacerla. Quizá se lo debiera, ya que la noche anterior la había manipulado con maestría y había conseguido provocarle una dolorosa necesidad que había dejado insatisfecha. Habían sido unos momentos de lo más excitantes para ambos, y algo sin precedentes para él, lo que sin duda había hecho que la situación le pareciera mucho más erótica.

Le había costado mucho dormirse después de dejarla. Se había quedado contemplando el techo, recordando sus reacciones cuando la tocaba aquí y allá, lo mucho que se le había endurecido el pezón y cómo había gemido cuando se lo frotó con los dedos. Sin embargo, lo que más le sorprendió fue su propia reacción. Si no recordaba mal, jamás había dejado a una mujer anhelando más. Siempre que se embarcaba en un lance de seducción, ambos obtenían el máximo placer posible. Pero Charlotte era diferente. El único placer que podía obtener de ella era el desafío. Y lo estaba disfrutando a lo grande.

En esos momentos, después del ameno y en cierto modo ajetreado trayecto hasta el teatro, la seguía hacia la entrada trasera del edificio mientras observaba el suave vaivén de sus caderas y pensaba que, si seguía dándole vueltas a los pezones y a las caderas, no desaparecía su erección en todo el maldito día. Y la ropa de Charlotte no lo ayudaba en absoluto. Aunque se había puesto un sencillo vestido verde oliva con mangas abullonadas y escote recatado, una prenda que no había sido creada para la seducción, tenía un aspecto magnífico. Ningún estilo o tejido conseguía ocultar su maravillosa figura. Al menos, eso le permitía entretener la mirada, ya que ella no le permitía tocarla.

Hacía calor en el teatro cuando entraron, y Colin tiró del cuello de la camisa para aflojarse el pañuelo. De inmediato, el olor a pintura fresca asaltó sus sentidos, y escuchó a alguien cantando, seguramente Porano, mientras otra persona tocaba las palmas al compás de la música. Charlotte no le prestaba la menor atención, pero él la siguió de todas formas... hacia el camerino, supuso. Se encontraban detrás del escenario, pero las cortinas estaban corridas, así que le resultaba imposible ver otra cosa que un par de pies delante de su cara. No obstante, su esposa parecía saber muy bien adónde iba.

—¿Crees que esta mañana lleva el tempo bien? —preguntó.

—Chist —replicó ella sin volverse—. Ese hombre lo oye todo.

—Excepto el ritmo, según parece.

Charlotte rió por lo bajo al escucharlo, y Colin se percató de que el único lugar en el que la había oído reírse era sobre el escenario. Lo conmovió pensar que ella había encontrado gracioso algo de lo que había dicho, y deseó poder verle la cara.

—¿Quién más está aquí tan temprano? —preguntó mientras se acercaban a su camerino, que estaba más o menos en medio de la parte posterior del teatro.

—Unos cuantos miembros del equipo de bastidores; hoy debían comenzar a trabajar en la escenografía —contestó ella mientras giraba el picaporte para abrir la puerta—. Anne y Sadie llegarán de un momento a otro, y...

Se detuvo de golpe y soltó una exclamación. Colin se situó a toda prisa tras ella y no pudo evitar quedarse boquiabierto al contemplar la escena que tenía ante sus ojos.

Gracias a la tenue luz que se colaba por la ventana, ambos pudieron observar el revoltijo de partituras musicales de Charlotte que alguien había esparcido por el suelo después de sacarlas de las cajas y los cajones.

En un primer momento, Colin creyó que alguien había registrado a fondo el camerino, pero cambió de parecer después de observarlo todo con detenimiento. El enorme armario seguía cerrado y ninguno de los frascos de cosméticos y los cepillos que había sobre el tocador habían sido tocados. Aquello era algo deliberado, una advertencia de algún tipo.

Alguien había destruido las partituras de manera deliberada, quizá en busca de otra cosa.

Aunque todavía no había dicho una palabra, Charlotte parecía serena..., demasiado serena, en opinión de Colin, como si ya se esperara que alguien fuera a desvalijar su camerino. De hecho, no parecía sorprendida en absoluto.

Colin entró en acción de inmediato. La cogió de la muñeca y la obligó a avanzar para quitarla de en medio a fin de poder entrar y cerrar la puerta.

—¿Qué está haciendo? —preguntó ella, dando media vuelta para mirarlo con expresión molesta.

—Baja la voz —le ordenó Colin en un susurro—. ¿Tiene cerradura?

Charlotte frunció el ceño.

—¿La puerta?

—Sí, la puerta. ¿Tiene cerradura?

Ella sacudió la mano para soltarse.

—Creo que sí, pero jamás la he utilizado. No tengo la llave, si es eso lo que quiere saber.

Tras pasarse los dedos por el cabello, Colin caminó con rapidez hacia el armario, poniendo mucho cuidado en no pisar las partituras diseminadas por el suelo, y abrió ambas puertas para estudiar el contenido y asegurarse de que estaban solos. Después se volvió hacia su esposa una vez más con los brazos en jarras.

—¿Qué está pasando aquí, Charlotte?

Ella dio un paso atrás, a la defensiva.

—No tengo ni idea...

—Sí, sí que la tienes —afirmó Colin con voz grave y firme—. De lo contrario, estarías asustada. Y sin embargo ni siquiera pareces sorprendida.

Charlotte vaciló y su rostro se transformó en una máscara inexpresiva mientras estrechaba contra su pecho, a modo de escudo, las partituras que había traído consigo.

—Se acabaron las evasivas —le espetó, mirándola a los ojos—. Dime qué me estás ocultando.

Tanta insistencia la sacó de sus casillas. Colin lo percibió en la forma en que apretaba los labios y en el rubor de sus mejillas. La tenía atrapada, y ella lo sabía.

—Quiero la verdad —insistió, al tiempo que comenzaba a caminar hacia ella—. Ahora.

Agobiada, Charlotte se frotó la frente con la palma de la mano y apartó la mirada, como si no supiera muy bien por dónde empezar. Colin aguardó. Pasó por su lado para situarse una vez más junto a la puerta cerrada, a fin de evitar que se escapara en un intento por evitarle. Al verlo, ella se alejó de la puerta en dirección al tocador y dejó encima las partituras que aún apretaba bajo el brazo.

—Tengo en mi poder una cosa que alguien desea —dijo titubeante.

Colin ladeó la cabeza y cruzó los brazos a la altura del pecho.

—¿Y de qué se trata? ¿De música?

—Sí —replicó ella al instante.

Había sido una pregunta sarcástica, ya que había asumido que no merecía la pena robar música o arriesgar la vida por ella, pero no tuvo más que observar el rostro de su esposa desde el otro extremo de la oscura habitación para saber que decía la verdad.

Dio un paso hacia ella.

—¿Qué clase de música es esa? ¿Por qué alguien llegaría hasta semejantes extremos para conseguirla?

Ella lo miró con expresión extrañada.

—La música vale mucho dinero, excelencia.

—Por supuesto —replicó él con una sonrisa maliciosa—. Música muy, muy cara.

Charlotte cruzó los brazos sobre el pecho en un gesto defensivo cuando vio que él se acercaba. Pero no apartó la mirada.

—No he dicho que sea cara, milord, he dicho que vale mucho dinero.

Colin se detuvo y miró a su alrededor antes de hablar.

—Bueno, pues es evidente que no la encontraron, ya que de lo contrario estarías algo más preocupada.

Su esposa estuvo a punto de sonreír.

—No está aquí.

Él se inclinó hacia delante.

—¿Dónde está? —quiso saber.

—Escondida.

En esos momentos se encontraba justo enfrente de ella, furioso, y se inclinó hacia delante hasta que sus rostros casi se tocaron.

—Charlotte, querida, cuéntame qué demonios está pasando aquí. Ya.

La vehemencia de su tono sereno la hizo parpadear. Luego dejó caer su hermoso trasero sobre la silla del tocador que tenía detrás, sin prestar la menor atención a lo retorcidas que habían quedado las faldas del vestido.

Colin aguardó sin decir nada, a sabiendas de que el momento de la verdad había llegado.

—¿Puedo confiar en ti, Colin? —preguntó ella en un susurro.

Él frunció el ceño, perplejo.

—No sé muy bien qué responder a eso.

Charlotte se removió en la silla, incómoda, y se retorció las manos sobre el regazo.

—Antes de decirte nada necesito saber si puedo confiar en ti.

Colin se inclinó a un lado y apoyó un hombro en el marco dorado del espejo, con los brazos cruzados sobre el pecho y la mirada clavada en ella.

—Si lo que me preguntas es si creeré lo que me digas, la respuesta es sí. Si lo que quieres saber es si confiaré en tu criterio, debo decirte que no lo sé, Charlotte. Hasta ahora no me lo has puesto nada fácil.

Era la respuesta más sincera que podía darle, y aunque habían sido bastantes ambiguas, las palabras obtuvieron el efecto deseado.

—Mi primer instructor vocal fue el célebre barítono sir Randolph Hillman. Comencé mi carrera como cantante cuando no tenía más que once años y él me entrenó como si fuera la mejor. Yo no tenía padre, y con el paso de los años llegamos a tomarnos mucho cariño, el mismo que sentiría un padre orgulloso por su talentosa hija.

Aunque no le sorprendía, Colin se dio cuenta de lo pequeño que era el mundo al saber que quien había sido su instructor vocal tantos años atrás era un hombre al que conocía, un hombre con el que había hablado en alguna reunión social y al que había visto muchas veces sobre los escenarios. Pero no quería hablar de eso; necesitaba que ella fuera al grano.

—Continúa —dijo tras una pequeña pausa.

Charlotte respiró hondo y se relajó un poco apoyando la espalda en el pequeño respaldo de la silla del tocador.

—Cuando cumplí los diecisiete —dijo cabizbaja—, mi hermano, que por aquel entonces era mi tutor, decidió que ya era hora de que dejara de cantar estupideces y quiso que dedicara todos mis esfuerzos a encontrar un marido. Como podrás suponer, yo no me lo tomé muy bien. Deseaba un poco más de tiempo antes de renunciar a mi sueño de cantar en el teatro, pero Charles se mostró bastante impaciente. Podría decirse que me obligó a abandonar las lecciones con sir Randolph sin tener en cuenta mis sentimientos.

—Debió de ser difícil para ti —intervino Colin; su tono de voz era sincero.

Ella esbozó una sonrisa amarga.

—Lo fue. Pero era una muchacha muy decidida —añadió—. Fue por aquella misma época cuando sir Randolph cayó enfermo, después de muchos años de achaques cardíacos. Gracias a un golpe de suerte, Charles se sintió lo bastante apenado para permitirme visitarlo. Después de todo, mi hermano asumió que no podría perder el tiempo «cantando estupideces» si el hombre estaba postrado en cama.

Colin la observaba absorto en la historia, y trató de no sonreír ante su sarcasmo. La verdad es que su esposa se convertía en alguien espectacular, y de lo más adorable, cuando se enfadaba.

—Solo fui a verlo dos veces durante la larga semana que estuvo en cama —continuó con voz apagada—. La primera vez, él me hizo prometer que jamás dejaría de cantar. Se lo prometí, pero no le mencioné que no podría costearme ningún tipo de gira, por supuesto, ni cantar en los escenarios como soprano principal. Mi hermano jamás me habría permitido hacer algo así, y tampoco habría aportado el dinero necesario, ni siquiera en el caso de haber podido hacerlo. Charles insistía en que me casara con un buen partido, me estableciera y tuviera hijos con los que ocupar mi tiempo.

Colin se rascó la nuca, algo confundido.

—¿Fue sir Randolph quien te regaló esa partitura de valor incalculable?

Charlotte se inclinó hacia él con los ojos brillantes y una auténtica sonrisa de entusiasmo.

—Así es. Charles puso tan furioso a sir Randolph que este me entregó lo único que me aseguraría un futuro como cantante profesional, si ese era mi deseo, durante el resto de mi vida.

—¿Qué clase de música es tan valiosa para poder financiar tu carrera durante años? —preguntó. Sonrió con picardía antes de añadir—: Me muero por saberlo.

Charlotte se puso seria una vez más.

—Lo que voy a decirte debe quedar entre nosotros, Colin. ¿Entendido?

Él se encogió de hombros.

—Si tienes secretos, Charlotte, haré todo cuanto esté en mi mano para guardarlos... siempre que no te pongan en peligro.

Por unos instantes, su esposa se limitó a mirarlo con escepticismo, como si intentara decidir si su respuesta era aceptable o no. Pero Colin no cedería en ese punto, y ella lo sabía.

Tras inclinarse hacia delante, Charlotte apoyó los codos sobre sus muslos y entrelazó las manos.

—Sir Randolph me entregó una pieza original inédita del gran Georg Friedrich Händel —anunció en un susurro apenas audible.

En un principio, Colin no hizo más que mirarla, asombrado. Luego, cuando comenzó a asimilar el significado de lo que le había contado, empezó a quedarse helado. Seguramente, la expresión de su rostro, al igual que la maldita partitura, no tenía precio, porque Charlotte comenzó a reírse por lo bajo y se cubrió la boca para no hacer ruido.

—No estás bromeando, ¿verdad? —preguntó tras unos momentos en los que se había quedado sin habla.

Ella dejó caer las manos y se echó hacia atrás horrorizada.

—Por supuesto que no. No tienes más que ver todo este revoltijo de papeles.

Colin bajó la vista al suelo mientras se peinaba el cabello con los dedos.

—Si no está aquí, ¿dónde está? —inquirió con un nudo en la garganta.

Charlotte lo observó con curiosidad.

—En un lugar seguro —contestó.

Una vez recuperado, Colin se apartó del espejo y avanzó hacia su esposa con los nervios a flor de piel.

—¿En un lugar seguro? Eso no es una respuesta, Charlotte. Quiero verla.

—No está aquí —repitió ella una vez más.

—Sí, eso ya me lo has dejado claro —replicó Colin con tanta paciencia como logró reunir—. Pero aun así quiero verla. Necesito verla. ¿Dónde está?

Durante largos instantes, Charlotte permaneció en silencio, mordiéndose los labios en un gesto de indecisión mientras él la observaba.

—Si confías en mí —añadió Colin con suavidad—, tienes que confiármelo todo, Charlotte...

—Si te soy sincera —dijo al fin después de tragar saliva—, me preocupa un poco que, puesto que estamos casados, quieras...

—No tengo ninguna intención de venderlo —intervino él, que comprendió de inmediato qué era lo que temía—. Pero podría ayudarte si confías en mí.

Charlotte contempló su propio reflejo en el espejo que tenía al lado antes de bajar la vista hasta su regazo.

—Está en casa.

Colin parpadeó.

—¿En casa? ¿En nuestra casa?

Ella asintió.

Colin cerró los ojos y alzó los brazos para entrelazar los dedos por detrás de la nuca.

Santa madre de Dios... Había estado viviendo con una obra original de Händel bajo su tejado, probablemente desde el día de su boda, y aún no lo había visto porque a su esposa le daba miedo que quisiera venderlo. En ese momento, presa de una oleada de frustración, deseó haberle hablado de su profesión cuando se conocieron. Si ella supiera lo que era capaz de hacer...

—¿Has verificado la autenticidad de la partitura? —preguntó con un gruñido en cuanto la idea se le pasó por la cabeza.

—No me hace falta hacerlo —replicó ella, un poco a la defensiva.

Colin bajó los brazos y se echó a reír entre dientes antes de volver a clavar la vista en su esposa.

—¿Que no te hace falta? —Meneó la cabeza—. Charlotte, puede que eso que tienes en tu poder no valga nada. Quizá sea una falsificación...

—En ese caso, dime una cosa —lo interrumpió ella furiosa—, ¿por qué iba nadie a querer robar una falsificación?

Antes de que pudiera responder, se oyó una súbita carcajada femenina junto a la puerta del camerino que los sobresaltó a ambos.

—Sadie y Anne ya están aquí —susurró Charlotte—. Vendrán a buscarme.

A Colin no le importaba. Su mente seguía concentrada en

esa pieza de incalculable valor que se encontraba en algún lugar de su casa.

—Tenemos que guardar la partitura en una caja fuerte. —Suspiró para sus adentros—. Aunque supongo que no piensas decirme dónde encontrarla para que pueda volver a casa y cogerla yo mismo.

—Desde luego que no. Además, jamás la encontrarías; nunca sabrías dónde buscar, aun en el caso de que te dijera dónde está —le aseguró ella, que se puso en pie para enfrentar su mirada y alisarse las faldas—. Y, como podrás imaginar, yo no puedo marcharme ahora. Todo el mundo se cuestionaría el motivo de mi ausencia.

—Incluida la persona que hizo esto —reflexionó Colin mientras sacaba sus propias conclusiones y comenzaba a organizar un plan. Después añadió con brusquedad—: Ayúdame a ordenar esto.

Charlotte se agachó sin rechistar y empezó a recoger las partituras que había por el suelo.

—¿En qué estás pensando?

—En que necesitamos mantener esto en secreto por el momento —respondió Colin antes de ayudarla a reunir los papeles—. La persona responsable de este desbarajuste quiere asustarte, Charlotte; en caso contrario, habría sido mucho más discreto y no te habría dejado nada que recoger.

Su esposa levantó la vista y frunció el ceño.

—Pero eso no tiene sentido. ¿Por qué querría asustarme? ¿Por qué querría nadie informarme de que desea robarme lo que poseo?

Colin entrecerró los párpados mientras reflexionaba y apiló las partituras restantes sin muchos miramientos.

—No lo sé. ¿Cuántas personas saben que esa pieza está en tu poder?

—Creo que nadie lo sabe —murmuró ella—. No se lo he contado a nadie más que a ti. Hoy.

—Entonces, sir Randolph debió de mencionárselo a alguien —replicó Colin.

—Imposible —insistió Charlotte, que se situó a su lado para observar el camerino—. Según sir Randolph, nadie sabía que poseía esa partitura, y me hizo prometerle que no se lo contaría a nadie hasta que estuviera dispuesta a hacerla pública y venderla yo misma.

Colin la sujetó del codo y la obligó a volverse para poder mirarla a la cara.

—Alguien lo sabe, Charlotte.

Ella frunció el ceño confundida, pero se limitó a negar con la cabeza.

—Necesito ver esa partitura, de verdad —añadió él segundos después.

—La verás —dijo Charlotte, molesta por su insistencia—, aunque no tengo ni idea de qué crees que puedes descubrir.

Cierto. No tienes ni idea..., se dijo Colin.

Con una sonrisa, le soltó el codo y le ofreció las partituras que había recogido para que ella las añadiera a las suyas. Acto seguido, Charlotte se acercó al armario y abrió uno de los laterales para colocar la música en uno de los estantes antes de cerrar la puerta de nuevo.

Colin observó cómo se volvía hacia él con un brillo especial en sus adorables ojos, quizá algo preocupada por lo que acaba de ocurrir entre ellos, y experimentó un arrebato de excitación que no había sentido en décadas.

—Tengo que ponerme a trabajar —aseguró Charlotte al tiempo que se alisaba las mangas del vestido con las manos—. Podemos hablar de esto más tarde.

De pronto a Colin se le ocurrió otra idea, una idea que al principio lo desconcertó y luego le hizo retroceder un par de pasos para impedir a su esposa que saliera por la puerta.

Charlotte se detuvo delante de él.

—¿Qué estás haciendo?

Colin la miró extrañado y esbozó una media sonrisa mientras asimilaba lo que acababa de descubrir.

—No necesitabas casarte conmigo, ¿verdad, Charlotte? —preguntó en un susurro.

Era probable que la expresión pícara de su rostro la pillara desprevenida. Charlotte dio un paso atrás y lo miró de arriba abajo.

—¿De qué estás hablando?

Colin no pudo contener la amplia sonrisa de satisfacción que asomó a sus labios.

—Creo que lo sabes muy bien.

—¿Saber qué? —inquirió ella exasperada.

Él negó con la cabeza muy despacio.

—Podrías haber sacado la partitura a la luz en cualquier momento, haberla vendido y haber vivido cómodamente durante el resto de tu vida, hacer una gira por todos los escenarios del mundo. Y en lugar de eso, acudiste a mí. —Extendió un brazo y trazó una línea desde su cuello hasta su hombro con la punta del dedo, logrando que ella se estremeciera—. ¿Por qué?

Charlotte pareció aterrada durante unos momentos, pero después, para su más absoluta sorpresa, sonrió con malicia y se inclinó hacia él tal y como Lottie lo habría hecho.

—Porque sabía que me deseabas, Colin —respondió en un tono seductor, al tiempo que le apoyaba la palma de la mano sobre el pecho—. No me hacía falta venderla.

Colin sintió que se le aceleraba el pulso al ver transformarse a su esposa en esa mujer seductora con la que en un principio creía haberse casado. Pero la broma ya no le hacía gracia. No habría sabido decir si Charlotte le estaba tomando el pelo o admitiendo que había utilizado sus encantos para engatusarlo. De cualquier forma, la respuesta lo dejó frío.

—Así que decidiste venderte tú en su lugar —replicó en voz baja—. No sé muy bien si debo sentirme halagado o insultado.

Charlotte percibió el cambio en su comportamiento, la crudeza que encerraban sus palabras, y se percató al instante de que lo había ofendido. Su sonrisa desapareció poco a poco y apartó la mano mientras daba un paso atrás.

—No quería decir...

—Sí, sí que querías —la interrumpió él en un susurro—. Pero al menos has sido sincera.

Charlotte se lamió los labios y meneó la cabeza un par de veces. Tenía las mejillas sonrosadas a causa de la vergüenza.

Colin compuso una expresión indiferente y extendió el brazo hacia atrás para abrir la puerta.

—La fama te espera, Lottie.

Eso la dejó sin habla. Segundos más tarde, sin mediar palabra, Charlotte pasó por su lado y abandonó el camerino.

13

Charlotte no había actuado tan bien en toda su vida. Estaba furiosa, absolutamente furiosa con él... y también confundida, incómoda y enfadada consigo misma por experimentar tan vulgares sentimientos y expresarlos en voz alta. Pero no podía permitir de ninguna de las maneras que él conociera las emociones encontradas que le había provocado, lo cual resultaba ser lo más difícil que hubiera hecho nunca.

La primera hora de ensayo había ido bastante bien si se tenían en cuenta los sucesos acaecidos poco antes en su camerino. Nadie en el teatro parecía sospechar de ella ni tratarla de manera diferente a cualquier otro día. La mayoría eran actores profesionales, por supuesto, pero al menos una persona debía de saber que habían desvalijado su camerino y no le había dicho una palabra al respecto a nadie.

No obstante, después de que Porano y ella cantaran su primer dueto y el reparto se tomara un descanso de cinco minutos, decidió buscar a Colin. Se sentía bastante consternada por la forma en la que él había reaccionado a la última conversación que había mantenido, y quería pedirle disculpas, aunque, sobre todo, quería ser honesta. Pero cuando lo encontró en un rincón oscuro detrás del escenario charlando casi nariz con nariz con Sadie, cualquier posible disculpa se desvaneció de su mente.

Intranquila, y desconcertada por lo cerca que estaban, los

observó en silencio desde las sombras a cierta distancia, lo que le impidió escuchar lo que decían. Sin embargo, a medida que pasaban los minutos, se descubrió más y más furiosa, incluso preocupada, ya que no sabía si podía confiar en que su esposo guardara el secreto de la partitura de Händel. De pronto lo escuchó reír por algo que había dicho su amiga y Sadie le acarició el brazo como respuesta. Charlotte se enfureció aún más en cuestión de segundos y decidió que no podía confiar en él. Para nada. Colin Ramsey, siempre un galán.

La verdad era que no había hecho nada malo; coquetear era algo natural para muchas personas y Sadie estaba vestida de manera sencilla y decente. No obstante, para el momento en que llegaron a casa estaba furiosa de nuevo por todo aquel incidente, pero sobre todo consigo misma, ya que no podía decirle nada sin parecer una arpía. En especial cuando esa misma mañana le había sugerido que necesitaba una amante.

Así pues, cuando entraron en la casa, Charlotte no deseaba otra cosa que darse un baño, tomar la cena en su habitación e irse a la cama. Con todo, su esposo no le permitiría hacer nada de eso, ya que había esperado durante todo el día para ver el tesoro.

—Está en tu estudio —dijo con voz cortante, al tiempo que lo precedía por el pasillo, sujetando en la mano las partituras musicales que se había llevado a casa dentro de una bolsa de lino.

—En el piano, ¿no? —inquirió él.

—Qué inteligente es usted, excelencia... —dijo ella, aunque intentó que sus palabras no parecieran demasiado sarcásticas.

—Eso es cierto —convino Colin—, y sería el primer lugar en el que habría buscado si hubiera llegado a casa antes. —Hizo una pausa y se inclinó para susurrarle al oído—: Después de mirar en el cajón de tus medias.

Charlotte no sabía si darle un bofetón o echarse a reír ante tan escandaloso comentario. Pero al final se decidió por fulminarlo con la mirada por encima del hombro y dejarlo correr.

Colin la siguió sin mediar palabra hasta el estudio. Una vez dentro, cerró la puerta y esperó a que ella se acercara al piano.

De manera deliberada, Charlotte se tomó su tiempo y lo hizo esperar para ver la obra original. No obstante, su esposo parecía bastante paciente; cuando dejó caer la bolsa con las partituras en uno de los sillones orejeros que había frente a su escritorio y se volvió para mirarlo, la expresión divertida de su rostro la sacó de quicio. Menudo granuja.

—¿Hay algún problema? —preguntó con los ojos muy abiertos.

—Por supuesto que no —se apresuró a replicar ella—. Estoy hambrienta y pensaba que podríamos cenar primero.

Colin enarcó las cejas.

—Ni hablar —dijo.

Con la barbilla en alto y una mueca burlona en los labios, Charlotte se acercó a su antiguo y adorado instrumento y respiró hondo. Luego levantó la tapa lo suficiente para ver unas cuantas cuerdas polvorientas en la oscuridad y metió la mano en el interior.

Sus dedos lo rozaron de inmediato, justo en el lugar donde lo había escondido el día que se mudó a esa casa.

Con mucho cuidado, cogió una de las esquinas del sobre que lo protegía y tiró de ella con suavidad para sacarlo. Después bajó otra vez la tapa del piano.

—¿No interfiere en el sonido de la música cuando tocas? —quiso saber Colin, que ya se movía hacia ella.

Charlotte sujetó el sobre en la palma y se volvió para ofrecer la pieza a su marido.

—No, lo había puesto de costado en el hueco, no sobre las cuerdas. —Se encogió de hombros—. ¿Qué mejor sitio para esconder algo que un lugar donde a nadie se le ocurriría mirar?

—Claro, claro —comentó él. Contempló la pieza durante unos instantes con expresión seria y pensativa; luego, con mucho cuidado, extendió una mano para cogerla.

—Como podrás comprobar, está bien protegida —afirmó Charlotte mientras lo seguía hacia su escritorio—. Lo envolví con papel dentro del sobre. No conocía otra manera de protegerlo, aunque he hecho todo cuanto estaba en mi mano por mantenerlo alejado de los elementos, junto con otras partituras.

—Hasta que empezaron los accidentes, supongo —dijo él, antes de retirar la mecedora con una mano para sentarse.

Charlotte lo imitó y regresó al sillón que había enfrente. Dejó la bolsa de las partituras en el suelo y tomó asiento.

Observó a su esposo, bastante impresionada por tan meticulosa inspección. Se fijó en su ceño fruncido y en la vehemencia que brillaba en su mirada mientras abría el sobre muy despacio.

—¿Quieres que cierre la puerta con llave? —le preguntó un momento después, al tiempo que echaba un vistazo por encima del hombro.

—Yo no tengo problemas de ese tipo con mis sirvientes, Charlotte —le aseguró Colin, que la miró a los ojos un instante antes de volver a concentrarse en el sobre.

Cuanto más descubría acerca de su nuevo marido y su personalidad, más confundida se sentía. Lo encontraba jovial y encantador, como todo el mundo, pero también demasiado frívolo con los sirvientes y con su tiempo. Parecía no tener ninguna otra preocupación en el mundo mientras sujetaba esa obra de incalculable valor entre las manos que aún no había visto porque se limitaba a examinarla con una intensidad que jamás había percibido antes en él. Salvo quizá la noche que se puso para él ese... ridículo corsé.

Charlotte comenzó a impacientarse.

—Te aseguro que el sobre no vale nada. Ya lo he abierto en otras ocasiones.

Colin esbozó una pequeña sonrisa.

—Debo estudiarlo todo.

Ella decidió no discutir.

—¿Cómo ha ido el ensayo? —preguntó Colin segundos después.

Atónita ante tanta despreocupación después de lo mucho que había insistido en ver la extraordinaria partitura durante todo el día, Charlotte no supo qué responder. Si no la sacaba del sobre pronto, ella misma la haría trizas con las uñas.

—El ensayo fue... bien —respondió mientras luchaba por mantener a raya la exasperación—. ¿Quieres que pida un té? ¿Qué es lo que te está llevando tanto tiempo?

—¿Tan ansiosa estás por abandonar mi compañía, Charlotte?

Ella se alisó las faldas en un intento por ocupar las manos en algo.

—Esa no es la cuestión. Sabes muy bien que lo que quiero es volver a esconder la obra lo antes posible.

Su esposo rió por lo bajo antes de enderezarse un poco y meter el pulgar bajo la solapa.

—Me tomo mi tiempo para asegurarme de no dañar nada. Cuanto más antigua es una obra, más fácil es que se rompa ante el más mínimo movimiento. Incluso —añadió— cuando está guardada dentro de tan barato y ordinario envoltorio.

Charlotte deseaba preguntarle cómo lo sabía, pero optó por no hacerlo, ya que era muy posible que tuviera razón y no tenía ninguna gana de discutir... ni de recibir una lección de un aficionado sobre el delicado proceso de envejecimiento de las partituras musicales.

Por fin, una vez abierta la solapa del sobre protector, Colin levantó las esquinas para abrirlo un poco y echar un vistazo al interior.

—Supongo que me viste hablando con Sadie hoy —comentó en un tono casual.

Desconcertada, Charlotte abrió un poco la boca y notó que su rostro se ponía como la grana

—Yo... creo que no. Hoy he estado bastante ocupada.

Colin ni siquiera se dignó mirarla.

—Pues yo creo que sí —dijo antes de, al fin, introducir los dedos en el sobre.

Con el corazón en un puño, Charlotte tragó saliva y obvió el comentario.

Su esposo comenzó a sacar la partitura del sobre con el dedo índice y el pulgar, realizando unos movimientos más lentos que el de la miel en invierno, pensó ella.

Puesto que estaba envuelta en papel de periódico, le llevó un par de minutos dejarla al descubierto por completo sobre el escritorio. A continuación, arrojó el sobre al suelo. Para sorpresa de Charlotte, en lugar de extender el papel para estudiar la obra, echó la mecedora hacia atrás y abrió uno de los cajones que tenía a la izquierda para buscar algo que ella no podía ver, aunque trató en vano de echar un vistazo por encima del escritorio.

—¿Qué estás haciendo?

—Buscando las herramientas adecuadas —respondió él distraído.

Eso la confundió.

—¿Herramientas? ¿Qué herramientas?

—Ya lo verás. Solo pretendo ser lo más cuidadoso posible, Charlotte —le aseguró con voz tranquilizadora.

No podía pedirle que no lo fuera, así que se limitó a observarlo, a la espera, aunque con cada minuto que pasaba aumentaba su temor de que entrara alguien y viera el tesoro que tenía entre las manos. No obstante, seguramente era un miedo ridículo, puesto que, para cualquiera ajeno a la situación, su esposo tendría el aspecto de alguien que leía el periódico o una partitura de música. Aun así, estaba nerviosa, ya que su futuro estaba en juego.

Colin se irguió de nuevo. En las manos llevaba una lupa bastante grande y lo que parecían unas extrañas pinzas, similares a las que utilizaban los cirujanos, que dejó sobre el escritorio al lado del periódico.

Cada vez más intrigada y al borde del entusiasmo, Charlotte se inclinó hacia delante una vez más, tanto que ya tenía el trasero al borde del asiento. Aunque no la veía muy a menudo, jamás se cansaba de contemplar la valiosa partitura de música firmada por un genio. Una verdadera maravilla.

—¿No te interesa ni un poquito saber de qué hablamos Sadie y yo? —preguntó Colin con aire despreocupado.

Al principio no entendió qué quería decir. Luego comprendió el significado del comentario y sintió un nudo en el estómago. Debía de haberla visto observándolos en el teatro, o sabía que había estado allí; ¿por qué si no iba a tratar de enfadarla hablando de Sadie en un momento como ese? Lo que más la desorientaba era que su marido parecía creer que debía sentirse celosa y que poseía la habilidad de hacer que lo reconociera. Era obvio que no conocía su talento para la actuación.

Suspiró con fuerza.

—Me interesa mucho más saber por qué guardas esas cosas en un cajón de tu escritorio.

—Todos tenemos nuestros secretillos, ¿verdad? —declaró antes de mirarla brevemente a los ojos.

Charlotte hizo caso omiso del comentario.

Colin se concentró una vez más en su trabajo. Su expresión se volvió tensa cuando cogió las pinzas y comenzó a utilizarlas para retirar el periódico con mucho cuidado, centímetro a centímetro, parte por parte, hasta que la partitura musical que había debajo quedó al descubierto.

Charlotte se inclinó sobre el escritorio, excitada al verla de nuevo.

—¿Verdad que es magnífica?

Él no respondió. La partitura, que era en realidad una sonata para violín en *La* menor inconclusa aunque casi completa, incluía varias páginas amarillentas por el paso del tiempo. Con absoluta concentración, Colin cogió la lupa con la mano libre y comenzó a estudiar con detenimiento los bordes, la escritura, cada nota, cada compás y la medida de la primera página antes de continuar con la siguiente, y así hasta la última, levantando cada página con las pinzas. Luego le dio la vuelta a la obra y examinó el papel de la parte trasera, sus bordes y arrugas. Al final volvió a centrarse en la firma, y sus ojos, a través de la lupa, estuvieron a punto de tocar la composición mientras seguía cada curva, desde la primera letra hasta la última.

Charlotte lo observaba completamente fascinada. Desde que lo conocía, nunca lo había visto tan concentrado en nada; jamás lo había visto moverse de una forma tan lenta y precisa. Para ser sincera, no sabía muy bien qué pensar de ese encantador y holgazán aristócrata que tenía por marido y que de pronto parecía más un... ¿qué? ¿Un «autentificador»? ¿Podía alguien dedicarse a eso como pasatiempo?

Tras reclinarse en el asiento y sin atreverse a decir nada, lo siguió con la mirada hasta que él dejó las pinzas a un lado de la partitura. Con todo, la expresión del rostro de su marido lo decía todo.

—Crees que es auténtica, ¿verdad? —susurró emocionada.

—Creo que es una obra original, sí —repuso él con una sonrisa—. La edad del papel es la correcta, ya que tiene al menos cien años. La tinta está bastante difuminada, impregnada en el papel, y parece también de la época adecuada. No obstante, necesito examinar la firma de Händel para saberlo con seguridad.

—¿Con seguridad? —repitió Charlotte con los ojos desorbitados—. Pareces un profesional.

—Soy un profesional —señaló él con una pizca de arrogancia.

—Un profesional... ¿en qué, exactamente?

—¿Has tocado esta melodía? —preguntó, como si la idea se le hubiera pasado por la cabeza en ese mismo momento.

Charlotte se echó a reír.

—Por supuesto que sí. Con mucho cuidado.

Su esposo asintió con la cabeza.

—¿Te parece una obra de Händel? Tú eres la profesional en lo que a música se refiere.

El mero hecho de oírle utilizar ese término para describirla la llenó de una extraña sensación de calma y satisfacción. No pudo evitar sonreír de oreja a oreja.

—Creo que sí. No es muy larga, pero se parece mucho a otras de sus obras para violín.

Colin se reclinó en la mecedora y enlazó las manos encima de su vientre mientras la estudiaba con detenimiento.

—Suéltate el pelo, Charlotte.

—Que me... —Meneó la cabeza muy despacio—. ¿Qué has dicho?

—Tienes un cabello muy bonito —dijo encogiéndose de hombros—, y quiero verlo suelto.

Perpleja, Charlotte soltó un resoplido y se acomodó un poco en el sillón.

—No creo que sea el momento adecuado, la verdad.

Colin comenzó a tamborilear con los dedos.

—Yo tengo mis propios secretos, pero no te contaré ninguno a menos que te sueltes el pelo. Ahora mismo.

Charlotte se quedó anonadada y no hizo más que mirarlo fijamente. Se sentía más intrigada por lo que había dicho sobre los secretos que escandalizada por la condición que había puesto para revelárselos.

—Todo depende del valor de esos secretos —dijo con los ojos entrecerrados y la cabeza inclinada hacia un lado—. Y de cuántos tengas.

Él se echó a reír y luego se irguió para apoyar las muñecas en el borde del escritorio.

—Son grandes secretos.

Charlotte lo observó sin ambages durante unos instantes.

—¿Y esos grandes secretos están relacionados con tus herramientas?

—Tal vez —replicó él con indolencia—. Pero nunca lo sabrás si te niegas a hacer lo que te he pedido.

Sabía que le tomaba el pelo y, por extraño que pareciera, aun así estaba disfrutando de la conversación. No podía resistirse a una tentación semejante, y él lo sabía muy bien. Lanzando un exagerado suspiro, levantó los brazos y empezó a quitarse las horquillas de su rebelde cabello antes de dejarlas sobre el bolso de las partituras que tenía al lado, en el suelo.

Cuando retiró la última, sacudió la cabeza para que los abundantes rizos rojizos le cayeran sobre los hombros y la espalda.

Colin volvió a reclinarse en la mecedora, apoyó un codo en el brazo del asiento y la barbilla en el puño, y empezó a recorrer con la mirada cada centímetro del rostro, del cabello y del torso de su esposa.

Incómoda, Charlotte se removió un poco en su asiento, aunque intentó mantener la calma.

—¿Y bien?

Él sonrió con malicia.

—El primer secreto, querida esposa, es que soy un profesional.

—¿Y en qué, si puede saberse, eres un profesional?

Él permaneció en silencio durante un rato, meciéndose en su asiento.

—La verdad es que me dejas sin aliento cuando llevas el cabello suelto —admitió en voz baja.

El comentario le provocó una súbita oleada de calor. La conversación había dado un giro de lo más extraño... un giro en el que ella no quería participar.

—Y tú eres un hombre muy apuesto —dijo con una sonrisa serena—. Bien, ¿en qué campo es un profesional un hombre tan guapo como tú?

Colin entrecerró los ojos y se golpeó la barbilla con los dedos mientras sonreía con sorna.

—Realizo actos ilegales de forma profesional.

Charlotte perdió la sonrisa y se quedó inmóvil.

—¿Te gusta ese secreto? —inquirió momentos después con voz ronca y grave.

—Yo... no estoy segura —reconoció después de tragar saliva. Su corazón latía desbocado en el pecho.

Colin la observó con una expresión de lo más seria. Luego, de repente, se puso en pie y comenzó a rodear el escritorio para acercarse a ella.

—Levántate, Charlotte —le ordenó una vez que estuvo a su lado.

Ella levantó la vista para mirarlo a la cara.

—¿Por qué?

Colin esbozó una sonrisa burlona.

—Porque te lo pido yo.

De pronto, Charlotte sintió que su cuerpo pesaba tanto como el plomo, pero no tardó más que un momento en empezar a ponerse en pie.

—¿Quieres escuchar otro secreto? —le preguntó Colin al tiempo que colocaba la palma de la mano sobre su garganta.

Charlotte notó la calidez de su piel sobre el cuello, la fuerza de sus dedos, y abrió los ojos de par en par cuando se le pasó por la cabeza una terrible idea.

—Si te dedicas a matar a la gente de manera profesional, no quiero saberlo.

Él soltó una carcajada.

—No, jamás he matado a nadie, aunque lo cierto es que me he sentido tentado de asesinar a un par de mujeres.

Charlotte se puso rígida al escucharlo, y su esposo lo percibió.

—Me refiero a mis hermanas, Charlotte.

—Ah —murmuró a modo respuesta, cautivada por la intensidad de su mirada, por el calor que desprendía su cuerpo, tan cerca de ella.

En ese momento, Colin se inclinó hacia delante para recorrer su mandíbula con los labios. Ella aspiró entre dientes, se echó hacia atrás y cerró los ojos de manera instintiva mientras su esposo dejaba un rastro de pequeños besos por su garganta.

—Supongo que querrás que te cuente otro secreto —susurró.

Mareada, Charlotte no supo qué decir.

—¿Quieres que te cuente otro? —insistió él.

Sentía que se le doblaban las rodillas y se agarró a los brazos de su marido por temor a caerse.

—No. Yo... quiero qué me digas a qué actos ilegales te dedicas.

Colin deslizó la punta de la nariz a lo largo de su cuello hasta que rozó el lóbulo de la oreja.

—Me gustaría... pero... —murmuró entonces.

—¿Pero...?

—Pero ahora no...

Charlotte estaba dispuesta a apartarlo de un empujón a causa de la frustración, pero estuvo a punto de desmayarse cuando su esposo movió la cabeza hacia un lado y posó los labios sobre los suyos, rozándolos apenas, antes de incitarla a besarlo con pequeños y lentos picotazos, hasta que por fin se apoderó de su boca por completo.

Resistió cuanto pudo mientras reflexionaba sobre los motivos que Colin podía tener para besarla en esos momentos. No obstante, todo pensamiento desapareció de su cabeza cuando él deslizó la lengua por su labio superior y enterró los dedos en su cabello para acercarla a su cuerpo.

Por instinto, Charlotte le rodeó el cuello con los brazos y lo estrechó con fuerza para devolverle el beso mientras él le sujetaba la cabeza entre las manos. Tejió su hechizo sobre ella y la incendió poco a poco. Indagó con la lengua en su boca para provocarla y saborearla, y también él empezó respirar con dificultad. Y entonces, tan de repente como había comenzado aquel delicioso asalto a su cuerpo, la soltó y se apartó muy despacio tras acariciarle la mejilla por última vez.

Estremecida, Charlotte tardó lo que le pareció una eternidad en abrir los ojos para mirarlo. Su cabeza era un caos de desconcierto y preguntas, y sentía el cuerpo acalorado, anhelante. Colin no había dejado de mirarla, pero su respiración se había acelerado y sus ojos parecían vidriosos. Lo primero que se le ocurrió a Charlotte fue que ella le había provocado esa reacción.

Permanecieron inmóviles durante unos momentos, mirándose a los ojos. Después Colin alzó una mano y le cubrió un pecho con la palma.

Eso la dejó sin aliento, paralizada.

—Quiero contarte todos mis secretos —le dijo con voz ronca—, pero primero debo confiar en ti.

Ella parpadeó unas cuantas veces; sentía un extraño calor entre las piernas y era incapaz de articular palabra. Un instante después, Colin levantó la otra mano para cubrir el pecho que quedaba y, tras una pequeña pausa, comenzó a mover los pulgares sobre los pezones, de un lado a otro.

Charlotte gimió, hipnotizada, mientras se aferraba a sus brazos para no caer al suelo.

—¿Puedo confiar en ti, Charlotte? —susurró con voz trémula y la mandíbula tensa.

Ella creyó que se derretiría.

—Sí...

El duque de Newark cerró los ojos y apoyó la frente sobre la suya mientras le masajeaba los pechos con ambas manos.

—Colin... —murmuró ella.

Tras eso, retiró los labios de su frente, la soltó y se apartó de ella desprendiendo las manos de ella de sus brazos y besándole a continuación los nudillos.

Charlotte cerró los ojos una vez más; estaba aturdida, y no solo porque la hubiera tocado. No había sido un simple manoseo. Habían sido caricias que expresaban una intimidad que no había existido entre ellos con anterioridad y que ni siquiera entendía del todo. Y deseaba más.

—Hay un montón de cosas que quiero contarte, y tenemos que tomar algunas decisiones —murmuró Colin.

Ella asintió.

—Pero estoy hambriento, y tú también. Además, hay que esconder de nuevo la partitura de Händel —añadió. Le dio un apretón en las manos antes de soltárselas.

Desconcertada, Charlotte abrió los ojos y se alejó de él para coger la bolsa que tenía a los pies.

—Gracias —dijo con una voz que le sonó pastosa y débil hasta a ella misma.

—Guardaré la partitura en un lugar seguro, detrás de mi escritorio —señaló Colin—. Pero podrás verla siempre que quieras.

Tras pasarse la mano por la frente para apartar los rizos, Charlotte se irguió y esbozó una débil sonrisa y se obligó a mirarlo a la cara de nuevo.

Colin había cruzado los brazos a la altura del pecho y su rostro conservaba todavía el rubor de la pasión. Sin embargo, el brillo de sus ojos delataba cierta diversión. De pronto Charlotte sintió la desesperada necesidad de alejarse de él y de resguardarse en la intimidad de su propio dormitorio.

—Estoy... cansada, la verdad —dijo, intentado que su tono pareciera despreocupado—. Creo que me retiraré a mi habitación y haré que me traigan la cena.

Colin guardó silencio durante unos instantes. El agradable momento que habían compartido se había evaporado.

—Como quieras —dijo después de darle la espalda.

De inmediato, Charlotte se vio asaltada por una sensación de hipocresía, como si hubiera tratado de seducirlo y después lo hubiera dejado sufriendo. Pero había sido él quien le había hecho eso, se dijo. Había sido él quien la había besado en primer lugar.

Respiró hondo para reunir coraje.

—¿Cuándo piensas decírmelo?

Él levantó la mirada un momento.

—¿Decirte qué?

Charlotte se mordió los labios y apretó la bolsa de las partituras que tenía en la mano.

—A qué te dedicas —respondió.

Colin estuvo a punto de sonreír. Charlotte pudo ver cómo una de las comisuras de sus labios se contraía, aunque en esos momentos había vuelto a contemplar la partitura de Händel y estaba concentrado en volver a cubrirla con el periódico ayudándose con las pinzas.

—Pronto —le aseguró sin más.

¿Eso era todo? ¿«Pronto»? Aturdida y confusa, Charlotte llegó a la conclusión de que su marido ya no iba a contarle nada más sobre sí mismo. Sabía también que estaba enfadado con ella por abandonar su compañía después del... fascinante momento que acababan de compartir. Estaba claro que ya no pintaba nada allí.

Así pues, y con la dignidad intacta, se excusó y lo dejó a solas en su estudio para que escondiera su tesoro. No pudo evitar preguntarse si su esposo se habría dado cuenta de que el hecho de que le permitiera hacerlo era la primera muestra de lo mucho que confiaba en él.

14

Presa de su propia determinación, Colin aguardó hasta que oyó que Yvette abandonaba la habitación de Charlotte por fin y después se situó junto a la puerta del dormitorio contiguo unos instantes para darle tiempo a acomodarse antes de sorprenderla con una visita nocturna.

Habían pasado cuatro largas horas desde que estuvieran juntos en el estudio, desde que examinara el tesoro de incalculable valor que ella poseía. En cualquier otra circunstancia, habría pasado esas pocas horas a solas examinando la originalidad de la obra, embargado por una excitación que solo un antiguo ladrón y falsificador podía sentir, dispuesto a crear una copia sin otra razón que saber que podía realizar una reproducción perfecta e indetectable. Si hubiera besado a otra mujer como había besado a su esposa, habría podido dejarla sin pensárselo dos veces para estudiar con detenimiento la firma a fin de verificarla. Sin embargo, y por extraño que pareciera, algo había cambiado en él durante el tiempo transcurrido entre la noche de bodas y esa misma tarde. En las últimas horas no había hecho más que pensar en ella: en esa abundante y maravillosa melena; en sus ojos azules, inteligentes y hermosos; en lo ronca que se volvía su voz cuando la excitaba; en ese cuerpo perfecto lleno de curvas que deseaba ver de nuevo otra vez... y otra, y otra y otra. Era algo sorprendente que una mujer consiguiera que pensara más en ella que en un nuevo proyecto, pero Charlotte lo había logrado sin proponérselo siquiera. Sin transformarse en esa Lottie English que siempre conseguía dejarlo duro de necesidad. Durante las últimas horas, sus pensamientos habían girado en torno al deseo que le inspiraba su esposa y a la forma de lograr que respondiera a él en el plano sexual. Satisfacerla en la cama se había convertido en su única meta.

Tras apoyar la frente en la puerta que comunicaba sus dormitorios, apretó los párpados con fuerza y respiró hondo a fin de calmar sus nervios antes de entrar. Luego, decidido, se enderezó una vez más, giró el pomo y se adentró en la habitación de su esposa.

Era una noche oscura, sin luna, y ella ya había apagado la luz de la mesilla. Sus ojos tardaron unos instantes en acostumbrarse a la oscuridad, aunque percibió de inmediato su silueta curvilínea en las sombras de la cama que había a su derecha y oyó el susurro de las sábanas cuando ella descubrió que había entrado.

—¿Colin?

—Charlotte, ¿puedo hablar contigo un momento? —preguntó en tono calmo.

—Por supuesto, pasa —respondió ella después de un instante de vacilación, al tiempo que se incorporaba un poco bajo las mantas.

—Puedes dejar la lámpara apagada; no tardaré más que un minuto —mintió mientras se acercaba despacio a la cama.

Había dejado la puerta entreabierta de forma deliberada, para que la luz de su habitación le permitiera ver lo que estaba haciendo. Se acercó a la cama y se sentó a los pies, al lado de donde ella estaba tumbada.

—¿De qué se trata? —inquirió Charlotte preocupada.

Colin alzó una rodilla, la acomodó de costado sobre el colchón y se echó hacia atrás, apoyado sobre una mano, para mirarla en la oscuridad casi total.

—Se me ha ocurrido una idea con respecto a la sonata de Händel.

—¿Una idea?

—Hmmm... más bien una forma de utilizarla.

Ella se incorporó un poco más.

Parecía más atenta, y Colin sonrió para sus adentros al percibir cierto matiz de intriga en su voz, a sabiendas de que eso la despertaría lo suficiente para percatarse de su intento de seducción.

—He pensado —continuó— que podríamos hacer una copia de la composición de Händel. Un duplicado perfecto.

Charlotte se puso de lado, apoyó el codo en la almohada y la cabeza en la mano.

—No lo entiendo. ¿Para qué quieres hacer una copia?

Él sonrió.

—Para descubrir a la persona o personas que quieren robarte el original.

Se hizo el silencio durante un momento y Colin casi pudo escuchar cómo funcionaban los engranajes del cerebro de su esposa.

—Quieres tenderles una trampa —dijo ella al fin.

Él asintió con la cabeza.

—Exacto.

Charlotte se desperezó bajo las sábanas y sus largas piernas le golpearon el brazo, aunque ella no pareció notarlo.

—¿Crees que podrás encontrar a alguien capaz de copiar una pieza semejante? —quiso saber.

Colin se relajó sobre el colchón y se inclinó de tal manera que las pantorrillas femeninas quedaron más o menos atrapadas bajo su brazo. Después apoyó también la cabeza en la mano.

—Yo puedo hacerlo —declaró con voz seria.

Ella suspiró.

—Es una idea interesante, pero no conozco a nadie que sea capaz de copiarla con la habilidad necesaria para engañar a una persona que conozca el trabajo de Händel, o incluso que sepa algo de música en general. Y es de esperar que la persona que trata de robar la partitura conozca su música. —Hizo una pausa para reflexionar antes de añadir—: Tendrías que encontrar a un experto, y estoy segura de que costará una fortuna. Además, tampoco tengo claro que deba confiar la existencia del documento a nadie más.

Charlotte no lo había entendido, y Colin sintió un inmenso placer ante la posibilidad de explicárselo en ese mismo momento.

—Lo que quiero decir, querida esposa, es que yo mismo puedo hacerlo. Puedo hacer un duplicado.

Esperaba dejarla muda de asombro, perpleja y escandalizada. Pero en lugar de eso, su esposa se echó a reír.

—Colin, querido —ronroneó de manera afectada—, ¿es ese acaso otro de tus secretos?

Colin no supo si sentirse halagado o molesto por su aparente falta de fe. Sin embargo, ella no tenía ni la menor idea de cuáles eran sus verdaderos talentos ni de lo que podía hacer con ellos. Tampoco sabía en qué ocupaba su tiempo, como le había reprochado a menudo, así que ese sería un momento que él atesoraría en su memoria durante mucho tiempo.

Comenzó a deslizar los dedos sobre la colcha, justo por encima de su espinilla, con la presión suficiente para que ella lo notara.

—Te dije que tenía unos cuantos secretos. La falsificación es uno de ellos.

Notó que ella trataba de encoger la pierna, pero se la sujetó con firmeza y su esposa dejó de intentarlo.

—¿Y si te digo que eso me resulta un poco difícil de creer? —preguntó con expresión escéptica.

—Te diría que aún no confías en que no te mienta.

La respuesta pareció impresionarla, en más de un sentido. Se removió un poco contra la almohada y, a pesar de la escasa luz que se filtraba desde su habitación, Colin pudo apreciar que tenía los ojos muy abiertos y la cabeza inclinada a un lado.

—No estás de broma, ¿verdad?

Él respiró hondo y meneó la cabeza.

—No, no estoy de broma, Charlotte. Jamás te he mentido, y la verdad es que soy un falsificador. A eso me dedico.

Charlotte tomó aire con los dientes apretados.

—Eso es... absurdo, pero...

—Pero me crees, ¿verdad? —terminó en su lugar—. Viste cómo estudié la partitura, las peculiares herramientas que utilicé para comprobar su autenticidad y el tiempo que tardé en examinar el papel, la firma. Con eso me gano la vida.

—¿Con eso te ganas la vida? —replicó ella de inmediato—. Eres un caballero con título poseedor de una enorme propiedad, milord. Prefiero pensar que fingiste saber lo que hacías solo para impresionarme.

Colin reprimió una carcajada.

—¿Impresionarte? Cariño, no necesito fingir nada para tratar de impresionarte.

—Todo esto es ridículo —aseguró Charlotte.

Él le frotó la rodilla con el pulgar.

—Aun así, he dicho la verdad.

Eso la acalló durante unos instantes, pero apartó la pierna con un gesto irritado. No obstante, Colin sabía que su mente barajaba muchas posibilidades y le dio tiempo para procesar la información antes de revelarle su pasado.

—Así que... esta es esa actividad secreta e ilegal que me ocultabas —dijo en un tono sombrío cargado de reproches—. Falsificas documentos.

Colin presionó la palma contra el colchón y se incorporó para sentarse un poco más cerca de ella. Sus caderas estaban juntas y esperó que ella no se diera cuenta o, al menos, que no se apartara.

—Sí. Y se me da muy, muy bien.

—¿Y para quién realizas esas falsificaciones? —inquirió Charlotte, haciendo mucho hincapié en la última palabra—. No puede haber mucha gente que necesite los servicios de un experto, de un «profesional», como tú.

Colin reflexionó unos instantes. Había entrado en su habitación esa noche para contarle todo, para conseguir su aceptación, su confianza e incluso su admiración. Pero algo en su forma de reaccionar hizo que se lo pensara dos veces. Ella le había ocultado algunas cosas durante su breve matrimonio, y se había mostrado bastante reacia a confesarlas, aun cuando él ya las había descubierto por sí mismo. Tal vez lo más prudente fuera ocultarle algún secreto propio, quizá el más importante, aunque la verdad era que no sabía qué le hacía creer algo semejante. Era un profesional de la falsificación, cierto, pero no quería que ella creyera que se había casado con un mentiroso infame y un criminal. Por alguna inexplicable razón, se dio cuenta de pronto de que quería que ella lo admirara y lo deseara por ser quien era en esos momentos, un hombre con un pasado desafortunado y buenas intenciones, y no por ser el héroe de la Corona en el que se había convertido. Por primera vez en su vida quería que una mujer prestara atención a algo más que a sus encantos, y eso lo dejó desconcertado.

—Charlotte, una vez me preguntaste a qué dedicaba mi tiempo —dijo casi en un susurro—. Pues lo cierto es que mi tiempo es mío y hago con él lo que me viene en gana desde que terminé la universidad.

Eso atrapó su atención. Ella se incorporó un poco más en la cama, sin hacer el menor esfuerzo por ocultar la curiosidad que sentía.

Colin sonrió con malicia.

—Tengo un doctorado en química.

—¿Cómo dices?

—En química —repitió. Se encogió de hombros y añadió—: De niño me interesaban mucho los explosivos.

Charlotte ahogó una exclamación antes de echarse a reír. Él rió por lo bajo al observar su reacción.

—No es tan malo como parece. Quizá fuera más apropiado decir que me divertía fabricar pólvora.

—Te divertía fabricar pólvora... —repitió ella en un tono teñido de asombro.

—Sí... y otras sustancias interesantes que uno podía mezclar para lograr un buen estallido.

Charlotte se quedó sin habla durante unos segundos. Después meneó la cabeza y enterró los dedos en su cabello.

—No... no lo entiendo. ¿Qué tiene que ver la fascinación por la pólvora con la falsificación?

—Ah, sí. La falsificación. —Se inclinó hacia delante para volver a apoyar la cabeza en la mano, aunque en esa ocasión tenía el torso mucho más cerca de sus caderas, a escasos centímetros—. Mi interés por ella no apareció de la nada, por supuesto. Puede que suene algo ostentoso, pero la verdad es que al principio estudié química básica porque era lo único que me interesaba cuando era niño. Más tarde, en Cambridge, realicé un estudio intensivo sobre la composición química de sustancias como la pintura, el papel y la tinta, ya que tuve la buena fortuna de trabajar para y con un erudito alemán llamado Rolf Nuerenberg, que había pasado toda su carrera transcribiendo antiguos documentos persas.

Extendió el brazo muy despacio y colocó la palma de la mano sobre su cadera, por encima de la sábana, con tan buena suerte que ella ni se dio cuenta.

—No tenía ni idea de que fueras un hombre tan interesante y tan sabio, excelencia —replicó ella con una pizca de ironía.

—Y muy inteligente, Charlotte —añadió él mientras contemplaba sus ojos oscurecidos.

Su esposa suspiró y volvió a relajarse sobre las almohadas.

—Eso lo supe la noche en que te conocí.

Colin arqueó las cejas.

—¿De veras?

Ella sonrió.

—Me niego a dar más explicaciones.

—Es una lástima —bromeó él.

—Sí —fue su única respuesta.

Colin no pudo contener una sonrisa mientras levantaba la mano de su cadera para tomar la de ella. Al principio se limitó a cubrirla con la suya, pero luego comenzó a acariciarle los dedos con suavidad.

—Cuando regresé a casa una vez terminados mis estudios, todo me resultaba aburrido —confesó con voz grave—. Mi familia esperaba que cumpliera con mis obligaciones como heredero, que me trasladara a la corte y apoyara ciertas causas, que me relacionara socialmente y me casara con una aristócrata. En otras palabras, se habían acabado la pólvora y el fascinante trabajo con documentos antiguos. Para mí, nada podría haber sido tan deprimente.

Escuchó que su esposa exhalaba un largo suspiro de comprensión y se dio cuenta de pronto de los muchos puntos en común que tenían sus vidas; el deber era lo primero y había que renunciar a los sueños.

—Cuando tenía alrededor de veinticinco años —dijo mientras le acariciaba los nudillos—, fui arrestado por intentar falsificar dinero.

Percibió que el cuerpo de Charlotte se tensaba, aunque ella no hizo el menor intento de apartarse. Continuó antes de que su esposa pudiera articular palabra.

—Sabía que eso estaba mal, por supuesto, y no necesitaba el dinero. No lo hice por dinero. Lo hice por el desafío, por la emoción. Solo quería ver si era capaz de hacerlo, si lo que fabricaba sería aceptado como auténtico.

—Esto es increíble... —susurró Charlotte.

Él asintió.

—Cierto, pero no es más que la verdad.

—Me he casado con un criminal...

—Jamás fui declarado culpable de un crimen, Charlotte —replicó con seriedad.

—Aunque sí que lo cometiste.

—No —insistió—, jamás engañé a nadie y nunca llegué a vender el dinero falso. Cuando me atraparon me encontraba en la etapa de planificación, trabajando en el proceso. —Le concedió unos momentos para asimilar la información antes de añadir—: Hubo tres cosas que impidieron mi ingreso en prisión. La primera, aunque me avergüenza admitirlo, fue mi título. También juré que no volvería a hacerlo de nuevo. Además, puse mi experiencia al servicio de los demás siempre que lo necesitaran. Lo único de lo que me siento culpable es de lo estúpido que fui. En los últimos diez años no he hecho más que tratar de enmendar mis errores, y hasta la fecha creo haberlo logrado.

Durante una eternidad, o eso le pareció, Charlotte se limitó a mirarlo en la oscuridad, sin darse cuenta de lo cerca que estaba de ella ni de que le estaba acariciando los dedos y los nudillos.

—Así que eres capaz de falsificar dinero, partituras musicales... ¿y qué más? —preguntó al fin en un tono frío y calculador.

—En realidad, la sonata de Händel será mi primera partitura.

—Esa no es la cuestión —aseguró ella exasperada.

Colin se puso un poco serio.

—Lo sé. Lo cierto es que tengo un... don especial, por llamarlo de alguna manera, para percibir y recrear los detalles. Soy capaz de analizar cualquier tipo de caligrafía y de falsificar documentos, y con el paso del tiempo he aprendido muy bien mi oficio. Puedo saber si un documento es original o una copia tras un meticuloso examen.

Charlotte se quedó callada un momento y lo observó como si pudiera averiguar si mentía estudiando su rostro en la oscuridad.

—Supongo que entonces no necesitas ningún otro pasatiempo, ¿verdad? —preguntó a la postre.

Colin no sabía si hablaba en serio o solo pretendía restar importancia al asunto.

—Lo único que necesito, Charlotte —dijo—, es que confíes en lo que digo y en lo que hago.

Ella tomó una trémula bocanada de aire.

—¿Y si no lo hago?

No había esperado que ella lo desafiara, pero respondió sin vacilar.

—En ese caso nuestro matrimonio jamás podrá llegar a ser verdadero.

Su esposa se quedó paralizada, y Colin aprovechó el momento.

Tras inclinarse hacia delante, colocó su rostro a un centímetro escaso del de ella y la miró a los ojos.

—Confía en mí, Charlotte. Te aseguro que prefiero estar casado...

Ella no tuvo tiempo para reaccionar. Un rápido movimiento, y Colin se apoderó de su boca y le dio un beso abrasador, que le transmitió el sabor de la pasión que despertaba en él.

Charlotte no había sentido emociones tan complejas en toda su vida. Y cuando su esposo se inclinó hacia ella para besarla por fin, no supo cómo reaccionar. Sin embargo, el contacto de sus labios le produjo un maravilloso y cálido hormigueo que se extendió por todo su cuerpo.

Dejó que la besara, aun cuando su mente se oponía a la idea. Su boca era cálida y sabía un poco a brandy; además, no había hecho ningún intento de obligarla a aceptar otra cosa que las suaves caricias de sus labios.

Cerró los ojos cuando el beso se volvió más apasionado y todo pensamiento coherente abandonó su cabeza en el momento en que empezó a rendirse a aquel delicioso asalto. Su esposo todavía estaba completamente vestido y la colcha y las sábanas se interponían entre ellos, así que podía relajarse y disfrutar de la sensación de tenerlo a su lado, del roce de sus dedos en las manos.

Una embriagadora fuerza se apoderó de ella y la obligó a levantar la mano libre hasta su cuello, donde pudo sentir el pulso acelerado bajo la piel.

—Charlotte —susurró él contra sus labios—, ¿confías en mí?

Notó un extraño aleteo en el corazón, pero no a causa de sus palabras, sino por el tono esperanzado de su voz, por ese anhelo de oírla decir lo que deseaba.

Cuando Colin recorrió su mejilla con los labios y dejó un rastro de pequeños besos a lo largo de su mandíbula, Charlotte abandonó toda lógica.

—Sí... —respondió, dejando a un lado cualquier sombra de duda.

Él gimió y volvió a besarla con una súbita y apremiante necesidad. Ella reaccionó del mismo modo y se entregó como nunca antes para disfrutar de su contacto, del deseo que Colin despertaba en su interior y que ya no podía negar.

Su esposo le recorrió el labio superior con la lengua antes de introducirla en su boca para explorarla y acariciarla. Su respiración era más rápida e irregular.

Sin previo aviso, Colin le aferró los dedos que había estado acariciando y le levantó la mano más allá de la cabeza para apoyársela por encima de la almohada antes de soltarla. Hizo lo mismo con la palma que ella había apoyado en su cuello y luego le sujetó ambas muñecas con la mano izquierda.

Charlotte no sabía cuáles eran sus intenciones, así que se removió un poco bajo las sábanas, pero él se limitó a inmovilizarla, sumergiéndola cada vez más en el reino de la irrealidad con cada caricia de sus labios, con cada aliento, con cada beso arrebatador.

Su mente se convirtió en un torbellino de sensaciones y su cuerpo anhelaba algo que ella se negaba a considerar. Esa segunda vez iba a deshacerse de las inhibiciones debido a la confianza que le había prometido; iba a rendirse al implacable deseo masculino.

Colin se apartó de su boca y deslizó la lengua por su mandíbula hasta la oreja antes de succionar el lóbulo. Charlotte gimió y levantó la cabeza para proporcionarle un mejor acceso. Él lo aceptó de buen grado y trazó un sendero descendente de besos a lo largo de la garganta hasta su torso, donde se cerraba el escote del camisón. Levantó la mano derecha para desabrochar con maestría y rapidez los tres primeros botones, y Charlotte, presa de una necesidad cada vez más apremiante, se arqueó para exigirle más sin palabras.

Colin la complació. Deslizó los labios por el pezón y luego lo rodeó con la lengua. La calidez de su aliento le incendió la piel cuando por fin cerró la boca en torno a la dura y excitada punta para succionarla con delicadeza.

Charlotte jadeó ante la intensa ráfaga de placer y gimió de nuevo. Fue consciente de que él había apartado las sábanas a un lado y le había subido el camisón cuando sintió la palma de su mano acariciándole la pierna desde el tobillo hasta la rodilla. Juntó los pies de manera instintiva cuando la mano subió hasta su muslo, pero al parecer solo consiguió aumentar la resolución de su esposo. Colin comenzó a acariciarle la piel con los dedos y le arrancó pequeños y delicados gemidos cuando volvió a acariciarle los pezones con los labios y a besarlos con suavidad antes de meterse uno de ellos en la boca.

En un último intento por recuperar la cordura, Charlotte trató de liberar sus manos, pero él las mantenía bien sujetas contra la almohada. En ese momento, con un movimiento tan rápido como alarmante, su marido colocó la mano entre sus piernas para buscar el tesoro oculto que albergaba el núcleo de su placer.

Charlotte forcejeó contra él y agitó las piernas para liberarse.

—Confía en mí, Charlotte —le rogó una vez más con voz ronca y grave, al tiempo que le acariciaba la boca con los labios.

Ella negó con la cabeza y cerró los párpados con fuerza. Se le desbocó el corazón cuando los dedos masculinos comenzaron a acariciarle los rizos suaves anidados entre sus muslos.

—Confía en mí...

Tras ese último susurro de apremiante necesidad, Colin se apropió de su boca una vez más mediante un beso profundo y abrasador..., y ella se rindió.

Permaneció inmóvil cuando él comenzó a acariciarla con suavidad mientras jugueteaba con la lengua en su boca. Aún no le había soltado las muñecas, pero Charlotte solo sentía el calor que emanaba de su musculoso cuerpo, la calidez de su aliento sobre las mejillas y la tensión que crecía en el interior de su cuerpo.

Colin gimió al unísono con ella, atrapado en la misma tormenta de pasión, e incrementó el ritmo y la presión de las caricias de sus dedos para llevarla más cerca del final de aquel delicioso tormento. Charlotte comenzó a mecer las caderas contra él y soltó un jadeo al notar que un dedo se introducía en su interior.

Perdida en un nuevo y maravilloso delirio, se aferró a la mano que le sujetaba las muñecas mientras le devolvía los besos con abandono y arqueaba las caderas al ritmo de sus expertas caricias. Colin deslizaba el dedo dentro y fuera de ella, mientras frotaba con el pulgar el núcleo carnoso que encerraba su placer, implacable en su empeño de llevarla al borde de la locura.

Y en un preciso instante, el mundo estalló en mil pedazos. Charlotte gritó a causa de las intensas oleadas de placer que recorrían su cuerpo y apretaban el dedo que se encontraba en su interior. Colin cubrió su boca con los labios para amortiguar el largo gemido de éxtasis y ella disfrutó aun más al escuchar el fuerte gruñido de satisfacción que escapó de su garganta.

La acarició con suavidad unos momentos más antes de retirar el dedo de su interior y apartar la mano de su entrepierna a fin de permitir que su cuerpo se relajara, que su respiración volviera a la normalidad. Luego apartó la boca de sus labios y apoyó la frente sobre la suya, al tiempo que aflojaba poco a poco la presión que ejercía sobre sus muñecas.

Permanecieron inmóviles unos instantes, sin decir nada. Charlotte percibía la tensión de su cuerpo, lo mucho que le costaba respirar, y se dio cuenta de que intentaba controlarse. Por un efímero momento temió que se quitara la ropa y se hundiera en ella para aplacar sus propias necesidades. En lugar de eso, su esposo le besó los párpados y levantó la mano que minutos antes la había acariciado con tanta intimidad para volver a cubrirle los pechos con el camisón.

—Espero que ahora sepas lo que se siente cuando se llega al clímax —susurró antes de rozarle la oreja con los labios—.

Nunca volveré a cometer ese error. —Se puso en pie con rapidez y caminó hasta la puerta que comunicaba sus dormitorios—. Duerme bien, esposa mía...

Charlotte no abrió los ojos. Confundida por lo que acababa de ocurrir entre ellos, por las inexplicables emociones que la inundaban, y tras oír el chasquido de la puerta al cerrarse, se puso de costado en la cama y se echó a llorar.

15

Charlotte no había sentido unas emociones tan conflictivas en toda su vida. Decir que el giro de los acontecimientos provocado por la inesperada visita de su marido la noche anterior la había dejado confusa habría sido un eufemismo de gigantescas proporciones. Colin no solo había compartido con ella los detalles más íntimos de su pasado a sabiendas de que la impresionarían; también había hecho cosas con su cuerpo que, incluso en esos momentos, horas después, le provocaban una excitación abrumadora y el terrible deseo de volver a hacerlo. Y lo más asombroso de todo era que, aunque recordaba cada maravilloso segundo de lo que habían compartido, no se sentía avergonzada en lo más mínimo.

Solo había visto a su marido durante el desayuno esa mañana de domingo; después lo había acompañado a misa como la flamante duquesa de Newark, ataviada con un conservador vestido de seda malva y volantes color crema, y con el cabello recogido en la coronilla bajo un sombrero a juego adornado con encaje también malva. Por extraño que pareciera, se sentía bastante bonita, aunque él no le había dicho nada más que los comentarios habituales. Durante la misa, Colin había estado tan agradable y encantador como de costumbre y había pasado por alto las miradas fascinadas de todas las jovencitas, pero la había tratado como si nada entre ellos hubiera cambiado, como si nada hubiera ocurrido. Para ser sincera, no sabía muy bien cómo tomarse semejante indiferencia, y por esa razón se encaminaba en esos momentos hacia el hogar de la duquesa de Durham, a apenas dos calles de distancia, para tomar el té con la francesa.

Olivia Carlisle la había invitado ya en dos ocasiones, y en ambas Charlotte se había visto obligada a presentar sus disculpas, ya que había estado ocupada en el teatro. Sin embargo, los domingos no trabajaba, y dado que su esposo pensaba quedarse en casa para trabajar con la partitura de Händel, decidió que no le vendría mal mantener una charla con otra mujer.

Llamó a la campanilla y tendió una tarjeta de presentación al mayordomo, quien la invitó a pasar de inmediato. Con una sonrisa y un tono profesional, el hombre le indicó que la duquesa se encontraba en casa y que la esperaba en la sala de estar.

Charlotte se fijó en el suave aroma a bayas que flotaba en el aire y en la acogedora decoración a base de muebles provenzales resaltados con tonos blancos y dorados mientras avanzaba por el pasillo detrás del alto mayordomo, rodeando una escalera de caracol en mármol blanco cubierta con alfombras de color verdeazulado que combinaban con las alfombras persas diseminadas por la planta baja. El hombre se detuvo en la parte trasera del espacioso vestíbulo, frente a unas puertas dobles acristaladas, y golpeó el panel de cristal con los nudillos. Se adentraron en la estancia en cuanto recibieron la aprobación de la persona que aguardaba dentro.

—¡Me alegra muchísimo que hayas podido venir hoy, Charlotte! —exclamó Olivia con un leve acento extranjero, levantándose con cierta dificultad del enorme sofá tapizado en terciopelo azul que había en el centro de la estancia.

Charlotte sonrió, algo abrumada en presencia de una mujer tan hermosa.

—Por favor, no te levantes —insistió, al tiempo que se quitaba el sombrero y se arreglaba un poco el pelo—. A mí también me alegra haber podido venir.

El embarazo de Olivia había comenzado a notarse, pero el aspecto de la mujer seguía siendo arrebatador, ataviada como iba con un sencillo vestido en tonos plateados y azules, que hacía juego con el color de sus ojos y acentuaba los rizos oscuros recogidos en lo alto de su cabeza. La sala, espaciosa y perfumada, tenía los mismos tonos blancos, azules y dorados del vestíbulo, lo que proporcionaba una encantadora ambientación.

Charlotte se acercó al sofá mientras Olivia se apartaba de la mesita de té para tomarle ambas manos y darle un par de besos en las mejillas. Luego miró al mayordomo, que aguardaba sus instrucciones con paciencia junto a la puerta.

—Tomaremos té, James... ¡Ah! Y la tarta de chocolate que hizo Elsie ayer, si es que queda algo —dijo con una voz alegre de acento extranjero apenas perceptible.

El anciano asintió con la cabeza.

—Sí, milady. —Y con eso abandonó la sala y cerró las puertas.

—Bueno, cuéntame —comenzó Olivia, que aún no le había soltado las manos, mientras tiraba de ella hacia el sofá—, ¿qué se siente al estar casada con ese apuesto demonio?

Charlotte se echó a reír mientras tomaba asiento. Olivia le soltó las manos y se sentó junto a ella. Ambas comenzaron a alisarse las faldas, como si se prepararan para una larga conversación.

—¿Y bien? —insistió Olivia con un brillo interesado en los ojos.

Charlotte no pudo reprimir una sonrisa; el entusiasmo de la francesa resultaba contagioso.

—Es un demonio —respondió, impaciente por explicarle los asuntos personales que la atormentaban y sin saber muy bien cómo hacerlo.

Como si le leyera el pensamiento, Olivia inclinó la cabeza hacia un lado y entornó los párpados.

—¿Qué es lo que me estás ocultando?

Charlotte se echó un poco hacia atrás.

—Nada —le aseguró, quizá con demasiada rapidez—. Nada, de verdad. Colin es...

—Un demonio —repitió Olivia, que dejó de sonreír poco a poco al darse cuenta de que la charla adquiría un tono serio—. Pero es un buen hombre. Sam confía plenamente en él.

Charlotte se relajó en el sofá sin prestar atención a los leves pinchazos del ceñido corsé.

—Lo sé. Es cierto que es un buen hombre. Si he de ser sincera, no me falta de nada; ninguna dama podría desear un marido mejor.

La francesa echó la cabeza hacia atrás y soltó una carcajada.

—¿Que no te falta de nada? —Tomó una de sus manos para darle un suave apretón—. Charlotte, ¿qué demonios me ocultas?

La llamada a la puerta las interrumpió, y Olivia soltó un gruñido.

—Pasa, James.

De inmediato, el mayordomo se adentró en la estancia con una bandeja plateada que dejó sobre la mesita de té sin el más leve tintineo de la porcelana. Levantó una tetera de plata con maestría y llenó dos tazas casi hasta el borde con un aromático té de jazmín.

—¿Quiere la tarta ahora, señora? —inquirió, al tiempo que retiraba las servilletas de encaje de ambos platos para dejarlas a un lado.

La tarta de chocolate parecía deliciosa, aunque Charlotte se sintió aliviada cuando su compañera expresó en voz alta sus propios pensamientos.

—Esperaremos un poco, James, y nos la serviremos nosotras mismas. Puedes retirarte.

El criado asintió con la cabeza, se dio la vuelta y salió una vez más de la sala de estar, cerrando las puertas tras de sí.

Olvidados los refrigerios, Olivia la contempló sin ambages.

—Ahora explícate, querida Charlotte.

Turbada en cierto modo por el tema a tratar, Charlotte decidió ir al grano y explicárselo rápidamente antes de cambiar de opinión.

Se frotó las palmas en el regazo y admitió lo evidente.

—Supongo que... me preocupa un poco nuestra relación matrimonial —murmuró.

Con la frente arrugada, Olivia se reclinó en el mullido respaldo del sofá y cruzó los brazos a la altura del pecho.

—Me consta que las cosas deben resultar bastante difíciles cuando dos personas se casan sin conocerse muy bien.

—Eso es cierto —repuso Charlotte con una leve sonrisa—. Pero Colin.... En realidad ese no es el verdadero problema.

La francesa enarcó las cejas, aunque permaneció en silencio para permitirle que continuara a su propio ritmo.

—¿Puedo ser sincera contigo? —preguntó Charlotte tras un rápido suspiro.

—Por supuesto —le aseguró Olivia de inmediato, sorprendida.

—A decir verdad, puede que necesite tu consejo —admitió en cuanto reunió el coraje suficiente.

—¿Mi consejo?

—Colin... bueno, me tiene bastante confundida... en el aspecto sentimental —susurró; notó que el rubor ascendía por su cuello, pero lo pasó por alto.

Olivia la miró boquiabierta y frunció el ceño en un gesto de incredulidad.

—¿Colin...? ¿En el aspecto sentimental?

Charlotte mantuvo la barbilla en alto, aunque lo cierto era que le avergonzaba hablar de esas cosas.

—Lo siento, quizá no sea apropiado...

—No, no, no —la interrumpió Olivia dándole unas suaves palmaditas en el brazo—. Por supuesto que es apropiado. Ambas somos mujeres casadas que van a convertirse en buenas amigas, o eso espero. Lo que pasa es que... —Meneó la cabeza—. La verdad es que me sorprende escuchar algo así de la esposa de un hombre que se jacta de... sus muchos encantos, digámoslo así.

Aliviada, Charlotte esbozó una media sonrisa.

—Sí, exacto —convino—. Es un hombre encantador, bastante inteligente e increíblemente apuesto, pero...

—¿Pero...? —presionó Olivia, que volvió a reclinarse de nuevo antes de apoyar el brazo en el respaldo del sofá.

Charlotte se atusó el cabello de la nuca.

—Pero creo que no lo atraigo en absoluto.

Olivia echó la cabeza hacia atrás para soltar una ruidosa carcajada.

—No puedes hablar en serio, querida Charlotte —replicó momentos después con un brillo malicioso en los ojos—. Ese hombre está loco por ti.

Aunque pareciera raro, se sintió animada y casi orgullosa al saber que la francesa corroboraría sus sentimientos en cuanto le contara todo. O casi todo.

—No está loco por mí, Olivia —reveló en voz baja—. Está loco por Lottie English, y quizá también, en cierta medida, por su fama.

Olivia la observó durante algunos momentos antes de bajar poco a poco el brazo del respaldo e inclinarse hacia la mesita de té con expresión pensativa.

—¿Leche y azúcar?

—Solo leche, por favor —respondió ella. Observó cómo la francesa le servía con delicadeza lo que había pedido antes de ofrecerle la taza y el platillo.

—Ahora que estoy embarazada nunca me harto de las cosas dulces —confesó Olivia mientras se echaba dos cucharadas de azúcar en la taza, antes de cogerla y volver a acomodarse en el sofá.

Charlotte dio un sorbo al té tibio mientras aguardaba, aunque no pudo evitar preguntarse si la mujer haría algún comentario sobre su última aportación. Todavía no estaba preparada para empezar una conversación sobre niños y familias felices.

—Explícame una cosa, Charlotte —le pidió Olivia después de tomar un sorbo—. ¿Quién crees tú que eres?

Esa pregunta la pilló completamente desprevenida.

—¿Cómo dices?

Olivia esbozó una sonrisa astuta y volvió a dejar la taza y el platillo sobre la mesa.

—¿Cómo te definirías a ti misma? ¿Eres Lottie English, la soprano glamourosa y sensual de los escenarios, o la honorable duquesa de Newark?

Meditó la pregunta durante unos instantes.

—No sé muy bien cómo responder a eso —contestó con sinceridad—. Cuando estoy en el teatro, soy Lottie. Aquí, tomando un té en tu sala de estar, soy Charlotte.

Olivia la estudió con los ojos entrecerrados.

—Así que crees que Colin está encaprichado con el personaje que representas sobre los escenarios y que no se siente interesado en lo más mínimo por la dama con la que se ha casado, ¿verdad?

Esa línea de preguntas la incomodaba un poco, aunque no sabía con exactitud por qué. De hecho, no sabía cómo explicarle algo semejante a la deslumbrante mujer sentada junto a ella.

Olivia suspiró y enlazó las manos sobre el regazo.

—Charlotte, cuando conocí a mi marido él sentía una clara antipatía por las mujeres francesas, a causa de muchas y complicadas razones que no es necesario exponer aquí. Durante mucho tiempo desconfió de mí, ya que yo siempre me había considerado tanto inglesa como francesa. Para él, eso no tenía ningún sentido. —Esbozó una sonrisa—. Hasta que llegamos a amarnos el uno al otro, él se enfadaba bastante cada vez que le mencionaba el hecho de que soy ambas cosas.

Charlotte dio un sorbo al té.

—Entiendo.

—No, no creo que entiendas nada, la verdad —señaló Olivia con franqueza—. Tú te has descrito como dos personas diferentes: Charlotte, la dama honorable, y Lottie, la talentosa y fascinante soprano. Y, puesto que separas ambas personalidades, has llegado a la conclusión de que tu esposo no te quiere tal como eres.

Charlotte se removió en su asiento. De pronto se sentía acalorada e incómoda, y no tenía claro si deseaba seguir con ese tema de conversación.

Olivia esbozó una sonrisa burlona.

—¿Estás enamorada de Colin?

Ella parpadeó unas cuantas veces.

—¿Enamorada?

—Mmm...

Intentó dejar la taza y el platillo con cuidado sobre la bandeja plateada, pero no pudo evitar que tintinearan.

—Estoy segura de que mi marido y yo no hemos pasado el tiempo suficiente juntos para saber algo así —respondió con tanta indiferencia como pudo, al tiempo que se alisaba las faldas para no tener que mirar a la francesa a los ojos.

Olivia no se dejó amilanar.

—Charlotte, querida —dijo, soltando una risita ahogada, y buscando su mano de nuevo para darle un apretón—, una puede enamorarse muy rápido, a veces casi de inmediato. ¿Estás o no estás enamorada de tu marido?

A decir verdad, Charlotte jamás había pensado mucho en eso, pero hacerlo en esos momentos le provocó un enorme desasosiego.

—¿Eso es lo que ocurrió entre tu marido y tú? —preguntó con tanta amabilidad como le fue posible.

Olivia hizo un gesto negativo con la cabeza.

—No exactamente, aunque ahora no hablamos de mí. No obstante, te diré una cosa: si estuvieras enamorada de Colin, lo sabrías, y no te costaría nada responder a esa pregunta.

—Si te soy sincera, Olivia —repuso, desanimada—, no he pensado mucho en el amor. Me casé con él por... otras razones, sobre todo para que financiara mis ambiciones operísticas en Europa, y él lo sabe. Lo que me preocupa, la razón por la que deseaba venir hoy a hablar contigo, es que me parece que Colin está encaprichado con Lottie English; cree que soy

Lottie English y quiere mantener una aventura amorosa con ella. —Meneó la cabeza—. La verdad es que no sé qué hacer al respecto.

—Si te he entendido bien, lo que te molesta de eso es que tú no crees ser esa mujer —señaló la francesa.

Charlotte gimió para sus adentros y se frotó las mejillas con las palmas.

—No es tan sencillo —repuso, tratando de explicar en pocas palabras algo que ni siquiera ella entendía del todo.

Olivia sonrió de nuevo al comprenderla.

—No es tan sencillo porque está claro, o al menos para mí, que albergas ciertos sentimientos románticos por tu esposo y piensas que él no quiere saber nada de la decorosa y honorable dama que te enseñaron a ser. —Chasqueó la lengua—. Al parecer, esperas que él se enamore solo de una parte de ti, y no creo que eso sea posible.

Aturdida y perturbada por una conversación que no parecía llevar a ningún sitio, Charlotte no pudo seguir sentada. Tras levantarse del sofá, se llevó una mano a la cadera y otra a la frente y atravesó la gruesa alfombra persa para situarse junto a la ventana, desde donde se contemplaba el pequeño jardín de rosas lleno de flores de todos los colores.

Se produjo un tenso silencio que le concedió el tiempo necesario para pensar su más íntima revelación. Era preciso llegar al meollo del asunto que tenía en mente, ya que no conocía a nadie más en quien confiar que pudiera ayudarla a entender.

—Creo que espera que sea Lottie English durante nuestras relaciones íntimas —admitió en un murmullo.

Cerró los ojos a la espera de que Olivia soltara una risotada o lo negara de plano, aunque lo único que escuchó fue un largo suspiro y un crujido del sofá.

Decidió pasar por alto el rubor que a buen seguro le teñía las mejillas y se volvió con valentía para enfrentarse a la bellísima francesa una vez más, aunque puso mucho cuidado en mantener la cabeza alta y la postura erguida a fin de que la duquesa de Durham no supiera lo mucho que le avergonzaba revelar secretos de dormitorio.

Olivia se había acomodado mejor para poder contemplarla junto a la ventana y no parecía impresionada en lo más mínimo. Su semblante parecía sereno, aunque había fruncido un poco el ceño. A la postre, dio unas palmaditas en el sofá para pedirle que se sentara junto a ella.

—Ven a sentarte y no te avergüences por nada —dijo comprensiva—. Como ya te he dicho, somos mujeres casadas y es obvio que a ti eso te incomoda. —Arqueó las cejas antes de añadir—: A mí también me incomodaría, la verdad.

Durante un par de segundos, Charlotte no realizó movimiento alguno. Luego hizo lo que le había pedido; tal vez Olivia simpatizara con su situación, después de todo.

Tras alisarse las faldas en torno a las rodillas, enlazó las manos en el regazo.

—Te pido disculpas si este es un tema demasiado delicado...

—Vamos, no digas tonterías —bromeó Olivia agitando una mano—. Comamos un poco de tarta antes de ir al grano.

Charlotte no pudo disimular una sonrisa.

—Te lo agradezco, pero lo cierto es que no debería. Dentro de poco no me cabrá la cintura en los trajes de escena.

Olivia la miró de soslayo antes de cortar un par de trozos de tarta.

—Colin solo le ha mencionado a Sam una cosa sobre ti —comentó mientras colocaba una rebanada de tarta de chocolate en un plato de porcelana—. Al parecer, opina que tienes un cuerpo maravilloso. De hecho, tus curvas lo maravillan. Yo no me preocuparía mucho por un trocito de tarta.

Charlotte tosió y se pasó los dedos por el labio superior, aturdida por tan emocionante halago.

—Colin... bueno... ¿de verdad le ha dicho eso a tu marido? —preguntó.

Olivia se echó a reír una vez más antes de tenderle una generosa porción de tarta.

—En más de una ocasión, según tengo entendido. —Cogió su propio plato e hizo una pausa—. Sam cree que está loco por ti.

—Por Lottie —la corrigió ella con una incómoda opresión en el estómago.

—Claro... —se apresuró a decir la otra mujer mientras partía un trozo de su porción. Se metió el bocado en la boca y lo masticó con los ojos cerrados.

Charlotte contempló el delicioso postre de chocolate que tenía en el plato, pero en esos momentos no tenía nada de hambre.

—Bueno —continuó Olivia después de tragar y lamerse los labios—, explícame cómo cambias tu cuerpo en casa.

Charlotte contempló a la francesa con perplejidad.

—¿Cómo has dicho?

Olivia hizo un gesto con la mano señalándola.

—Me refiero a esa maravillosa figura tuya. Si Colin está tan encaprichado con Lottie, ¿cómo consigues volver a ser su esposa cuando se retira a dormir por las noches?

No tenía claro si la duquesa de Durham le tomaba el pelo o si solo trataba de embrollar las cosas, pero comprendía muy bien sus intenciones.

—Yo no soy solo un cuerpo —aseguró, quizá con algo más de brusquedad de lo que pretendía.

Olivia sonrió.

—Lo sé. —Dejó el tenedor en el plato y se inclinó hacia delante para mirarla fijamente—. Pero sabes a qué me refiero. Tú eres ambas mujeres en una sola persona, Charlotte, del mismo modo que yo soy inglesa y francesa a un tiempo. No puedes cambiar lo que eres, ni siquiera cuando estás sobre el escenario. Veámoslo de esta forma: la Charlotte que nació con una voz prodigiosa y sube a los escenarios como Lottie está sentada aquí, en mi sala de estar, comiéndose..., o tal vez debería decir sin comer..., mi tarta de chocolate. —Se irguió un poco en el asiento y cogió el tenedor de nuevo para cortar otro pedacito—. Eres una mezcla de esas dos maravillosas cualidades, Lottie. —Sonrió de oreja a oreja, muy satisfecha al parecer con su razonamiento—. De hecho, preferiría llamarte Lottie. Te queda bien, y supongo que Colin opina lo mismo.

A Charlotte nadie le había hablado con tanta audacia en toda su vida, y se quedó un poco desconcertada. Según parecía, Olivia se dio cuenta de cómo se había tomado semejante comentario, ya que siguió comiéndose la tarta hasta que el plato quedó limpio y después lo dejó junto con el tenedor sobre la mesita de té.

—Deberías probar un poco —dijo después de limpiarse los labios con la servilleta—. Está deliciosa.

Charlotte bajó la mirada hasta la tarta de chocolate mientras trataba de asimilar lo que le había dicho la francesa.

—Me compró un corsé para nuestra noche de bodas —murmuró con voz tensa—. O mejor dicho, compró a Lottie algo... parecido a un corsé. —Mortificada, añadió en un susurro—: Para hacer realidad sus fantasías.

Olivia se quedó callada un rato y luego se relajó de nuevo sobre el sofá, con las manos en el regazo.

—No entiendo.

Charlotte respiró hondo en un intento por reunir un coraje que no tenía y luego miró a su compañera a los ojos. En esos momentos no habría podido cambiar de tema, ni siquiera aunque hubiera deseado hacerlo. Había llegado demasiado lejos para eso, y lo cierto era que necesitaba respuestas.

—Me dio un regalo en nuestra noche de bodas. Yo, estúpida de mí, creí que sería algo práctico, o considerado, o... no lo sé. —Meneó la cabeza—. Pero en lugar de eso, cuando abrí el paquete me encontré con una especie de... prenda: un corsé de satén rojo y encaje negro que no cubría nada de nada, una indumentaria inexistente que debió de ser confeccionada para una bailarina de los escenarios franceses o alguien por el estilo. Insistió en que me pusiera esa cosa ridícula, y lo hice porque... porque quería complacerlo, supongo. —Tragó saliva antes de añadir en un susurro—: Quería hacer el amor a la mujer que llevaba puesto ese corsé, a la idea que él tenía de Lottie, no de mí. Yo jamás me habría puesto algo semejante para mi noche de bodas.

Durante un buen rato, Olivia se limitó a mirarla con la frente arrugada sin decir nada. Charlotte temió que la mujer se echara a reír de nuevo o que le dijera sin más que todos los hombres, sin tener en cuenta su naturaleza o posición social, deseaban esas cosas y obligaban a sus esposas a ponerse prendas escandalosas.

A la postre, la duquesa de Durham empezó a mover muy despacio la cabeza.

—Increíble —murmuró—. Está visto que hasta los caballeros más inteligentes pueden comportarse como verdaderos estúpidos cuando el deseo entra en juego. Y sus actos no hicieron más que incrementar tus dudas, ¿verdad, Lottie? Por el amor de Dios, ¿en qué demonios estaba pensando Colin?

Charlotte experimentó una inmensa oleada de alivio. Al darse cuenta de que había estado conteniendo el aliento, dejó escapar el aire a través de los dientes y se relajó un poco.

—Me alegra saber que compartes mi punto de vista. Es obvio que pensaba en Lottie, la mujer de los escenarios que se pone disfraces y...

—No, en absoluto —intervino Olivia al tiempo que negaba decididamente con la cabeza—. No me has entendido. Quizá fuera eso lo que él esperaba, y es muy probable que hubiera fantaseado con hacerte el amor mientras llevabas esa cosa puesta. Pero él sabe que ambas soy la misma persona, de eso no me cabe la menor duda.

Jesús, ya habían vuelto otra vez a lo mismo. Charlotte sintió ganas de ponerse a gritar. Olivia debió de leer la frustración en su rostro, porque en ese momento le cogió la mano de nuevo para encerrarla entre las suyas.

—Tú eres Lottie, quien a su vez es una parte de Charlotte —dijo con sinceridad—. Y nunca dudes de que Colin lo sabe. Él admira tu talento, tu apariencia y seguramente todos los atractivos que hay en ti. —Le apretó la mano antes de continuar—. Sospecho que lo que necesitas saber es lo que siente por ti. ¿Estoy en lo cierto?

A decir verdad, Charlotte jamás lo había visto de esa manera. Con todo, mientras lo pensaba en esos momentos, llegó a la conclusión de que sus dudas giraban en torno a sus relaciones íntimas, a lo que le hacía sentir, a su forma de acariciarla y llevarla hasta ese delicioso abismo de...

Descartó al instante tan indecorosos recuerdos antes de afirmar:

—No estoy segura de qué es lo que desea de mí.

Olivia sonrió de nuevo en un gesto de comprensión.

—Quiere una esposa, Lottie. Quiere una compañera, una mujer seductora en el dormitorio. Pero lo más posible es que quiera, más que ninguna otra cosa, que te enamores de él tal y como es.

El comentario le provocó un nudo en el estómago.

—Colin jamás ha mencionado el amor. Ni siquiera creo que piense en ello.

—¡Ja! Los caballeros jamás hablan de amor, al menos no directamente. —La francesa se encogió de hombros—. Si te digo la vedad, me parece que no lo reconocen hasta que lo tienen delante de sus narices, justo cuando estamos a un paso de abandonarlos.

Charlotte se echó a reír. Cuanto más conocía a Olivia, cuanto más amigas se hacían, más la adoraba.

—¿Quieres que se enamore de ti? —preguntó la francesa con voz pícara.

Charlotte sintió una sudoración en el cuello y entre los pechos. Tragó saliva.

—Yo... ni siquiera había pensado en ello.

—Por supuesto que lo habías pensado, todas las mujeres lo hacemos —replicó Olivia al instante—. Y siempre es mejor amar a tu marido, y que él te corresponda, para que ninguno de los dos busque el amor en algún otro sitio.

Amor, amor, amor. Los franceses siempre hablaban de amor. Con todo, lo más probable era que gran parte de lo que había dicho fuese cierto, decidió Charlotte tras meditarlo durante unos momentos. Nunca había mirado desde esa perspectiva los complejos sentimientos que albergaba por su marido.

—Lo único que quiero es que él... se sienta satisfecho conmigo —admitió, aunque esperaba que su voz no revelara lo confusa que se sentía.

—¿Satisfecho contigo? —repitió Olivia con unos ojos como platos—. En ese caso deberías olvidar esa estúpida idea de que no eres Lottie English.

Charlotte gruñó para sus adentros.

—Y después —añadió la mujer antes de que ella pudiera decir palabra—, si de verdad quieres complacer a tu marido, conviértete en la seductora que él anhela en la cama y saca a relucir esa parte de tu personalidad que solo aparece en los escenarios. Y sí, eso implica ponerte el atuendo que te regaló y hacerle saber que deseas complacerlo.

Charlotte abrió un poco la boca.

—No estoy segura de...

—Por supuesto que puedes —intervino la francesa, leyéndole los pensamientos, antes de esbozar una sonrisa pícara—. Sospecho que ya eres una buena esposa como duquesa de Newark. Lo que debes hacer ahora es seguir las directrices de Lottie y dejar que Colin sepa lo bien que puedes combinar las dos partes de tu personalidad para convertirte en la amante que él desea, y quizá en la única dama a la que podrá amar sin condiciones y llevar siempre en el corazón.

Charlotte no pudo negar la satisfacción que sintió cuando esa idea comenzó a tomar forma en su mente. Tampoco pudo decir que esa noción la confundiera o la sobrepasara, ya que comprendía todo lo que Olivia le había sugerido y sabía por instinto qué hacer para seducirlo. Lo que no tenía claro era si podría actuar como una seductora en la intimidad del dormitorio. Pero ¿sería de verdad una actuación? No, siempre y cuando dejara de intentar resaltar los límites entre la Lottie que aparecía en los escenarios y esa parte de su personalidad que mostraba a todo el mundo. Había fingido ser dos personas distintas durante tanto tiempo que había llegado a resultarle natural, pero lo cierto era que esa mujer sofisticada y tentadora debía de ser parte de ella, al igual que la soprano.

Lo que más la confundía, decidió, era esa complicada emoción llamada amor. Sus padres nunca habían estado enamorados, aunque se comportaron de una manera tan decente como podía esperarse de cualquier miembro de la nobleza. La verdad era que jamás había dedicado mucho tiempo a pensar en el amor, y en aquellos momentos, de repente, se había convertido en el protagonista principal de la relación que mantenía con su marido.

¿Amaba a Colin? Creía que no, y tenía bastante claro que él no la amaba más que por la lujuria que Lottie le inspiraba. Ella también lo deseaba, supuso, aunque la mera idea la inquietaba. Las damas no deseaban a los caballeros. Aun así, después de lo ocurrido la noche anterior, sabía sin lugar a dudas que lo quería en su cama de nuevo, y eso lo complicaba todo. ¿Qué ocurriría si se quedaba embarazada? Le había asegurado que le proporcionaría un heredero, pero después del fiasco de la noche de bodas había cambiado de opinión. Colin le había dicho antes de la boda que quería esperar un tiempo antes de tener hijos y aun así había derramado su semilla dentro de ella la primera vez que estuvieron juntos. A esas alturas, lo único de lo que estaba segura era de que en lo que se refería a Colin y a ella como pareja no había nada seguro; era obvio que ninguno de ellos sabía lo que quería del otro.

Charlotte suspiró y se frotó la frente con la palma de la mano. Notó su acaloramiento y supo sin lugar a dudas que parecía tan mortificada por fuera como se sentía por dentro ante aquella conversación. Sin embargo, no podía marcharse todavía, no cuando Olivia se había mostrado tan alentadora y comprensiva con ella. Así pues, cogió la rebanada de tarta que le había ofrecido, plantó una sonrisa resplandeciente en su rostro y centró la charla en el futuro bebé de Olivia..., un tema mucho más agradable que no tenía nada que ver con ella.

16

Charlotte contempló su imagen reflejada en el espejo. Su corazón latía desbocado en el pecho, ya que en pocos minutos intentaría seducir a su esposo.

Sabía con certeza que él la deseaba, o al menos esa era su esperanza, en especial después de haberse puesto el corsé que él le había regalado la noche de bodas. Por el momento, mientras se estudiaba en el espejo, tuvo que reconocerle el mérito de haber conseguido una prenda que se ajustaba a su cuerpo a la perfección. Sí, era una prenda ceñida, áspera y bastante incómoda, pero daba a su cuerpo un aspecto de lo más seductor: el encaje apenas ocultaba sus pechos y el satén resaltaba sus curvas, y supuso que el corsé había sido creado con ese mismo propósito.

Habían cenado juntos en el comedor, aunque ella estaba demasiado nerviosa para comer gran cosa. De todos modos, Colin no parecía haberse dado cuenta, ya que estaba concentrado en su propio plato. Ella se había retirado después de la cena para tomar un relajante baño aderezado con el aceite de aroma a rosas que le había regalado Olivia. Después se había puesto el corsé y se había aplicado un toque de colorete en las mejillas para acentuar el tono rosado de su piel. Y ya había llegado la hora de sorprender a su esposo.

Con los hombros erguidos, el pulso acelerado y un nudo en el estómago, se puso la bata blanca de seda y dejó el cinturón bastante suelto, descartando sin más los ridículos zapatos. De esa forma lo sorprendería aún más cuando se quitara la bata para mostrarle lo que había debajo.

Tras respirar hondo y soltar el aire muy despacio, sacudió la cabeza para soltarse el pelo y caminó en silencio hasta la puerta que comunicaba ambos dormitorios. Giró el pomo sin llamar y la abrió sin hacer ruido.

La única luz procedía de la lámpara de la mesita de noche, y Charlotte tardó unos instantes en encontrar a su esposo, ya que no estaba en la cama. Cuando sus ojos se acostumbraron a la falta de luz, vio que se había tumbado en el sofá tan desnudo como el día en que llegó al mundo. Tenía la cabeza apoyada en el brazo del mueble, los ojos cerrados y un brandy en la mano izquierda. Su mano derecha, sin embargo, yacía sobre su zona íntima, y parecía mover el pulgar de un lado al otro del extremo de su...

Charlotte ahogó una exclamación y se llevó la mano a la boca. Sin embargo, y para su más absoluto horror, Colin la oyó. Se sentó de golpe y miró en su dirección con expresión confundida.

—¿Charlotte?

Ella no pudo moverse. Que Dios me ayude..., pensó.

—Estaba pensando en ti —admitió él en un murmullo ronco y grave.

Charlotte era incapaz de cerrar los ojos, de apartar la mirada. La impresión de verlo de aquel modo (desnudo, fuerte y musculoso) le provocó una marea de deseo que la recorrió de la cabeza a los pies.

Su esposo se puso en pie muy despacio, sin el más mínimo rastro de vergüenza, y ella no pudo evitar mirar esa parte íntima y poderosa, rodeada de rizos crespos y oscuros, que se erguía rígida entre sus muslos a causa de la excitación.

Por un momento, creyó que se desmayaría.

—¿Por qué has venido? —preguntó Colin en tono serio y reflexivo.

Interpreta el papel, se dijo ella.

—Quería traerte un regalo —respondió tras ahogar en lo posible la ansiedad que la invadía.

Colin apoyó las manos en las caderas y la miró sin ambages. A Charlotte le costó un soberano esfuerzo levantar la vista hasta su rostro.

—¿Y qué regalo es ese? —inquirió él con una pizca de malicia.

Dios bendito, ¿acaso este hombre no tiene vergüenza?, se preguntó. Debía saber lo mucho que la avergonzaba haberlo descubierto de esa guisa, haciendo... ¿qué estaba haciendo? Se estremeció con solo recordarlo.

—Ven aquí —susurró él, al tiempo que comenzaba a acercarse a ella.

Charlotte vaciló, pero su atractivo físico, combinado con esa mezcla única de humor y aprecio, era demasiado para negarse. Sentía el latido de su corazón en las sienes y la peligrosa tensión que el deseo le provocaba en el vientre, pero sabía con certeza que podía ser todo aquello que él deseara.

—¿Me deseas, Colin? —inquirió empleando un tono ronco y sensual.

Colin se puso serio de inmediato y entornó los párpados.

—¿Por qué has venido, Charlotte? —repitió una vez más, aunque en esa ocasión con cierto recelo.

—He venido a entregarte a Lottie —confesó al tiempo que avanzaba hacia él.

Colin se detuvo a media zancada y la recorrió con la mirada, desde su rostro hasta sus pies desnudos, con expresión calculadora.

Charlotte comprendió al instante que no confiaba en ella. Al darse cuenta, se convirtió en un santiamén en la Lottie English de sus sueños, esa Lottie que también formaba parte de ella, y caminó hacia él sin el más mínimo titubeo.

Con una sonrisa provocativa en sus labios, comenzó a desatar muy despacio el cinturón de la bata. Colin bajó la vista hasta sus manos antes de volver a clavarla en sus ojos. Tenía la mandíbula tensa, y los músculos de su pecho se abultaron a medida que desaparecía por completo su expresión maliciosa y era sustituida por otra de pura necesidad sexual. Charlotte casi pudo sentirla...,. del mismo modo que sintió el poder que tenía sobre él. Fue en ese momento cuando todas sus dudas y sus miedos se evaporaron por fin.

Deshizo el nudo y permitió que la prenda de seda se abriera mientras acortaba la distancia que los separaba. Colin no dejó de mirarla a los ojos hasta que ella se llevó las manos a los hombros y apartó la seda que los cubría permitiendo que la bata cayera con suavidad al suelo.

Su esposo no se movió, pero ella le oyó tomar aire con fuerza al ver que llevaba puesto el corsé que le había regalado.

—¿Me deseas, Colin? —susurró cuando llegó a su lado por fin. Se concentró en los hermosos y masculinos rasgos de su rostro y en sus labios apretados, a sabiendas de que su miembro erecto se interponía entre ellos, a escasos centímetros de su propio cuerpo—. Responde —insistió con voz ronca, antes de esbozar lo que esperaba fuera una sonrisa tentadora.

Con las ventanas de la nariz dilatadas, Colin entornó los párpados.

—Sí —respondió en un murmullo.

Con creciente aplomo, ella extendió un brazo y apoyó la palma de la mano sobre la cálida piel de su pecho.

—¿Cuánto?

Notó que se ponía tenso, y en ese momento comenzó a trazar una línea descendente con el dedo desde el estómago hasta el ombligo.

En menos de un segundo, Colin aferró el encaje que le cubría los pechos y tiró de ella para apoyarla contra su torso.

Charlotte gimió y se sujetó a sus hombros mientras él bajaba la cabeza para situar el rostro a escasos centímetros del suyo.

—¿A qué estás jugando conmigo, Charlotte? —preguntó en un tono áspero y duro.

Ella parpadeó.

—No estoy jugando a nada.

—¿Tienes la más mínima idea de lo que me estás haciendo? ¿De lo que me haces sentir? ¿Del aspecto que tienes con eso puesto? —Sacudió la cabeza mientras la recorría de arriba abajo con la mirada—. No deberías provocarme si no has venido por iniciativa propia.

La tensión de su voz la pilló desprevenida. Comprendió de pronto que Colin sentía debilidad por ella, que se negaba a dejarse engañar si ella no sentía verdaderos deseos de complacerlo. Que era vulnerable.

—Has hecho que te desee —repuso ella, temblando por dentro—. Quiero que me hagas sentir de nuevo lo que sentí anoche. Quiero ser tu esposa, tu compañera de cama, la única amante que necesites en tu vida.

Durante un largo y tenso momento, él no dijo nada; apenas respiraba mientras la miraba a los ojos en busca de alguna mentira enterrada en aquella sincera declaración de deseo.

Le apareció un tic en la mejilla.

—¿Esa amante que pretendiste ser la noche en que nos conocimos?

Charlotte se derritió por dentro y, con una determinación que no creía poseer, bajó la mano y acarició con la yema de los dedos la carne cálida de su miembro en erección, provocándole un estremecimiento.

—La mujer que desees que sea en estos momentos —murmuró con voz ronca y suave.

Colin tragó saliva y estudió su rostro con detenimiento. Luego sujetó la parte posterior de su cabeza con una mano y aplastó los labios contra los suyos con tanta fuerza que Charlotte gritó desconcertada.

De pronto empezó a tocarla por todas partes: cubrió su pecho con una mano y le pellizcó el pezón por encima del encaje; exploró su boca con la lengua mientras apartaba la mano de su cabeza para masajearle las nalgas durante unos segundos y apretarla contra sus caderas.

La erección le abrasó la entrepierna y una maravillosa marea de deseo la atravesó por dentro, arrancándole un gemido, obligándola a rodearle el cuello con los brazos y a estrecharlo con fuerza.

Con un rápido movimiento, Colin la cogió en brazos y la llevó hasta la cama sin dejar de besarla. La dejó caer y se echó encima de ella, aunque apoyó las manos en el colchón para no aplastarla con su peso.

La besó con vehemencia mientras introducía una pierna entre sus muslos e intentaba desabrochar el corsé sin mucho éxito. Al final se dio por vencido y desgarró los broches con una de sus fuertes manos. Charlotte aspiró con fuerza cuando él bajó la cabeza hasta sus pechos y succionó con frenesí uno de sus pezones, para después dedicar la misma atención al otro.

—Tócame otra vez, Charlotte —le pidió con voz tensa, atormentada—. No te imaginas cuánto me gusta...

Saber que podía excitarlo tanto le produjo tal placer que olvidó todas sus inquietudes. Charlotte metió la mano entre sus cuerpos, cerró la palma en torno a su virilidad y gimió ante ese nuevo y excitante contacto, deleitándose con el deseo que provocaba en él. Después frotó la punta con el pulgar, tal y como se lo había visto hacer antes a él.

—Santa madre de Dios... —susurró él, al tiempo que echaba las caderas hacia atrás y trasladaba la boca hasta su cuello.

La pasión masculina la incendió. Ambos respiraban de manera irregular, y justo cuando acababa de empezar a acariciar de manera instintiva la carne dura de su miembro, él estiró un brazo y le apartó la mano.

—Todavía no —dijo en un tono cargado de necesidad—. Me correría demasiado pronto.

—Quiero complacerte —murmuró Charlotte, que alzó las caderas en busca de las suyas.

Colin gimió y retrocedió un poco.

—Por el amor de Dios, cariño, no hay nada en ti que no me complazca.

La sinceridad de su voz la volvió loca de deseo. Lo anhelaba con desesperación, como Charlotte, como Lottie...

—Quiero tocarte ahí —dijo sin aliento—. Quiero... quiero sentirte llegar al clímax, Colin.

Él se quedó inmóvil por encima de ella y respiró tan hondo como pudo. Charlotte cerró los ojos por miedo a haber ido demasiado lejos. Las damas jamás decían...

—Dios santo, Charlotte —susurró Colin, interrumpiendo sus pensamientos—, eres un sueño hecho realidad...

Ella abrió los párpados y pudo ver la lujuria implacable que teñía su mirada sorprendida. Una lujuria que había provocado solo ella y que la estremeció de pasión.

Su marido le acarició los labios con la yema del pulgar antes de bajar la mano y colocarla entre sus piernas. Ella gimió y abrió más los ojos cuando comenzó a acariciarla. Colin no dejó de mirarla a los ojos mientras deslizaba los dedos por su sexo, llevándola al borde del abismo.

Momentos después agachó la cabeza y comenzó a besarle la zona del escote, los pechos, el vientre. Charlotte se aferró a la colcha con ambas manos y alzó las caderas de nuevo para acompasar el ritmo de sus expertas caricias... hasta que sintió que los labios masculinos rozaban el triángulo de rizos que había entre sus muslos.

Aturdida, se incorporó sobre los codos y observó cómo Colin se situaba entre sus piernas. Un instante después, colocó la boca allí donde había estado su mano.

—Colin...

Él pasó por alto su sobresalto y empezó a acariciarle el clítoris con la lengua. Charlotte lo observó, aunque la fascinación inicial se transformó muy pronto en una sensación de placer que jamás habría podido llegar a imaginar y que la llevó hasta el límite una vez más.

Colin movió la lengua más rápido, más fuerte, y ella se perdió en la tormenta de sensaciones; echó la cabeza hacia atrás entre gemidos y meció las caderas por instinto contra su boca. No pudo reprimir un jadeo cuando él comenzó a introducir la lengua en su interior para después retirarla, despacio, una y otra vez... llevándola al borde de la locura.

Volvió a relajarse sobre el colchón, aferró la colcha entre los puños y embistió contra él, hambrienta, anhelante. Desesperada. Y entonces sintió una maravillosa explosión de placer. Con el cuerpo estremecido, jadeó en busca de aire y se deleitó con cada sacudida de éxtasis, rendida a las diestras caricias de su boca y de sus fuertes manos.

Antes de que pudiera extender un brazo para tocarlo, Colin la liberó y se situó sobre ella una vez más. La miró con los ojos nublados por el deseo. Charlotte sintió la dureza anidada entre sus piernas y se preparó con entusiasmo para la penetración.

—Tócame ahora, cariño. Haz que me corra —le suplicó en un susurro ahogado, poniendo las caderas frente a ella.

Ella hizo lo que le pedía sin rechistar. Bajó el brazo y lo miró a los ojos mientras cerraba la mano en torno a su rígida erección. Colin gimió al sentir la calidez de la palma a su alrededor y Charlotte notó cómo se sacudía entre sus dedos. Esa evidente necesidad de alivio le arrancó un gemido de satisfacción. Su esposo aspiró entre dientes cuando ella recorrió el extremo de su miembro con el pulgar y luego vaciló unos segundos, sin saber muy bien qué hacer.

Instantes después, como si le hubiera leído la mente, Colin balanceó las caderas y la miró con ojos vidriosos; sus rasgos estaban contraídos, y su mandíbula, tensa. La caricia surgió de manera natural cuando se movió y le mostró sin palabras cómo hacerlo. Echó la cabeza hacia atrás mientras ascendía hacia su propia cima de placer.

Charlotte observaba su rostro, fascinada por su belleza, absorta en la pasión del momento.

—Dios, Charlotte —jadeó, cerrando los párpados con fuerza—. Sí, haz que me corra...

Charlotte jamás se había sentido tan poderosa en toda su vida. Se sentía cautivada por las emociones masculinas, conmovida por la necesidad que lo embargaba; notaba su fuerza en la palma de la mano y estaba preparada para verlo llegar al orgasmo.

—Colin... —murmuró con suavidad.

Él abrió los ojos de nuevo y la miró con pasión.

—Más deprisa, Lottie —le suplicó con los dientes apretados, jadeante—. Acaríciame, por Dios...

De pronto, Charlotte lo sintió contraerse.

—Ay, Dios... Dios, Charlotte...

Y en ese momento se meció contra su mano una, dos, tres veces; gimió con fuerza y apretó los dientes mientras el fluido pegajoso que manaba de él con cada pulsación se derramaba sobre sus dedos y su vientre.

Charlotte supo de inmediato que jamás experimentaría algo tan intenso en toda su vida. Se lamió los labios y cerró los ojos para sentirlo, para acariciarlo con suavidad, hasta que él retrocedió para liberarse de su mano.

Colin se tumbó en la cama junto a ella y la estrechó con fuerza antes de acunarle la cabeza contra su pecho mientras su cuerpo se relajaba.

Charlotte cerró los párpados y se acurrucó contra él con una sonrisa en los labios. Tenía la certeza de que por fin había hecho las paces con Lottie.

Colin permaneció despierto durante mucho rato. Estaba tumbado de espaldas sobre el colchón, con las manos metidas bajo la almohada y su cuerpo desnudo oculto bajo la sábana. Contemplaba la oscuridad del techo sin ver nada, demasiado inquieto para dormirse. Charlotte roncaba ligeramente a su lado, algo que más tarde le echaría en cara con enorme satisfacción. Se había dormido solo después de que Colin insistiera en que pasara la noche con él, y el mero hecho de recordar la expresión escandalizada que había aparecido en su rostro ante semejante sugerencia le hizo sonreír en la oscuridad. Había entrado en su habitación encarnando a la mujer seductora con la que todo hombre fantaseaba, y sin embargo le ofendía la simple idea de dormir toda la noche con su marido. Esa esposa suya era... una criatura muy compleja.

Esa noche había sido la más erótica de toda su vida. Nunca, jamás, se habría imaginado que el sexo dentro del matrimonio pudiera ser tan... impredecible, tan lascivo e impregnado de sensualidad. Tan perfecto. Charlotte se había convertido en la Lottie English de sus fantasías; en la mujer con la que había soñado acostarse durante años. Sin embargo, se había convertido en mucho más que eso. El hecho de saber que solo había estado con él y que jamás tendría otro amante en su vida lo llenaba de una satisfacción imposible de describir.

A decir verdad, se había quedado pasmado cuando la pilló mirándolo desde el vano de la puerta y había estado a punto de llegar al clímax con solo verla. Estaba excitado y pensando en ella, imaginando cómo lo tocaba, embargado por el deseo. No obstante, era el deseo de Charlotte lo que lo desconcertaba. Había estado con muchas mujeres en su vida, pero ninguna de ellas lo había acariciado hasta el orgasmo, y su esposa le había pedido que le permitiera hacerlo. Después de saborear la deliciosa dulzura que había fluido de su interior, de percibir el orgasmo femenino, se había sentido desesperado por hundirse en ella y correrse en su interior. Sin embargo, esa diminuta parte de él que había deseado a Lottie durante tantos años lo había retenido el tiempo suficiente para descubrir si ella aún deseaba acariciarlo y, para su más absoluta satisfacción, lo había hecho sin reservas. Antes de dormirse, Charlotte le había preguntado si lo había hecho bien y él se había echado a reír. No por la pregunta, sino porque ella no tenía ni la menor idea de lo que su sinceridad y su alegría en la cama significaban para él.

Compartirían un amor maravilloso. De eso no le cabía ninguna duda. Charlotte era más que una esposa, más que una amante. Era su compañera de cama y Colin le entregaría cuanto deseara. Después de esa noche, tenía la certeza de que jamás necesitaría a otra mujer, jamás necesitaría ninguna otra cosa.

Y con ese pensamiento en mente, dejó que lo envolviera la calma y cerró finalmente los ojos para dejar que el sueño lo arrastrara.

17

Por sorprendente que pareciera y a pesar de que no había dormido muy bien en la cama de su esposo, Charlotte se sentía descansada esa mañana. Se despertó temprano y se puso un modesto vestido de gasa color lavanda (probablemente el más bonito que se había puesto nunca para acudir a los ensayos en el teatro) con la esperanza de que Colin se fijara y comentara su atuendo, o mejor aún, que señalara lo bien que le quedaba. Por desgracia, no vio a Colin esa mañana, ya que Betsy, la nueva ama de llaves, le informó de que estaba trabajando en su estudio y no quería que lo molestaran. Sospechaba que estaba inmerso en la copia de la partitura de Händel, aunque, dado que jamás lo había visto trabajando y que aún no había corroborado sus progresos, no tenía ni la menor idea de si había conseguido realizar o no un duplicado convincente. Sin embargo, apenas lograba concentrarse en eso, ya que no podía apartar su mente de lo sucedido la noche anterior, de lo que Colin había hecho con su cuerpo, de lo que ella había sentido. Se desilusionó un poco cuando no se reunió con ella para desayunar, ni para dar un paseo a caballo esa mañana. Pero no importaba. Trabajaría mejor ese día, ya que le sería más fácil concentrarse en la actuación si él no estaba allí para distraerla. Aunque trataba de no pensar en ello, aún sentía un hormigueo en el cuerpo al recordar sus caricias, sus deliciosos besos, la maestría con la que le había hecho...

A pesar del calor de sol, se estremeció al abrir la puerta trasera del teatro. De camino hacia su camerino no pudo evitar sentir cierta vergüenza al acordarse de la noche anterior..., y no por la audacia de haber ido a verlo, sino porque al final lo había acariciado de una manera escandalosa que él había disfrutado en extremo..., incluso había llegado a exigirle que lo acariciara de esa forma. Las incesantes cavilaciones le recordaron de pronto el día que se reunieron en casa de su hermano antes de casarse, cuando Colin le había dejado bien claro que no deseaba dejarla embarazada hasta que se hubiera cansado de acostarse con ella. No lo había dicho con esas palabras, por supuesto, pero el mero hecho de recordar su insistencia aquel desafortunado día la ayudó a comprender con exactitud por qué no había querido arriesgarse a dejarla encinta la noche anterior. Charlotte era la primera en admitir que no sabía nada en realidad sobre la mente masculina y su lógica, aunque para ella tenía sentido.

—Has venido pronto.

Se detuvo a media zancada y se volvió para contemplar a una sonriente Sadie, que avanzaba hacia su propio camerino, situado al otro lado.

—Sí, ¿verdad? —respondió con amabilidad. Apretó las partituras del día contra su pecho y le devolvió la sonrisa—. Creo que Walter comienza a enfadarse conmigo porque todos los días estoy distraída.

Sadie se echó a reír mientras se colocaba las horquillas que sujetaban su larga melena caoba en la parte posterior de la cabeza.

—Claro que no —repuso con su leve acento francés—. No puede reprenderte demasiado si no quiere que lo amenaces con marcharte al continente. ¿Dónde nos dejaría eso a los demás?

—Supongo que tú serías la soprano principal —contestó Charlotte de inmediato; deseaba hacerle un cumplido, aunque era muy posible que no fuera cierto.

—¡Ja! Yo nunca seguiría tus pasos, Lottie —bromeó Sadie antes de bajar los brazos a los costados.

Su sonrisa disminuyó un poco al preguntarse si la francesa había dicho de forma deliberada «nunca seguiría» en lugar de «nunca podría seguir» o si lo había dicho mal a causa de su desconocimiento del idioma. Su esposo le había hecho dudar de su amiga cuando no había razón para hacerlo.

—Sin embargo —añadió Sadie con una sonrisa taimada—, te estaba buscando hace un rato.

Charlotte se agobió un poco.

—¿Por qué? Acabo de llegar —dijo exasperada.

Sadie se encogió de hombros y enlazó las manos a la altura del regazo.

—No tengo ni idea, aunque no parecía enfadado, si eso hace que te sientas mejor.

Charlotte gruñó para sus adentros y abrió la puerta de su camerino.

—Iré a verlo dentro de un momento.

—¿Dónde está tu apuesto duque hoy?

Se volvió de pronto, atónita ante el hecho de que Sadie le hubiera mencionado a Colin; según parecía, la mujer daba por sentado que mantenían algún tipo de relación, tal vez hasta un romance.

—No tengo ni idea —dijo suspirando, interpretando su mejor papel.

—Ya, entiendo —aseguró Sadie con expresión incrédula al tiempo que ponía los brazos en jarras. Después, tras echarle un rápido vistazo por encima del hombro, añadió con malicia—: Sabes que se ha casado con una aristócrata, ¿verdad?

Charlotte sintió que le ardían las mejillas, pero hizo caso omiso y utilizó las partituras que tenía entre los brazos a modo de escudo.

—¿De veras? La verdad es que creo que había oído algo al respecto.

—Y estoy segura de que sabes que ese hombre está dispuesto a jugar con cualquiera —añadió Sadie esbozando una media sonrisa, mientras la miraba de arriba abajo—. Parece que le gustas.

Charlotte no habría sabido decir si su amiga quería advertirle sobre un supuesto calavera o si sugería que mantenía un romance con él. De cualquier modo, le intranquilizó un poco que los demás miembros del reparto creyeran que mantenía una relación a escondidas con el duque de Newark.

—Vaya, así que estáis aquí —intervino Anne, que salió de detrás del telón que había a la izquierda para avanzar hacia ellas.

Charlotte suspiró aliviada.

—Buenos días —saludó en tono alegre.

—Buenos días —contestó la mujer al tiempo que se sacudía el vestido verde oliva a la altura de las caderas y la miraba de la cabeza a los pies—. Dios mío, hoy estás preciosa, Lottie.

Había olvidado por completo que se había puesto un vestido de gasa en lugar de los sencillos atuendos de lino que utilizaba para trabajar, que siempre parecían más prácticos que bonitos. Además, se había hecho un recogido medio suelto en la coronilla en lugar de hacerse un moño en la nuca. Al parecer, Anne lo había notado, y era muy posible que Sadie también, razón por la cual Colin había salido a relucir en la conversación en primer lugar.

—Gracias —dijo con una inclinación de cabeza.

—Por Dios, yo ni siquiera me había dado cuenta —comentó Sadie, que tomó un trozo de gasa de las faldas entre los dedos—. Casi podrías pasar por una dama de la aristocracia con este vestido.

Anne se echó a reír.

—Cierto. Y además hablas igual de bien que ellas. Aunque supongo que eso se debe a que tienes un oído excelente.

—¿Creéis que la reina me invitará a tomar el té? —bromeó Charlotte realizando una reverencia.

Las dos mujeres soltaron una carcajada.

—Bueno, milady, antes de que eso ocurra será mejor que vayas a ver al director. Walter te está buscando.

—Sí, eso he oído —admitió Charlotte ya seria—, así que

supongo que será mejor que vaya a verlo antes de que se ponga rojo de ira y venga a buscarme.

Sadie se acercó a la mujer de más edad y enlazó su brazo con el de ella.

—Vamos, Anne —dijo con fingida impertinencia—, es evidente que no nos necesitan.

—Gracias a Dios —replicó Anne guiñando un ojo—. Es una verdadera suerte no ser la estrella del teatro. Nos veremos en el escenario, Lottie.

Y con eso, las dos mujeres se alejaron del brazo. Sadie le dijo algo al oído a su compañera y Anne se echó a reír.

Charlotte se quedó un poco desanimada; sabía que solo bromeaban con ella, pero le inquietaba de cualquier modo. Era imposible que conocieran su identidad, aunque ponerse un vestido bonito había sido un error y había aprendido bien la lección.

Caminó deprisa hacia el camerino y dejó las partituras en la silla del tocador; luego se adecentó un poco, se alisó las faldas y se dirigió a la oficina del director, en la segunda planta.

Se detuvo frente a la puerta cerrada al oír voces masculinas en el interior. Reconoció al instante la de Porano y lo imaginó agitando los brazos con dramatismo, ya que parecía bastante molesto. Sin embargo, no logró enterarse de lo que decían.

Tras erguirse con aplomo, llamó un par de veces a la puerta y se adentró en la oficina de Walter cuando este le dio permiso.

Como siempre, la pequeña estancia sin ventanas estaba inmaculada. Walter era un meticuloso perfeccionista, y Charlotte no pudo evitar preguntarse qué pensaría la esposa del director, que llevaba veinticinco años casada con él, de un hombre que lo archivaba todo, desde las notas de producción y los recibos de vestuario hasta el horario semanal de cepillado de su terrier, Coco, que lo seguía a todas partes, incluso al teatro.

A la primera que vio Charlotte fue a la perrita, que se levantó de la camita que tenía en una de las esquinas de la estancia y se acercó a ella moviendo la cola para llamar su atención.

—Hola, Coco, bonita —dijo al tiempo que se arrodillaba para acariciar el pelo limpio y recién cepillado del animal.

Coco le lamió las manos y le mordisqueó los dedos, y ella la rascó detrás de las orejas mientras levantaba la vista hacia Porano.

Se dio cuenta de inmediato de que la discusión que mantenían no era agradable. Porano tenía la nariz y las mejillas del color de la grana, aunque había conseguido permanecer callado desde que ella entró. Walter parecía algo contrito y se frotaba el grasiento cabello sin parar mientras la observaba desde el otro lado de su pulido y despejado escritorio.

—¿Quería verme, Walter? —preguntó sin dejar de acariciar a Coco, que intentaba en vano subirse a su regazo.

Porano le dio la espalda y se dedicó a estudiar los archivos que Walter almacenaba en la estantería que tenía a su izquierda.

Barrington-Graham se aclaró la garganta mientras tironeaba de su corbata de rayas negras y blancas.

—Ayer recibí una carta del director de La Scala de Milán —declaró, algo más apaciguado—. Los... bueno... los italianos han oído hablar de tu magnífico talento, Lottie, y quieren saber cuál es tu respuesta.

Charlotte se puso en pie muy despacio y paseó la mirada entre Porano y el director, intrigada.

—¿Mi respuesta a qué? —preguntó al ver que no añadía nada más.

El delgado rostro de Walter adquirió una expresión adusta bajo la brillante luz de la lámpara y su frente se arrugó en lo que parecía un gesto de preocupación.

—En realidad —explicó mientras tiraba del apretado cuello de la camisa con un dedo—, quieren que vayas a Italia con Adamo para cantar en La Scala durante todo el año que viene, o quizá más tiempo aún.

Charlotte tardó un momento en comprender lo que el director había querido decir con ese asombroso anuncio. Su corazón dejó de latir y se le doblaron las rodillas cuando asimiló el significado de sus palabras.

—¿Quieren... quieren que cante en La Scala? —murmuró con voz trémula.

—Como soprano principal. —Barrington-Graham trató de sonreír—. Italia te quiere, Lottie. Y por mucho que deteste la idea de perderte durante una temporada o más, me veo en la obligación de informarte de su interés.

Charlotte necesitaba sentarse para aclararse las ideas y digerir unas noticias tan... increíbles y formidables. Pero de pronto, como si todo aquello estuviera relacionado con él, Porano hizo un gesto de exasperación con los brazos y se dirigió a la única silla que había en toda la habitación, frente al escritorio de Walter, para dejar caer sobre ella su enorme cuerpo.

Barrington-Graham no pareció percatarse de esa terrible falta de decoro y aposentó su huesudo trasero en su propia silla, al otro lado de la mesa.

Charlotte permaneció de pie, mirando a uno y a otro con una expresión desconcertada y la boca abierta de una forma de lo más impropia para una dama.

—Les gustas. Te quieren —exclamó Porano con su fuerte acento, rompiendo el silencio por fin.

En ese momento llegó a la conclusión de que a Porano no le habían hecho mucha gracia las noticias, y lo primero que se le pasó por la cabeza a Charlotte fue cómo había logrado enterarse antes que ella. Aunque carecía de importancia. Allí, de pie en la oficina del director, comenzó a darse cuenta de lo que aquella increíble oportunidad significaba para ella, para su futuro.

El director de La Scala, el teatro más importante de Milán, le había ofrecido la oportunidad de cantar en Italia. Ella solo había visto el edificio en pintura, pero parecía lo bastante grande para albergar a miles de espectadores. Era uno de los más importantes del mundo, y supondría el primer paso en la realización de sus sueños.

Al parecer, Barrington-Graham notó lo abrumada que se sentía y le ofreció una pequeña sonrisa.

—Es una oferta maravillosa, Lottie —dijo en voz baja sin prestar la más mínima atención a Porano—. Pero espero que cumplas el compromiso que tienes con *The Bohemian Girl,* al igual que Porano. —Se inclinó hacia delante para apoyar los antebrazos sobre el escritorio y después entrelazó los dedos de las manos—. El teatro no saldría adelante, y tú lo sabes, si te marcharas antes de la próxima temporada.

Charlotte apenas fue consciente de que Coco había empezado a ladrar y a tironear del dobladillo de gasa con los dientes para llamar su atención. Sin pensarlo siquiera, se agachó un poco para coger a la perrita en brazos y comenzó a acariciarla.

Italia. Por Dios, aquella era la oportunidad de su vida.

—Yo... debo aceptar una oferta tan generosa —dijo momentos después con la boca seca.

Adamo meneó la cabeza antes de clavar la vista en el regazo.

—¿Le supone algún problema compartir el escenario conmigo en Milán, señor Porano? —preguntó Charlotte, que recuperó la sensatez al observar el comportamiento pueril del hombre.

Adamo le echó un vistazo por encima del hombro.

—Por supuesto que no —repuso en tono hosco.

Charlotte agradecía de veras su reacción, y a decir verdad, la esperaba. El tenor se consideraba, y siempre se consideraría, la más grande estrella italiana. Compartir el escenario de La Scala con un cantante inglés, fuera cual fuese su sexo, le restaría en cierto modo parte de su gloria. Con todo, se dijo Charlotte, también debía de saber lo mucho que favorecería su carrera en Europa si era capaz de administrarse de la manera adecuada.

Alborozada, Charlotte rechazó cualquier posible negativa e incertidumbre. Le habían ofrecido un regalo y tenía la intención de aceptarlo.

—Por supuesto que me quedaré aquí durante toda la temporada, Walter —dijo, intentando darle un tono práctico a algo que, para él más que para nadie, era un asunto de negocios—. Pero sabe tan bien como yo que no puedo rechazar una oferta semejante de una de las mejores óperas de Europa.

Adamo se hundió aún más en el asiento. Barrington-Graham asintió con la cabeza, aunque tenía una expresión seria.

—En ese caso, supongo que debo felicitarte —comentó en tono apagado—. Coco y yo te echaremos de menos.

Y yo echaré de menos a Coco, pensó ella.

—Gracias, señor —contestó, temblando por dentro—. ¿Quiere que empiece a practicar ya?

Walter hizo un gesto con la mano a modo de despedida.

—Sí, hazlo. Bajaré dentro de unos momentos. Ah, Lottie...

—¿Sí?

—Por ahora no menciones esto a nadie —añadió—. No quiero que el resto del reparto se preocupe por el trabajo de la próxima temporada, cuando tú no estés aquí para atraer a los espectadores.

Eso la serenó un poco.

—Por supuesto, Walter. No diré ni una palabra de esto a nadie hasta que usted lo haga.

Porano ni siquiera se dignó mirarla cuando, después de dejar a la perrita en el suelo, salió de la oficina y cerró la puerta muy despacio con una enorme sonrisa dibujada en sus labios, mientras Coco comenzaba a ladrar de nuevo.

Italia. Su sueño se había hecho realidad.

No fue hasta que bajó las escaleras que conducían al vestíbulo y atravesó los cortinajes del escenario cuando comenzó a darse cuenta de lo difícil que sería decírselo a Colin.

18

Colin estaba sentado en la oscuridad del teatro, en la última fila de asientos, escuchando a los hombres del reparto cantar su parte. Supuso que tendría que soportar también el repertorio de las damas cuando aquella tortura finalizara. Luego, según Charlotte, todos harían un repaso completo del tercer acto, momento durante el que habría podido dormirse si las circunstancias hubieran sido otras. Ese día, sin embargo, había acudido a ver la actuación de su esposa, algo que, por extraño que pareciera, lo llenaba de un tremendo orgullo.

Hacía ya tres semanas que Charlotte se había convertido en su apasionada amante y lo cierto era que Colin había disfrutado de cada momento viendo cómo se retorcía entre las sábanas, cómo aprendía lo que le gustaba y cómo disfrutaba al proporcionarle placer. Y le proporcionaba muchísimo placer, sin duda. De la misma forma, él había cumplido todos sus deseos en la cama; en algunas ocasiones la había sorprendido adivinándolos antes incluso de que a ella misma se le pasaran por la cabeza. Lo había pasado tan condenadamente bien en su compañía durante ese tiempo que parecía estar viviendo un sueño. Un sueño muy, muy bueno.

Con todo, y a pesar de que su relación era de lo más satisfactoria en el plano físico, había algo que lo inquietaba, algo que no podía explicar o que tal vez ignoraba. Faltaba algo entre ellos, y después de pensarlo bien durante esos días, había llegado a la conclusión de que debía de ser la renuencia de Charlotte a anteponerlo, como marido suyo que era, a la fama y a su deseo de cantar en el extranjero. Fiel a su palabra, él había hecho todo lo posible para no dejarla embarazada, y ella parecía disfrutar de las relaciones sexuales sin necesidad de penetración. Sin embargo, la idea de permitirle hacer una gira por el continente no le hacía mucha gracia. Había sido un estúpido al suponer que se cansaría de ella, tal y como le había ocurrido con otras amantes. Las cosas entre Lottie y él eran distintas. Cuanto más tiempo llevaban casados, más la quería a su lado, y no solo en su cama. Si la dejaba embarazada, ¿se quedaría ella por el bebé? La condición que le había puesto para financiar su gira había sido que le proporcionara un heredero, aunque durante las últimas semanas Colin había comenzado a cuestionarse su propia ingenuidad al creer que podría dejarla marchar tan fácilmente. En esos momentos no tenía ni idea de qué hacer.

La súbita aparición de Charlotte sobre el escenario en ese instante lo devolvió al presente. Lograba cautivarlo aun sin el disfraz, ataviada con un vestido de día bastante sencillo y sin cosméticos. Nunca se cansaba de oírla cantar, ya fuera en una gran producción o en casa, en la intimidad de su estudio. En algunas ocasiones, cuando ella practicaba las escalas, Colin se detenía donde estuviera, cerraba los ojos y se deleitaba con la belleza de semejante talento. En esos momentos, Porano y ella parecían prepararse para cantar un dueto, ya que los hombres se habían marchado del escenario y las mujeres aún no habían hecho su aparición.

Colin bostezó. No se había aburrido de ir a verla a los ensayos, pero escuchar la misma música una y otra vez, día tras día, a sabiendas de que uno de los miembros del reparto, tal vez más, deseaba su valiosa partitura musical y estaba dispuesto a cualquier cosa para conseguirla, comenzaba a ponerlo nervioso. Estaba harto de esperar respuestas.

Durante las últimas tres semanas, había pasado los días conociendo, observando y escuchando a las personas que acudían a aquel teatro; y las noches, trabajando en el duplicado. Había logrado eliminar de la lista de sospechosos a todo el mundo salvo a los pocos que trabajaban más de cerca con Charlotte.

En primer lugar y después de mucho reflexionar, había llegado a la conclusión de que fuera quien fuese el responsable del desplome de la viga, y del resto de los desafortunados «accidentes», no intentaba matarla, provocarle daños graves ni alejarla del papel protagonista; solo quería quitársela de en medio, ya que asumía que la partitura de Händel estaba en el teatro. Si Lottie desaparecía durante unos días a causa de una herida, tendría libertad para investigar el camerino y todas las cajas de antiguas y polvorientas partituras que había en su interior. El único fallo en ese razonamiento era que ella podría llevarse consigo la partitura, aunque cuanto más pensaba en ello, más improbable le parecía. Charlotte no podría guardársela sin más en un bolsillo debido a la antigüedad y el delicado estado del papel. Y quienquiera que deseara la obra original lo sabía. Además, puesto que no tenía constancia de que alguien hubiera seguido a Charlotte durante el camino de ida o de vuelta a casa, ya fuera a la suya o a la de Brixham, y dado que ni su hermano ni él habían sufrido atraco alguno, el culpable debía de creer que la partitura estaba oculta en algún lugar de ese edificio. Por lo pronto, era una suposición bastante lógica. No obstante, puesto que el vándalo que había desvalijado su camerino no había encontrado la partitura en cuestión, era muy probable que estuviese desesperado por averiguar su paradero. También era posible que el supuesto ladrón no pretendiera dejar las partituras sin valor diseminadas por el suelo; alguien, ya fuera Charlotte u otra persona, podría haber interrumpido su búsqueda y haberlo obligado a salir del camerino a toda prisa sin recoger nada.

Durante las semanas anteriores y con la excusa de ser un mecenas de las artes que deseaba asistir a los ensayos para asegurarse de que sus donaciones monetarias se utilizaban como era debido, había llegado a conocer mejor al director y al administrador del teatro. Como era de esperar, todo el mundo asumía que Lottie era su amante o que lo sería muy pronto, y aunque los miembros del personal del teatro y del reparto solían hacer caso omiso de su presencia, todos sabían que se había casado con la tímida hermana del conde de Brixham. Todo aquel que leyera las páginas de sociedad o se mantuviera al tanto de las excentricidades de la aristocracia lo sabía. Sin embargo, Colin no creía que nadie hubiera averiguado todavía que Lottie y la duquesa de Newark eran la misma persona, de modo que por primera vez en su vida podría darle un buen uso a su reputación de libertino.

Así pues, había descartado tras muchas conjeturas a los músicos de la orquesta, a los miembros secundarios del reparto y a los trabajadores de escenografía. Ninguno de los que trabajaban con los decorados o con el vestuario sabría distinguir una valiosa partitura de Händel de una copia reciente del himno nacional. Los miembros secundarios del reparto no estaban en el teatro el día que cayó la viga, y tampoco habían llegado aún (los pocos convocados ese día) cuando Charlotte y él encontraron el galimatías del camerino. Lo mismo podía decirse de los músicos de la orquesta, ya que solo el pianista estaba disponible y no se había alejado del escenario casi en ningún momento. Era cierto que ni Anne ni Sadie tenían papeles muy importantes en la obra, pero Sadie siempre parecía andar al acecho, ya fuera a la vista de todos o entre bastidores, como si no tuviera nada mejor que hacer. Aunque lo mismo podía decirse de él, pensó Colin.

La clave del enigma, concluyó, era que Charlotte tenía la certeza de no haber comentado a nadie que el tesoro estaba en su poder, ni siquiera a su hermano. El conde de Brixham no se relacionaba con nadie del teatro, ni con los directores ni con el reparto, por miedo a desvelar la identidad de Lottie y a arruinar su propia reputación; además, hasta donde Colin sabía, ni siquiera se había puesto en contacto con Charlotte desde el día de la boda.

Durante el análisis final, llegó a la conclusión de que tan

solo había cuatro posibles sospechosos: el director, Walter Barrington-Graham; Anne Balstone; Sadie Piaget; y el gerente del teatro, Edward Hibbert.

Hibbert no asistía a menudo a los ensayos y, tras realizar algunas discretas averiguaciones en el ministerio del Interior, Colin había descubierto que el teatro gozaba de buenas condiciones económicas. También era cierto que si Lottie English abandonaba la producción, el teatro perdería una enorme cantidad de dinero. Así pues, lo más recomendable para Hibbert sería que ella se encontrara en perfectas condiciones de salud para actuar. Además, tampoco era músico, y aunque trabajaba con gente de mucho talento musical, era muy probable que no supiera qué aspecto tenía una partitura original ni cómo o dónde podría venderla. Al menos no sin ayuda.

Barrington-Graham, decidió, también era un candidato improbable dado su puesto en el teatro. Por lo que había averiguado, era un hombre muy respetado entre los colegas, la sociedad e incluso la nobleza, debido a la relación que mantenía desde tiempos inmemoriales con la ópera londinense y el mundo de las artes. Lo único que podía considerarse remotamente sospechoso en el hombre era lo poco que se sabía de su vida privada, aunque eso en sí mismo no significaba nada. Llevaba casado más de dos décadas, y su esposa era una mujer tranquila que se dedicaba a la cría de perros para las exposiciones. Nadie parecía saber nada sobre el estado de sus finanzas. Sin duda tenía un salario más que decente, y nunca se le habían conocido deudas, aunque él sí que sabría muy bien dónde y cómo vender una partitura musical, tanto por la vía legal como por la ilegal. El punto flaco en esa teoría, pensó Colin, eran las escasas posibilidades que tenía el director de pasar desapercibido en el teatro. Todo el mundo se fijaba en él, y la mayoría de las veces se quedaba en el escenario durante los ensayos. Si Barrington-Graham estaba implicado en aquel asunto, lo más probable era que tuviese un cómplice, alguien que mantendría la boca cerrada en los años venideros.

Así pues, solo quedaban Anne y Sadie. Ambas reconocerían el valor de un original de Händel y podrían utilizar el dinero de su venta para viajar y cantar en el extranjero. Anne, sin embargo, estaba casada y era una mujer de mediana edad. Lo único que tenía a su favor como posible candidata era su capacidad de plantarse frente a un hombre, incluso ante el director del teatro, y utilizar su experiencia para presionarlo o denegarle algo sin miramientos. Sadie, en cambio, era joven, soltera, hermosa, sensual y francesa. Y gracias a su considerable experiencia con las mujeres, Colin sabía con certeza que la pericia sexual siempre lograba mejores resultados que las exigencias matrimoniales. Según sus valoraciones, era muy probable que Sadie estuviese implicada de algún modo en el asunto.

Aunque también podía haberse equivocado en todo.

Se frotó los ojos. Charlotte y Porano estaban inmersos en las prácticas y el resto del reparto se había acomodado en las sillas de los espectadores o andaba entre bastidores, fuera del alcance de su vista. Supuso que no habría un momento mejor que ese para poner en marcha su plan, para empezar a investigar a Sadie, la persona cuya implicación parecía más razonable. No había dicho ni una palabra de todo aquello a Charlotte, ya que el único modo que se le ocurría de acercarse a la francesa era fingir que la cortejaba. Había sido toda una sorpresa para él descubrir lo poco que le apetecía hacerlo, aunque no fuera más que un cortejo fingido, ahora que Charlotte le entibiaba la cama. Sonrió para sus adentros al pensarlo. Si Sam y Will se enteraran de su falta de interés por otras damas, jamás lo dejarían en paz con sus bromas.

Una vez en pie y sin que nadie lo viera, Colin se dio la vuelta y atravesó sin problemas los cortinajes que había a su espalda antes de bajar a toda prisa hasta la puerta de bastidores. Sadie no estaba sentada en la zona destinada a los espectadores, y puesto que Lottie seguía cantando con Porano, sabía que la encontraría tras el escenario, en su camerino o en algún lugar cercano.

Casi de inmediato oyó una débil carcajada femenina detrás de los enormes cortinajes que los separaban del escenario propiamente dicho. Aunque estaba bastante oscuro, reconoció al instante las voces de Anne, de Sadie y de una de las muchachas que trabajaba en vestuario llamada Alice Newman. No obstante, dado que no tenía más de dieciséis años y que procedía de una familia modesta, estaba seguro de que la chica no suponía una amenaza para Charlotte.

Las tres estaban justo al lado del camerino de Lottie, cuya puerta estaba cerrada. Puesto que aún no lo habían visto, Colin se detuvo un momento y se remangó la camisa hasta los antebrazos. Después se pasó los dedos por el cabello un par de veces y se irguió con confianza para enfrentarse a ellas.

Fue Anne la primera que lo vio acercarse, y su regordete rostro cambió de la jovialidad a la sorpresa. La conversación cesó de pronto. La mujer le hizo una reverencia mientras las demás se volvían y hacían lo mismo.

—Señoras —saludó Colin, al tiempo que se situaba frente a ellas.

—Excelencia —murmuraron las tres al unísono.

Él sonrió y cruzó los brazos sobre el pecho.

—Espero no interrumpir nada importante.

—No, no, por supuesto que no —replicó Anne, que parecía nerviosa de repente. Se pasó el dorso de la mano por su amplia frente y miró primero a Sadie y después a la muchacha, cuya juventud y timidez le impedían levantar la vista más allá del suelo.

—La obra va bastante bien, ¿no es así? —preguntó empleando un tono despreocupado.

—Sí, así es —convino Anne con un asentimiento de cabeza—. Somos muy afortunados al tener al gran Porano en el papel de Tadeo.

—Pero la estrella es Lottie, por supuesto —añadió Sadie mirándolo a los ojos.

Colin sonrió y enfrentó su mirada.

—Sí, pero creo que usted estuvo tan deslumbrante como ella cuando cantó ayer.

Sadie lo observó con curiosidad. Se produjo un momento incómodo para todos los presentes salvo para él. Luego Anne dejó escapar un largo suspiro.

—Bueno —dijo al tiempo que se frotaba las palmas de las manos en las faldas—, Alice estaba a punto de ajustarme el traje. ¿Nos disculpa, excelencia?

Ha sido de lo más oportuna, pensó Colin.

—No deje que la entretenga, por favor, señora Balstone. Señorita Newman.

Sadie no dijo nada, aunque Colin podía notar su mirada sobre él mientras las otras dos damas efectuaban una reverencia y se alejaban hacia la oscuridad por el lado izquierdo del escenario.

Volvió a escuchar a Charlotte, que cantaba sola en esa ocasión, y se volvió hacia Sadie con una sonrisa pícara.

—Bueno, parece que nos hemos quedado solos.

—Eso parece, sí —ronroneó ella con un marcado acento, al tiempo que lo miraba de arriba abajo con las manos enlazadas a la espalda.

Dios, algunas veces deseaba no estar en lo cierto con respecto a las mujeres.

Se acercó un paso y apoyó el hombro contra el marco de la puerta del camerino de su esposa.

—¿Y por qué no está usted en el escenario, señorita Piaget? —inquirió con voz cálida y grave.

Ella meneó la cabeza y esbozó una sonrisa.

—Por favor, excelencia, la última vez que hablamos le pedí que me llamara Sadie.

Debía de referirse a la vez que Charlotte los vio juntos, ya que no había hablado con ella a solas desde entonces. Aunque a veces fastidiaba a su esposa con eso, la conversación que habían mantenido entonces había girado en torno a trivialidades. Y desde luego ella no le había pedido que utilizara su nombre de pila. Habría recordado algo semejante.

—Faltaría más, Sadie —murmuró—. Y preferiría que usted me llamara Colin.

Ella sonrió de oreja a oreja y asintió con la cabeza.

—Muy bien, Colin.

—Esta zona es bastante silenciosa y oscura, ¿no le parece? —señaló mientras echaba un vistazo al área de bastidores.

—Supongo que aquí todo el mundo está muy ocupado —repuso ella con un encogimiento de hombros.

Allí nadie estaba ocupado y Colin lo sabía, pero eso carecía de importancia.

—Ah... ¿Y cuándo canta de nuevo?

—Dentro de un buen rato —contestó Sadie lanzando un suspiro—. No me necesitarán hasta que comience el ensayo del siguiente acto.

—Entiendo.

Sadie permaneció en silencio mientras lo observaba con detenimiento. Después se acercó tanto a él que sus faldas le rozaron las piernas.

—Tiene una esposa esperándolo en casa, ¿verdad?

Colin encogió uno de sus hombros e interpretó a la perfección el papel del marido desinteresado.

—Así es, pero ella está muy ocupada con sus causas benéficas y ayudando a la duquesa de Durham a prepararse para la llegada de su bebé. —Dejó escapar un suspiro—. Me temo que no la veo muy a menudo.

—Entonces ¿no está enamorado de ella?

Colin parpadeó desconcertado. Hasta ese momento ni siquiera se lo había planteado.

—¿Qué es el amor? —respondió con otro encogimiento de hombros, obligándose a concentrarse en la tarea que tenía entre manos.

Sadie ladeó la cabeza.

—Es una lástima —murmuró—. Si amara a su esposa, lo sabría.

—Supongo que sí —convino él mientras arrastraba la punta del pie de un lado a otro sobre el suelo de madera.

—¿Y ahora Lottie y usted son amantes? —preguntó Sadie con voz suave y sagaz.

Colin sonrió, algo sorprendido al ver que se mostraba tan descarada.

—No sería un caballero si admitiera algo así —susurró con un guiño, mientras trataba de decidir si esa mujer sabía que Lottie y su esposa eran la misma persona. A esas alturas, no sabía qué pensar.

Sadie empezó a reír y echó la cabeza hacia atrás, como si Colin le hubiera hecho un cumplido.

—Entonces guarda muy bien los secretos, milord —bromeó ella, al tiempo que le rozaba el pecho con el codo en un gesto pícaro—. La conozco muy bien y sé que jamás ha estado tan enamorada de nadie. Ha hablado de usted y de sus encantadores modales durante años.

Lo primero que pensó Colin era que la mujer había acentuado la palabra «enamorada» como si necesitara que le recordaran que era francesa. Pero ese pensamiento se desvaneció a toda prisa de su cabeza cuando comenzó a meditar lo que le había dicho. Pensar que Charlotte podía llevar años loca por él lo impresionó de una manera que no habría podido describir ni aun en el caso de desear hacerlo. Lo recorrió una oleada de calidez y se sintió enormemente satisfecho consigo mismo, aunque nunca, ni en un millón de años, lo admitiría ante nadie.

—¿De veras? —contestó al tiempo que se frotaba el cuello, como si el halago lo hubiera avergonzado.

—Y yo estoy de acuerdo con ella —susurró Sadie—. Es usted muy apuesto y encantador, Colin. Me di cuenta la primera vez que lo vi.

A Colin no podía importarle menos lo que Sadie pensara de él. A decir verdad, era una francesa muy bella, sensual y sin duda experimentada en la cama. Pero aunque seis meses antes la habría perseguido sin cuestionárselo, pensar en hacerlo en esos momentos le parecía estúpido y pueril. Se le ocurrió de pronto lo mucho que le gustaba estar casado con Charlotte, lo mucho que le importaban la sinceridad y la confianza dentro del matrimonio.

—Y usted es preciosa —repuso, aunque intentó no parecer tan indiferente como se sentía.

Sadie dejó escapar un suspiro exagerado y lo miró a los ojos mientras apoyaba la espalda en la pared.

—Quizá llegue a cansarse de Lottie.

El conde de Newark reprimió una carcajada ante semejante ridiculez.

—Quizá —dijo con voz ronca—. Pero tenía entendido que ustedes eran buenas amigas.

Sadie puso los ojos en blanco, y descubrir que esa mujer estaba lejos de ser la buena amiga que creía Charlotte lo puso furioso.

—Somos amigas —convino ella—, pero cuando se marche a Italia yo me quedaré aquí. Sola.

Colin se quedó inmóvil, petrificado.

—¿Cuando se marche a Italia?

Sadie parpadeó en un gesto de fingida sorpresa.

—Vaya por Dios, no me diga que no lo sabía... Acompañará a monsieur Porano a Milán cuando la representación de *The Bohemian Girl* llegue a su fin. Los italianos la han invitado a cantar en La Scala la temporada que viene.

Le ardía el pecho como si se le hubiera incendiado y sentía un nudo en las entrañas, pero hizo todo lo posible por disimular su asombro y su ira.

—No me lo había dicho —admitió, intentando parecer abatido y no furioso.

Sadie le ofreció una sonrisa comprensiva.

—Tal vez no le importe tanto a Lottie como usted cree.

Ese comentario dio tan cerca de la diana que Colin sintió el impulso de aplastar el puño contra la puerta de su camerino, aunque se contuvo por el bien de su pundonor. No podía creer nada de lo que le dijera esa francesa sin confirmarlo primero. Y sabía..., tenía la certeza de que a Charlotte le importaba lo suficiente para confesarle la enorme oportunidad que se le había presentado antes de aceptarla.

—Tal vez —repitió, aunque su voz le sonó tensa incluso a

él mismo—. ¿Dónde se ha enterado de que a Lottie le han hecho tan maravillosa oferta?

No tenía ni la más mínima idea de por qué había preguntado eso, pero la expresión del rostro femenino fue respuesta suficiente.

Sadie frunció el ceño y comenzó a juguetear con la cadena que colgaba de su cuello.

—Supongo que todos lo sabemos desde hace varios días; quizá desde hace una semana.

Colin asintió, aunque por primera vez en su vida se sentía traicionado por una mujer. Su cuerpo se cubrió de un sudor frío mientras su mente se convertía en un hervidero de emociones complejas que jamás había sentido con anterioridad: frustración, agravio, desconcierto y furia.

Su esposa pensaba abandonarlo; lo sabía desde hacía una semana y no le había comentado ni una palabra. ¿Qué decía eso de su matrimonio y de su reciente relación amorosa? ¿Que a ella le importaba más la ópera que todo lo demás? Lo cierto era que él siempre había sabido que así era. Lo que ocurría era que no estaba preparado para admitirlo ante sí mismo, en especial después de todo lo que habían averiguado el uno del otro, de todo lo que habían compartido últimamente.

Sadie extendió un brazo y le apoyó la mano en el pecho.

—Veo que se ha llevado una sorpresa, Colin.

Él se encogió de hombros.

—Habrá otras amantes en mi vida —murmuró, aunque trató de no parecer tan herido como se sentía.

—Eso espero —susurró ella. Y entonces, antes de que Colin pudiera averiguar sus intenciones, Sadie se inclinó hacia delante y le rodeó el cuello con el brazo libre antes de tirar de él para besarlo.

La mujer movió la lengua con pericia mientras le cubría las mejillas con las manos. Aturdido, Colin tardó unos segundos en reaccionar. Luego apoyó las manos en sus hombros y decidió interpretar bien su papel.

Lottie, Lottie, Lottie... No puedo perderte ahora...

Supuso que Sadie besaba bien; se mostraba entusiasta y era evidente que tenía mucha experiencia. Sin embargo, Colin no podía pensar más que en su esposa, en su delicioso cuerpo, en su risa suave y en sus maravillosos ojos azules..., en su inocencia, tanto dentro como fuera de la cama. Era la única mujer que le importaba en esos momentos, y tan pronto como Sadie le cogió la mano para llevársela a uno de los pechos, se apartó de ella y dio un paso atrás.

—No podemos hacer esto aquí; ahora no, dulzura —murmuró, al tiempo que echaba un vistazo por encima del hombro y enlazaba las manos a la espalda.

Colin estuvo a punto de resoplar al ver que ella hacía un mohín.

—Lottie vendrá a buscarme dentro de unos momentos —explicó en un intento de apaciguarla.

—Claro, lo entiendo —replicó Sadie. Su voz revelaba lo molesta que se sentía, aunque trataba de mostrarse de lo más dulce—. Pero siempre podrá encontrarme aquí, dispuesta a ayudarlo en sus momentos de necesidad.

Colin se percató de que la francesa se había hartado de él por el momento cuando la vio alisarse las faldas y sonreír de manera afectada, dispuesta a descartarlo como si no fuera más que un juguete.

Se inclinó hacia ella una vez más y le recorrió el hombro con la yema de un dedo.

—Me alegra saberlo. Siempre le encuentro utilidad a la... compañía femenina, Sadie. —Acto seguido añadió en voz más baja—: Pero mi interés por Lottie English se basa también en otras cosas.

Sadie arqueó las cejas con renovado interés.

—¿De veras?

—He oído que tiene en su poder una partitura de lo más singular —afirmó mirándola a los ojos—. Me gustaría encontrarla.

Colin la observó con detenimiento en busca de algún tipo de reacción. Había utilizado la palabra «encontrar» en lugar de «ver» porque esperaba que Sadie asumiera que deseaba hacerse con ella sin que Lottie lo supiera.

Los rasgos de la francesa pasaron de la intriga a la inexpresividad..., la primera reacción honesta que había obtenido de ella, pensó Colin. Después, Sadie frunció el ceño y negó con la cabeza.

—No sé nada sobre ninguna partitura —dijo ella con calma, al tiempo que volvía a juguetear con la cadena del cuello y la frotaba con nerviosismo—. ¿Por qué quiere encontrarla?

Esa pregunta le reveló muchas cosas. Sadie no había preguntado de qué tipo de música se trataba o quién la había compuesto; si tenía un valor sentimental, monetario o como antigüedad; ni siquiera había ignorado el comentario, como si no supiera nada o no le importara. En cambio le había preguntado por qué quería encontrar la partitura. Cierto era que podía estar completamente equivocado con respecto a su implicación en todo aquel asunto, pero hasta sus más pequeñas dudas comenzaban a disiparse.

—Quizá sería mejor haber dicho que me siento intrigado. Puesto que usted comparte mi interés por la música y el teatro, estoy seguro de que me entenderá.

Ella sonrió y lo recorrió de la cabeza a los pies con la mirada.

—Nunca habría imaginado que el motivo de sus visitas diarias era tan secreto y... enrevesado, Colin.

—¿Usted sabe dónde está? —insistió él en tono afable, tratando de volver a centrar la conversación.

Sadie se mordió el labio inferior y lo miró con recelo durante unos segundos.

—No tengo ni la menor idea, pero si descubro algo sobre música rara, será el primero en enterarse.

Colin extendió un brazo y deslizó el pulgar a lo largo de su cuello.

—Y yo me mostraré de lo más agradecido con usted.

Ella le cogió la mano para apretarle los dedos.

—En ese caso, pondré todo mi empeño en la búsqueda.

De repente, Sadie lo soltó, se irguió y retrocedió un paso.

—Y ahora debo marcharme y permitirle que siga buscando a Lottie, excelencia.

Tras realizar una reverencia formal, se dio la vuelta y se alejó con elegancia.

Colin permaneció inmóvil durante unos instantes, escuchando cómo cantaba Porano. Después se volvió un poco y apoyó la espalda en la puerta del camerino de Charlotte... y la vio a escasos metros de distancia, con los brazos a los costados, mirándolo como si acabara de abofetearla.

Maldito fuera el infierno...

Ella comenzó a avanzar en su dirección y Colin se dio cuenta de inmediato, aun a pesar de la oscuridad, de que tenía la cara pálida.

—Lottie...

—En estos momentos estoy muy ocupada, Colin —dijo con voz baja y temblorosa mientras trataba de pasar a toda prisa por su lado para entrar en el camerino.

Colin la sujetó por los hombros a fin de detenerla antes de que abriera la puerta.

—¿Qué pasa? —preguntó en tono serio—. ¿Me has visto hablando con Sadie?

Ella permaneció en silencio durante algunos segundos. Después lo miró a los ojos con expresión indiferente y esbozó una sonrisa encantadora.

—Te aseguro que no sé de qué hablabais, pero lo que hagas con tu tiempo es asunto tuyo.

Puesto que no quería que nadie los viera discutir, extendió un brazo para abrir la puerta, la empujó con suavidad hacia el interior de la estancia y cerró tras de sí.

—¿Qué estás haciendo? —inquirió ella, indignada por su descaro.

Colin le bloqueó la salida y apoyó las manos en las caderas.

—Fue ella la que me besó, Charlotte.

—Ella... —Abrió los ojos de par en par y parpadeó varias

veces. Luego abrió la boca y empezó a retroceder para alejarse de él.

Colin tardó unos instantes en comprender que su esposa no había presenciado el asalto de Sadie. Soltó un gruñido y se frotó los ojos. Por Dios, menuda pesadilla.

—Charlotte...

—Tengo que volver al escenario —susurró ella.

Por absurdo que pareciera, eso lo enfureció.

—Sadie sabe algo sobre la partitura.

Tras recobrar la compostura, Charlotte resopló con fuerza.

—Te equivocas, seguro.

—No, no me equivoco —insistió él en voz baja.

Los ojos de su esposa relampaguearon de furia.

—¿Y creíste que besándola podrías conseguir ese tipo de información?—inquirió en un siseo—. No hay ni una mujer con vida que no desee besarte.

Colin no sabía si sentirse halagado o abatido.

—Fue ella la que me besó —repitió—. Yo le seguí el juego para ganarme su confianza.

—¿Su confianza? —Charlotte meneó la cabeza—. Y supongo que disfrutaste, ¿no? —preguntó con sarcasmo.

Colin gimió.

—Esa no es la cuestión.

—Claro que no. Creo que sé muy bien cuál es la cuestión —le espetó—. Sé muy bien que fui yo quien te dijo que tomaras una amante cuando quisieras. Lo único que me pone furiosa es que hayas decidido seducir a una amiga mía.

Colin dio un par de pasos hacia ella y la agarró por los hombros antes de estrecharla con fuerza.

—¡Suéltame! —exclamó Charlotte en un susurro.

Él hizo caso omiso de su exigencia.

—En primer lugar, esa mujer no puede considerarse tu amiga si forma parte del complot para hacerte daño y robarte la partitura —murmuró sin rodeos, al tiempo que la miraba a los ojos—. Y en segundo lugar, no puede considerarse tu amiga si besa sin ambages a tu amante; y ella sabe que somos amantes.

Charlotte lo fulminó con la mirada.

—¿Y qué hiciste tú para animarla a hacerlo, Colin?

No tenía respuesta para eso, y ella lo sabía. Todo el mundo en Inglaterra lo consideraba el libertino más célebre del país, aun cuando no lo fuera en realidad. Sin embargo, hasta donde podía recordar, jamás había detestado tanto su reputación como en esos momentos.

—Charlotte —comenzó de nuevo sin soltarle los hombros—. Solo trato de descubrir la verdad, y Sadie sabe algo. De eso estoy seguro. —Respiró hondo y decidió que había llegado la hora de confesarle lo que sentía—. Pero lo más importante para mí, lo que más me importa en este mundo, eres tú. No quiero a nadie salvo a ti en mi cama. Lo que compartimos cuando hacemos el amor...

La carcajada desagradable de Charlotte lo detuvo en seco.

—En la cama no compartimos nada, Colin. Solo cuerpos. Y a ti se te da muy, muy bien compartir el tuyo. Ahora suéltame.

Colin nunca se había sentido tan dolido por un comentario en toda su vida. Atónito, dejó caer los brazos a los costados. Su esposa se alejó de inmediato, abrió la puerta y salió del camerino.

19

El trayecto de vuelta a casa fue el más tenso e incómodo que habían compartido. Ella optó por hacer caso omiso de su presencia, como si no estuviera allí, y Colin no se molestó en tratar de iniciar una conversación, consciente sin duda de la furia que revelaban su postura rígida y su mirada esquiva. Por desgracia, el viaje le concedió tiempo más que suficiente para recrearse con los miserables pensamientos que le bullían en la cabeza.

Debía de haber sido una de las peores semanas de toda su vida. Después de pasarse varios días buscando la mejor forma de contar a su marido la oferta que había recibido para cantar en Italia y pedirle su permiso y sus bendiciones, su ordenado mundo había quedado patas arriba al saber que una de sus mejores amigas había besado a su esposo. Por extraño que pareciera, había creído a Colin cuando él le había dicho que había sido Sadie quien lo inició todo; pero, a la luz de su reputación, estaba segura de que él también había disfrutado, y eso era lo que más la entristecía de todo.

Una parte de ella quería echarse a llorar; la otra, ponerse a gritar, aunque se negaba a hacer ninguna de esas dos cosas allí en el carruaje, delante de Colin..., y menos cuando él mantenía los ojos cerrados, el cuerpo relajado y los brazos cruzados sobre el vientre, como si no tuviera ninguna preocupación en el mundo. A esas alturas, estaba impaciente por retirarse a su habitación y meterse en la cama, donde podría descargar su furia contra la almohada.

Lo que más la enfadaba de todo era no saber si lo odiaba o lo amaba. No obstante, se dio cuenta de que su esposo era mucho más complejo de lo que nunca habría podido imaginar, y que eso le gustaba mucho... muchísimo. Se había casado con un falsificador, un criminal, un calavera divertido y encantador; pero lo que más la sorprendía era saber lo mucho que había disfrutado con él gracias o a pesar de esos defectos. Y ¿en qué la convertía eso, si no en una estúpida? Con todo, y aun en el caso de que siguiera apegada a él emocionalmente, no podía negar que se había reído mucho con sus ingeniosas conversaciones, que vibraba por dentro con solo verlo, y, sí, que su cuerpo cobraba vida con él en la cama. En pocas palabras: ese hombre la fascinaba, y cuanto más reflexionaba sobre lo bueno que había en él, más culpable se sentía por haberle dicho que no compartían más que sus cuerpos cuando hacían el amor. Eso había estado mal por su parte, tanto si era cierto como si no, ya que no le había hecho falta más que ver la expresión del rostro de Colin al escuchar esas palabras para saber lo mucho que lo había herido.

En cualquier caso, había dicho la verdad, aunque hasta ese día no se le había ocurrido pensar que echaba algo en falta cuando mantenían relaciones íntimas. Debía asumir que él había hecho las mismas cosas en la cama a las demás mujeres, lo que significaba que nada de lo que habían compartido la convertía en especial. Y eso era lo que más le dolía de todo, en especial después de haberlo visto tan cerca de Sadie.

En esos momentos, mientras el carruaje se detenía frente a la casa, reflexionó sobre cuál sería la mejor manera de comunicar a Colin la oferta que había recibido para cantar en el extranjero, a sabiendas de que las circunstancias habían cambiado. Él no le había dicho una palabra desde que abandonaron el teatro, así que Charlotte había dado por hecho que seguía enfadado con ella por su último comentario. No obstante, quería sacarlo todo a la luz, hacerle saber que ya no necesitaba su apoyo financiero para la gira en Europa, al menos durante la temporada en Milán. De todos modos, tal vez a él no le importara lo que ella hiciese después de la discusión de esa tarde. En cualquier caso, Charlotte no tenía intención de sacar el tema a relucir esa noche.

Ambos permanecieron en silencio mientras entraban en la casa, pero luego, antes de que pudiera desearle buenas noches y marcharse a su habitación, Colin la agarró de la mano y comenzó a tirar de ella hacia su estudio.

—Tenemos que hablar de algunas cosas, Charlotte —dijo sin más explicaciones.

Ella protestó.

—Ahora no, Colin. Estoy cansada...

—Yo también estoy cansado —la interrumpió, negándose a soltarla—. Estoy cansado de que haya secretos entre nosotros. Ha llegado el momento de sacarlo todo a la luz. —La miró por encima del hombro con una mueca burlona en los labios—. ¿No estás de acuerdo?

Charlotte no podía librarse de la mano que la sujetaba, y mucho menos de la determinación del hombre, así que sonrió con indiferencia y respondió:

—Por supuesto que sí. Yo siempre estoy de acuerdo. Usted primero, caballero.

Colin le echó otra mirada rápida, pero no la soltó mientras avanzaban por el pasillo. Sin embargo, en lugar de detenerse frente al estudio, donde iban siempre que tenían que hablar, siguió adelante. Dejó atrás el salón para adentrarse en el comedor, que ya tenía la porcelana y la cubertería preparadas para la cena, y la condujo hacia las puertas oscilantes de la cocina.

Tres de los criados y el ama de llaves, Betsy, trabajaban en el interior en la preparación de la cena que, a juzgar por el aroma, debía de ser ternera asada con cebollas. Todos se fijaron en ella y en su marido, hicieron la reverencia de rigor y retornaron a sus quehaceres; al parecer, no les sorprendía ni lo más mínimo que el duque de Newark pasara junto a ellos con su esposa de la mano.

Si bien se sentía algo molesta por la implacable resolución de su esposo, se quedó muy sorprendida al ver que la llevaba hacia la despensa situada bajo la escalera trasera, que conducía a los dormitorios de la segunda planta.

—¿Qué estás haciendo? —preguntó cuando le vio abrir la puerta con la mano libre.

Sin mediar palabra, Colin la empujó hacia el interior oscuro y limitado de la despensa, donde el olor de los productos de limpieza y de la harina asaltó sus sentidos. La rodeó a toda prisa y le soltó la mano por fin para poder apartar una alta estantería con sartenes y cazuelas, dejando al descubierto una segunda puerta casi invisible que contaba con una enorme y sólida cerradura.

El enfado de Charlotte fue sustituido por una tremenda curiosidad cuando le vio alzar la mano hasta la parte superior de la estantería y sacar una llave del interior de una cacerola. La introdujo en la cerradura, la giró hasta que se escuchó un chasquido y luego la sacó para volver a dejarla en la cacerola. Después abrió la puerta.

Charlotte percibió de inmediato el olor a cerrado y a tabaco que impregnaba la estancia. Sin decir nada, Colin volvió a agarrarle la mano, aunque con suavidad en esa ocasión, y la introdujo en esa sala que estaba completamente a oscuras.

—¿Colin? —susurró.

—Espera un momento.

Algo desconcertada, Charlotte se quedó donde estaba mientras él desaparecía en la negrura. Segundos más tarde, cuando su esposo encendió una lámpara, ella ahogó una exclamación y dio un paso atrás. Abrió los ojos de par en par mientras contemplaba la estancia con total incredulidad.

Se encontraba en un cuartucho sin ventanas de unos dos metros cuadrados. Tres de las paredes estaban ocupadas del suelo al techo por estantes cargados con libros, montones de papeles, manuscritos y periódicos, muchos de ellos antiguos, a juzgar por el color amarillento de sus bordes. Contra la pared que había a su derecha había tres enormes estantes de madera llenos a rebosar con frascos de cristal y botellitas que contenían distintos líquidos de todos los colores, montones de pinceles, carboncillos, planchas de metal de todas las formas y tamaños, y una cesta con herramientas similares a las que había utilizado el día que analizó la partitura de Händel. Justo delante de ella, en la pared opuesta, había una escalerilla de madera apoyada contra los libros apilados que conducía hasta una trampilla del techo. A su izquierda vio una enorme lámpara de lectura y una mecedora exactamente igual que la que había en el estudio; y en medio de la estancia, sobre una mesa de madera bastante alta, dos lámparas más. Era una de esas últimas la que su esposo había encendido al entrar.

—Cierra la puerta —dijo Colin, que apoyó la palma de una mano sobre la mesa y la miró con una pizca de regocijo.

Poco a poco la curiosidad superó al asombro, y Charlotte hizo lo que le habían pedido. Cerró la puerta y ambos se quedaron a solas, en silencio. Luego cruzó los brazos a la altura del pecho y caminó hacia él con los ojos clavados en la mesa.

En una caja de madera situada cerca del extremo opuesto había tres pinceles de distintos tamaños y tres frascos sellados de tinta, emplazados en otras tantas oquedades practicadas en la madera para evitar derramamientos accidentales. Y en medio se encontraba la partitura de Händel que ella le había entregado, abierta por la tercera página.

—Esta es la copia, Charlotte —dijo Colin en voz baja—. La original está en mi caja fuerte. La saco de allí solo cuando trabajo.

Ella tragó saliva y lo miró brevemente antes de volver a clavar la vista en el magnífico duplicado. Si él no hubiera mencionado que se trataba de una copia, lo habría reprendido por dejar su partitura tan cerca de los frascos de tinta, por más sellados que estuvieran. Pero estaba claro que era un profesional, y Charlotte no pudo evitar admirar su talento mientras observaba la falsificación. A decir verdad, parecía un original.

—Eres muy bueno —murmuró, aunque le bullían un centenar de preguntas en la cabeza.

Colin resopló.

—No, soy mejor que bueno. Soy el mejor de Inglaterra; tal vez incluso el mejor de Europa.

Charlotte se enderezó y lo miró desde el otro lado de la mesa con una sonrisa burlona.

—¿El mejor qué? ¿El mejor falsificador?

Él cruzó los brazos sobre el pecho.

—Sí.

Charlotte rió por lo bajo y negó con la cabeza, confundida.

—Pareces bastante seguro de ti mismo, aunque no creo que ser falsificador sea algo de lo que estar orgulloso, Colin.

Aunque su semblante no perdió la expresión seria, Colin inclinó la cabeza a un lado para estudiarla.

—Siéntate, Charlotte —ordenó en voz baja.

Ella frunció el ceño.

—¿Por qué?

—Porque quiero que te sientes —replicó, al tiempo que tomaba asiento sobre un lado de la mesa. Uno de sus pies seguía apoyado en el suelo y el otro colgaba del borde.

Charlotte percibió la extrema solemnidad de su comportamiento, y el mero hecho de pensar que su esposo estaba a punto de revelarle un importantísimo secreto hizo que caminara hasta la mecedora y se sentara con las manos entrelazadas sobre el regazo. Ni siquiera se le ocurrió alisarse las faldas.

Después de un buen rato de silencio, dejó escapar un suspiro de exasperación.

—¿Cuánto piensas hacerme esperar?

Colin esbozó una pequeña sonrisa.

—Trato de aclararme las ideas —contestó.

Charlotte enarcó las cejas y se reclinó en la mecedora.

—¿De veras? Nunca antes habías tenido problemas para expresarte.

—Hoy estabas preciosa en el escenario —murmuró sin dejar de observarla con atención—. Y cantaste de maravilla.

El cambio de tema la dejó perpleja.

—Gracias.

—Y... —continuó él—... siento mucho lo que ocurrió en el teatro.

Charlotte sintió que se ruborizaba y se le encogió el corazón.

—No quiero hablar sobre eso —repuso con calma.

—Pues vamos a hacerlo; vamos a hablar sobre eso porque necesito tu confianza, Charlotte —aseguró él con voz ronca—. ¿Puedo confiar en ti?

Aturdida, no supo muy bien cómo interpretar el funcionamiento de la mente de su esposo.

—¿Qué es este lugar?

—¿Puedo confiar en ti? —repitió él.

La mirada franca y ese comportamiento comedido parecían extraños en él, aunque debía admitir que semejante combinación la tenía fascinada.

—Sí, puedes confiar en mí —dijo resignada—. Ya respondí a eso el resto de las veces que lo preguntaste.

Colin respiró hondo y se peinó el cabello con los dedos.

—Eso es porque la confianza es importante en el matrimonio. Sobre todo en mi matrimonio.

Ella estuvo a punto de echarse a reír.

—¿Tan especial eres?

Su esposo sonrió.

—Soy especialista, más bien.

Charlotte sacudió la cabeza.

—Lo siento, Colin, pero no te entiendo.

—Me has preguntado en numerosas ocasiones —comenzó tras unos momentos de indecisión— en qué ocupo mi tiempo. Bueno, pues aquí lo tienes. —Hizo un gesto con la cabeza para señalar todo lo que lo rodeaba—. Este es mi taller.

—¿Cómo dices? —replicó ella con el ceño fruncido.

Su marido esbozó una lánguida y hermosa sonrisa que le produjo una intensa oleada de calor.

—Cuando me arrestaron hace años —explicó—, tuve la oportunidad de conocer a sir Thomas Kilborne, quien ahora es mi superior. Este hombre consideró que mi trabajo era extraordinario y me ofreció un trato que no pude rechazar. Ya te he contado las razones por las que jamás fui a prisión; todas excepto una: que accedí a poner mi talento al servicio de la Corona; algo por lo que me pagan muy bien.

Charlotte lo miró boquiabierta. Se le había ido acelerando el pulso con cada palabra que salía su boca.

—Así pues, hace diez años —continuó— comencé a trabajar para la rama del gobierno que se encarga de los falsificadores, las falsificaciones y los falseos. Si te soy sincero, al principio creí que no me darían mucho trabajo, pero pronto descubrí que tendría muchas cosas por hacer. —Sonrió con picardía—. Resulta sorprendente la cantidad de falsificadores que hay en el mundo, Charlotte. Algunos son profesionales, aunque la mayoría son aficionados..., y muy malos, la verdad. Pero lo cierto es que un gran número de ellos está respaldado por sus respectivos países.

—Esto es increíble... —susurró ella.

Colin se encogió de hombros.

—En realidad, no. Yo puedo falsificar cualquier cosa, ya sea dinero, ensayos, documentos antiguos o recientes, firmas... También soy capaz de detectar falsificaciones, y eso es por lo general lo que mis patronos desean de mí. —Señaló con la mano los papeles que había en la estantería situada a su derecha—. Entre esos papeles se encuentran las firmas de casi todos los dignatarios del mundo civilizado de hoy en día, y por supuesto he ido añadiendo o quitando alguna según fuera necesario. También tengo acceso a las firmas y a las muestras de caligrafía de personajes que han sido importantes a lo largo de la historia: filósofos de la Antigua Grecia, Shakespeare, Napoleón, emperadores romanos y chinos, presidentes americanos y, como es natural, también las de los miembros de nuestra monarquía. Son propiedad del gobierno y se guardan en un área de máxima seguridad, en el interior de una cámara sellada a la que puedo entrar siempre que lo necesito. —Relajó un poco los hombros—. Lo único que no puedo falsificar es el arte creativo, aunque soy capaz de descubrir copias bastante brillantes analizando el papel o el trasfondo en el que fueron pintados o dibujados, y por supuesto la firma del artista. Con todo, me temo que la detección de falsificaciones en las obras de arte recae sobre todo en manos de la gente con talento artístico. Yo no podría pintar un cuadro ni aunque mi vida dependiera de ello.

Charlotte no pudo hacer otra cosa que permanecer sentada, absolutamente estupefacta. Jamás habría podido llegar a imaginarse que el célebre aristócrata perezoso, sinvergüenza y encantador que tenía por marido, el mismo que se había pasado las últimas semanas siguiéndola por el teatro como si no tuviera nada mejor que hacer, fuera un empleado del gobierno británico con un trabajo tan secreto y especializado que no había podido revelárselo hasta ese momento, después de meses de casados. El mero hecho de pensar que, a pesar de su incorregible pasado y gracias a su destreza, se había ganado el respeto de los distinguidos oficiales del gobierno, hacía que se sintiera eufórica e increíblemente orgullosa de él.

Después de tomarse unos instantes para aclararse las ideas y organizar los pensamientos, murmuró:

—No... no sé qué decir.

—Eso resulta muy extraño en ti, querida Lottie —bromeó Colin.

Ella hizo caso omiso del comentario.

—¿Cuánta gente lo sabe?

Colin inclinó la cabeza a un lado.

—Bueno, veamos... Unos cuantos miembros selectos del ministerio del Interior, en su mayoría trabajadores de la rama de falsificaciones. Will y Sam, porque son mis mejores amigos y me apoyaron de manera incondicional después del arresto. Sus esposas lo saben también, aunque nunca he hablado del tema con las damas y, por supuesto, ellas nunca han pisado esta habitación. Y también están al corriente todos mis criados.

Charlotte parpadeó, incrédula.

—¿Tus criados? ¿Confías este tipo de información a tus criados y a mí no me lo cuentas hasta ahora?

Él se echó a reír.

—¿Estás celosa, Charlotte?

—Estoy segura de que no has hecho nada que pudiera ponerme celosa, querido Colin —replicó con un brillo malicioso en los ojos.

Su esposo entornó los párpados y se inclinó hacia delante para apoyar la palma de la mano en la mesa.

—Me encanta que me llames «querido» —murmuró con voz ronca.

—Creo que nunca te había llamado «querido» hasta ahora —replicó Charlotte de inmediato, al tiempo que se acomodaba mejor en la mecedora.

—En ese caso deberías hacerlo más a menudo, mi querida Charlotte.

Ella cerró los ojos un momento, exasperada.

—Colin...

—Mis criados lo saben porque también son empleados del gobierno —continuó en un tono cargado de buen humor—. Necesito que sean absolutamente dignos de confianza para poder ir y venir a mi antojo sin preocuparme por el hecho de que alguien ajeno al gobierno entre en esta habitación y descubra mi trabajo o alguno de estos valiosos documentos.

—No hablas en serio... —dijo ella soltando una risotada.

Colin borró la sonrisa de su rostro.

—Hablo muy en serio. ¿No te has fijado en que cada cierto tiempo hay sirvientes nuevos en casa? —Se rascó la sien—. En realidad, con bastante frecuencia. Y eso se debe a que rotan a las casas de otros empleados de la Corona. Me envían una nueva plantilla de sirvientes cada dos o tres proyectos asignados. De esa forma, los que trabajan aquí no saben en qué proyectos he trabajado con anterioridad ni en los que trabajaré después, por si acaso alguno ha oído hablar de algo o ha visto una falsificación. Es más seguro para ellos, supongo.

—¿Eres un espía? —preguntó Charlotte con el ceño fruncido.

—Desde luego que no —repuso él con una sonrisa—. Y tampoco soy un detective. Soy un falsificador. Eso es todo.

Charlotte volvió a contemplar la estancia y todo le pareció distinto a la luz de lo que su esposo le había contado. Todo aquello sonaba tan descabellado, tan extravagante...

—¿Adónde conduce esa escalera? —preguntó mientras señalaba con la frente.

Colin le echó un vistazo por encima del hombro.

—Lleva a la segunda planta, a mi dormitorio, aunque creo que nunca la he usado. Supongo que podría considerarse una vía de escape en caso necesario.

—Vaya... —Charlotte estaba anonadada... y también fascinada, la verdad.

—Bien —prosiguió Colin al tiempo que bajaba la pierna al suelo y se ponía en pie junto a la mesa, con la cadera apoyada contra el borde—. Puesto que estamos hablando de secretos, ¿no tienes ninguno que quieras compartir conmigo?

Charlotte volvió a mirarlo, aunque esa vez bajo una nueva luz. Se fijó en los musculosos brazos que revelaban las mangas enrolladas de la camisa, en la fuerza de su pecho y en esos rasgos duros de su rostro por los que cualquier mujer suspiraría. Era un hombre espectacular. Y después de lo que le había contado ese día en su taller secreto, Charlotte se dio cuenta por primera vez de lo mucho que lo admiraba. No quería abandonarlo. Ni perderlo.

Tras tomar una honda bocanada de aire para reunir coraje, dijo con suavidad:

—No sé si tengo alguno. Al menos, ninguno que pueda compararse con esta... confesión tuya.

—¿De veras? —Enarcó las cejas al tiempo que comenzaba a avanzar muy despacio en su dirección—. Sadie mencionó que habías recibido una maravillosa oferta para cantar en Milán.

Charlotte se quedó boquiabierta por la sorpresa.

—Eso es imposible.

—¿Imposible? ¿Quieres decir que está equivocada?

Colin se detuvo al llegar al extremo de la mesa, a medio metro de ella. Su expresión incrédula la puso nerviosa.

—No... quiero decir... Sí, hablé con el señor Barrington-Graham hace unos días, pero me sorprende que ella lo sepa.

—¿Te sorprende que ella lo sepa?

—Sí, me sorprende que ella lo sepa —repitió—. Porano también lo sabe; estaba en la oficina cuando Walter me lo dijo. Pero el director me pidió que no contara nada por el momento, hasta que él estuviera preparado para explicárselo al reparto. No tengo ni la menor idea de cómo se ha enterado Sadie de la oferta, aunque supongo que es posible que Porano se lo contara, o que haya escuchado algún rumor y lo haya dado por cierto. No debería saber nada al respecto.

—Pues lo sabe —espetó Colin—. Es más, insinuó que era del dominio público en el teatro. Al parecer, le hizo bastante ilusión contármelo.

—¿Te lo dijo antes o después del beso? —preguntó Charlotte enfadada.

El duque de Newark parpadeó desconcertado, y ella sonrió con suficiencia.

—Creo que antes de besarme —contestó él con una sonrisa lánguida.

Charlotte sabía que se había ruborizado.

—Y dime una cosa, excelencia, ¿cómo besa Sadie?

—Mi querida Lottie —respondió él muy despacio—, sus besos no se parecen en nada a los tuyos. Pero esa no es la cuestión.

—¿Cuál es la cuestión, entonces?

La estudió con los ojos entrecerrados y expresión pensativa.

—La cuestión es que hay gente que conoce tus planes desde hace días, y yo, que soy tu marido, no sabía nada. ¿Cómo es posible?

Exasperada, Charlotte agitó las manos en el aire.

—Porque intentaba encontrar la forma más adecuada de decírtelo para que no rechazaras la idea de plano antes de que las palabras salieran de mis labios.

Colin retrocedió un poco con el ceño fruncido.

—¿Por qué crees que iba a negarte semejante oportunidad sin... considerarlo, sin hablar siquiera?

Ella lo miró como si fuera estúpido.

—Porque según parece todavía no te has cansado de tenerme en tu cama. Además, tampoco te he proporcionado el heredero que acordamos.

Colin permaneció en silencio durante lo que pareció una eternidad, aunque su mandíbula estaba tensa y sus hombros parecían haberse abultado bajo el delgado tejido de lino de la camisa. Con todo, su mirada penetrante no se apartó de su esposa.

—¿De verdad crees que no hay nada más entre nosotros que lo que había cuando nos casamos?

Desazonada, Charlotte se apartó de la mecedora a toda prisa y pasó junto a él para situarse al otro lado de la estancia. Clavó la vista en las hileras de pinturas y sustancias químicas.

—¿Por qué insistes en poner las cosas más difíciles aún? —preguntó.

Él se quedó callado unos instantes.

—¿Y qué es lo que te estoy poniendo difícil, si puede saberse?

Por Dios, ¿de verdad no entendía nada o solo trataba de conseguir que fuera ella quien lo dijera?

Se dio la vuelta, puso los brazos en jarras y lo fulminó con la mirada.

—¿Vas a convertirla en tu amante?

Colin inclinó la cabeza hacia un lado para mirarla con curiosidad y con una pizca de malicia.

—¿A Sadie?

—Sí. O... a cualquier otra.

Él se encogió de hombros.

—No lo había pensado, no.

¿Eso era todo? A Charlotte le entraron ganas de ponerse a gritar a causa de la frustración. Cerró los ojos un momento y respiró hondo. Había llegado la hora de ser totalmente honesta.

—¿Estás enamorado de alguien, Colin? —preguntó mirándolo a los ojos una vez más.

La sonrisa afable del rostro masculino desapareció muy, muy despacio y su expresión se volvió seria una vez más.

—¿Qué es lo que me estás preguntando, Charlotte?

Ella tragó saliva y sintió un nudo en el estómago, pero no dejó de mirarlo.

—¿Piensas mantener una aventura amorosa con otra persona mientras estemos casados?

Los segundos transcurrieron muy despacio, en un silencio sepulcral. Luego Colin alzó un poco la barbilla y suspiró con fuerza.

—No si tú me das todo cuanto deseo —admitió con delicadeza.

Charlotte cambió el peso de su cuerpo de uno a otro pie, inquieta.

—¿Y qué es lo que deseas de mí exactamente, Colin?

El ardor de su mirada la abrasó por dentro e hizo que se le doblaran las rodillas. De repente, le daba mucho miedo escuchar su respuesta.

—Quiero que te quedes aquí, en Inglaterra, conmigo —murmuró con seriedad—. No quiero que me dejes para marcharte a Italia. Ahora no. No hasta que hayamos tenido la oportunidad de pasar más tiempo juntos. —Apretó los dientes antes de añadir con voz ronca—: Te necesito, Charlotte.

—Para satisfacerte en la cama —replicó ella.

Él negó con la cabeza.

—Para todo.

Jamás se habría esperado que admitiera algo semejante de una forma tan clara. Algo en su interior comenzó a derretirse, a anhelar cosas, a querer saber qué le daría él a cambio. Había asumido que hablaban de sexo, pero estaban discutiendo de algo más importante que eso, mucho más. Y Colin también lo sabía.

La tensión entre ellos se incrementó de inmediato e impregnó el ambiente. Colin se enderezó y comenzó a acercarse a ella sin dejar de mirarla.

—Y ahora que te lo he dicho —señaló en un tono grave y calmo—, es tu turno. ¿Qué es lo que quieres de mí exactamente, Charlotte?

Ella empezó a temblar y echó las manos hacia atrás para aferrarse al estante con los dedos.

—Si te soy sincera, no lo sé.

El duque negó con la cabeza muy despacio.

—No te creo.

En esos momentos ya estaba a su lado, la tenía acorralada para impedirle cualquier movimiento y la miraba a los ojos como si esperara oírle decir una verdad de vital importancia. Pero Charlotte se negaba a dejarse intimidar.

—No lo sé —dijo con voz tensa—. Yo... La parte lógica y testaruda de mí quiere que te busques una amante, que encuentres el amor y la pasión en otra parte y que me permitas viajar, cantar, sentirme satisfecha y cumplir mis sueños...

—¿Y la otra parte? —la interrumpió con brusquedad.

Charlotte se mordió los labios. Sabía que sus ojos revelaban la confusión que sentía y los anhelos que guardaba en su interior.

—La parte emotiva e irracional de mí misma —dijo por fin tras respirar hondo— quiere que me llames Lottie todos los días, que... que permanezcas a mi lado y no me dejes nunca, esté donde esté, para que no solo pueda sentirme satisfecha, sino también ser feliz. Quiere que me digas que soy más excitante, más bonita y... que beso mejor que Sadie.

La expresión se borró del rostro de Colin de absoluta incredulidad.

Charlotte cerró los ojos y se pasó la palma de la mano por la frente.

—Sé que es una estupidez...

Colin le levantó la barbilla con un dedo y ella no pudo evitar abrir los ojos para enfrentar su intensa mirada.

Él contempló su rostro, sus labios, con una sonrisa.

—Jamás he conocido a nadie que bese tan bien como tú, Charlotte —murmuró—, y nunca he conocido a una mujer tan hermosa. Eres asombrosa y mereces que todos tus sueños se hagan realidad. Lo único que tienes que hacer es pedirlo.

Los ojos de Charlotte se llenaron de lágrimas, aunque no apartó la vista del fascinante rostro de él.

—Quiero lo que nos falta —susurró con vehemencia, presa de una creciente determinación.

En ese efímero momento todo cambió entre ellos. Colin permaneció inmóvil durante un instante eterno, casi sin respirar, con la mirada clavada en la suya. Luego, muy lentamente, bajó la vista hasta su boca y le rozó los labios con el pulgar al tiempo que tragaba saliva con fuerza.

Charlotte no podía moverse, no podía apartar los ojos de su rostro mientras parpadeaba para deshacerse de las lágrimas. Le temblaba el cuerpo y él debió de notarlo, porque volvió a mirarla a los ojos, le cubrió la barbilla con la palma y se inclinó para besar la humedad de sus pestañas.

Ella suspiró y le rodeó el cuello con los brazos. Al ver que se rendía, Colin se apoderó de sus labios y, con un rápido movimiento, la cogió en brazos y la sacó del taller.

20

La sacó de la despensa y atravesó la cocina, interrumpiendo el beso el tiempo necesario para decirle a Betsy que cerrara con llave la puerta del taller.

No le importaba lo que pensaran los criados, no le importaba nada más que ella: esos labios exuberantes, esos pechos suaves que se apretaban contra su torso, esos brazos que se aferraban a su cuello como si temiera que la dejara caer.

«Quiero lo que nos falta...»

Ese anhelo desesperado expresado en voz baja era la llave que había abierto las cámaras más recónditas de su corazón y había dejado al descubierto las incertidumbres que compartían. Había deseado a Lottie English durante tanto tiempo que se había conformado con tenerla en su cama. Pero en ese momento deseaba algo más. Quería convertirse en la pasión principal de su esposa y entregarle cuanto quisiera a cambio.

A toda prisa y sin mucho esfuerzo, la llevó escalera arriba hasta su dormitorio, donde se detuvo solo lo necesario para cerrar la puerta de una patada.

—Colin...

—Chist... —le susurró junto a la mejilla—. Voy a hacerte el amor, Lottie...

—Todavía es pleno día —dijo ella vacilante.

Le rozó la boca con los labios mientras la dejaba en el suelo, justo al lado de la cama.

—Es el momento perfecto. Date la vuelta.

Ella hizo lo que le pedía sin rechistar. Colin le desabrochó el vestido con dedos hábiles y después introdujo las manos bajo el suave tejido para bajárselo por los hombros. Charlotte sacó los brazos de las mangas y tiró del corpiño que le apretaba los pechos mientras él le desataba el corsé. Menos de un minuto después estaba desnuda, de pie entre un montón de seda y enaguas. Colin recorrió su espalda desnuda con las palmas de las manos y deslizó los labios por su cuello, provocándole un escalofrío.

—Suéltate el pelo —murmuró mientras empezaba a desabotonarse la camisa.

Charlotte alzó los brazos y comenzó a quitarse las horquillas que le sujetaban las trenzas enrolladas en la coronilla. Acto seguido, introdujo los dedos entre los mechones para soltarlos y sacudió la cabeza a fin de que los rizos quedaran libres. Se mantuvo de espaldas a él, de cara a la cama, mientras Colin se quitaba la ropa y la arrojaba a un lado.

Duro y preparado, dio un paso hacia delante a fin de apretar su cuerpo contra el de ella. Charlotte jadeó al sentir su pecho contra los omóplatos y su miembro rígido contra la curva de la parte baja de la espalda. Él le apartó el pelo a un lado para volver a besarle el cuello y recorrió con los labios el borde de su oreja. Luego la rodeó con los brazos para cubrirle los pechos y masajearlos con suavidad.

—Quiero darte lo que falta —susurró.

Charlotte dejó escapar un gemido gutural. Echó la cabeza hacia atrás para apoyarla contra su pecho y le cubrió las manos con las suyas antes de empezar a acariciarle los nudillos con la yema de los dedos.

Un ramalazo de excitación le recorrió las ingles al sentir los pezones endurecidos contra las palmas de las manos. Atrapó el pulgar de su esposa y comenzó a arrastrar su mano derecha muy despacio por su vientre, acariciando cada centímetro de esa piel suave. Continuó el descenso hasta alcanzar su entrepierna e introdujo los dedos de ambos entre el suave vello rizado, hasta que ella separó los muslos de manera instintiva para proporcionarle un mejor acceso.

Sembró una hilera de besos a lo largo de su hombro, acariciándole la piel con los labios, mientras le masajeaba un pecho con la mano izquierda y mantenía la derecha inmóvil entre sus piernas. Luego le soltó el pulgar y cubrió la mano de Charlotte con la palma para introducir los dedos femeninos entre los pliegues de su sexo.

—Déjame sentir cómo te tocas —susurró. Le recorrió el cuello con los labios y notó que la calidez de su aliento le erizaba la piel.

Percibió la vacilación de Charlotte, pero con un suave pellizco en el pezón y el movimiento de sus propios dedos sobre los de ella consiguió que abandonara cualquier posible inhibición y comenzara a acariciarse a sí misma siguiendo sus indicaciones.

Cerró los ojos para sentir cómo su esposa se excitaba mientras él la estrechaba con fuerza y la instó a profundizar aún más en los recovecos de su feminidad. La humedad de su sexo empapaba los dedos de ambos cuando ella empezó a trazar pequeños círculos alrededor del clítoris. Colin siguió su ejemplo y luego retrocedió lo suficiente para situar su erección entre las nalgas femeninas antes de apretarse contra ella y besarle el cuello.

Ambos comenzaron a respirar con dificultad y, cuando por fin ella empezó a gemir y a mover las caderas al ritmo de las caricias, cuando dejó de acariciar los nudillos de la mano que le cubría el pecho para concentrarse en la sensaciones provocadas por los dedos que tenía entre las piernas, Colin supo que estaba a punto de llegar al orgasmo. Le apartó la mano con suavidad para aplacar el placer que crecía en su interior y ella emitió un gemido de agonía.

La sintió temblar mientras le cogía la mano y se la pasaba por encima el hombro para meterse sus dedos húmedos en la boca y succionarlos con un gruñido.

Charlotte contuvo el aliento y cuando apretó con más

fuerza la mano que aún le cubría el pecho, Colin se sintió embargado por una necesidad que no había sentido nunca antes. Estaba a punto de llegar al clímax con el mero hecho de olerla, de saborearla, de contemplar su excitación y su implacable deseo de complacerlo.

Con eso en mente, no pudo esperar más para tomarla. Con un rápido movimiento, se apartó un poco de ella y tiró de la colcha y de las sábanas para dejarlas a los pies de la cama. Luego le apoyó las manos en las caderas y la instó a tumbarse boca bajo sobre el colchón. Charlotte lo complació al momento y separó un tanto las piernas antes de apoyar la mejilla sobre la sábana. Tenía los ojos cerrados, el rostro ruborizado y el hermoso cabello extendido, sobre la almohada.

Colin se deleitó con la belleza de su espalda, sus curvas gráciles y perfectas, su piel suave y resplandeciente y los torneados músculos de sus brazos y de sus piernas. Después se arrodilló en el borde de la cama e introdujo la cara entre sus muslos para inhalar su esencia antes de deslizar la lengua a lo largo de su sexo.

Cuando Charlotte se tensó y dejó escapar un gemido, él se apresuró a encaramarse a la cama y le hizo darse la vuelta para poder mirarla a la cara.

Ella tenía los párpados cerrados y se lamió los labios mientras se estiraba por debajo de él.

—Mírame —murmuró Colin con una voz grave y tensa.

Charlotte abrió los ojos y lo observó con deseo, aceptación y ternura. Luego alzó una mano y le cubrió la mejilla con la palma.

—Colin...

Él respiró hondo, cautivado por la disposición de su esposa a entregarle todo cuanto deseaba, y recorrió su rostro con la mirada para grabar sus rasgos en la memoria antes de volver a centrarse en sus ojos.

—Lottie, mi hermosa duquesa —susurró, al tiempo que le cubría un pecho con la mano para acariciarle el pezón.

Charlotte parpadeó con rapidez y los profundos sentimientos que albergaba por él flotaron entre ellos, sin palabras. Fue en ese preciso momento cuando Colin supo que las cosas entre ellos no solo habían cambiado, sino que habían cambiado para siempre. Supo con exactitud qué era lo que faltaba en su relación, y la idea lo dejó aturdido.

Tragó saliva con fuerza, apretó la mandíbula y acarició su maravilloso cuerpo sin dejar de mirarla a los ojos. Luego apartó la mano femenina de su rostro para colocársela encima del pecho, sobre el corazón.

—Entrégame tu alma, Lottie —susurró—, y yo te entregaré el mundo.

Ella lo observó con detenimiento durante algunos segundos y después se le llenaran los ojos de lágrimas. Antes de dejarse llevar por sus propias y confusas emociones, Colin se inclinó hacia delante para apoderarse de su boca.

La besó con la pasión acumulada durante años de deseo y acarició su boca con los labios antes de invadirla con la lengua.

Charlotte le rodeó el cuello con los brazos y lo estrechó con fuerza mientras introducía los dedos en su cabello. Presa del súbito impulso de penetrarla y quedarse allí para siempre, Colin colocó una pierna sobre las de ella y apretó su miembro erecto contra la cadera femenina.

Su esposa gimió con suavidad contra sus labios cuando le masajeó el pecho y le acarició el pezón con los dedos. El deseo estalló de nuevo entre ellos y por fin llegó el momento de acabar con aquel delicioso tormento.

Se apartó de sus labios, colocó la mano bajo su rodilla a fin de alzársela un poco y buscó el núcleo húmedo de su feminidad con los dedos antes de empezar acariciarla, cada vez más profundamente, para llevarla aún más cerca del paraíso.

Charlotte gimió, cerró los ojos y se mordió los labios mientras mecía las caderas de manera instintiva al ritmo de sus caricias.

Colin se percató de que ella estaba a punto de llegar al clímax y se apresuró a apartar los dedos del tesoro oculto que lo aguardaba antes de acomodarse entre sus piernas. Agachó la cabeza para besarle un pezón y deslizó la lengua por la punta enhiesta antes de metérselo en la boca para succionarlo.

Charlotte se agitó bajo su cuerpo, jadeando casi tanto como él. Metió los dedos bajo su rodilla una vez más y le levantó una pierna al tiempo que se apoyaba sobre la mano libre y colocaba su erección en la entrada de su feminidad.

Su esposa lo notó y abrió los párpados para mirarlo.

Colin apretó la mandíbula y, con un movimiento rápido, se hundió hasta el fondo en su interior, cálido y tenso. Charlotte se puso rígida al notar aquella presión, pero se fue relajando poco a poco mientras él permanecía inmóvil, sin dejar de mirarla.

Ella se aferró a sus hombros con las manos.

—Me encanta tenerte dentro... —susurró.

El sincero comentario le arrancó un gruñido. Contempló maravillado su belleza, el deseo que la invadía. Era un momento de vital importancia para ambos, y él lo sabía. Estaban unidos de la manera más íntima posible y disfrutaban de esa nueva sensación de plenitud.

Apartó la mano de su rodilla para introducirla entre sus cuerpos y alzó las caderas lo justo para poder acariciarla y llevarla de nuevo al borde del abismo.

No dejó de observarla mientras la pasión crecía en su interior, pero se mantuvo inmóvil, concentrado en ella. Temía moverse y llegar al orgasmo demasiado pronto.

Charlotte no apartó la mirada ni un solo instante; tenía los ojos oscuros y vidriosos a causa de la pasión. Comenzó a jadear y a mecer las caderas a medida que el placer se incrementaba. Colin aumentó el ritmo de las caricias, abrumado por la imperiosa necesidad de verla alcanzar el éxtasis.

Momentos después, ella le clavó las uñas en los hombros y abrió los ojos de par en par. Él seguía sin moverse, fascinado al verla al borde del orgasmo. Y justo en ese instante, Charlotte embistió contra él un par de veces, echó la cabeza hacia atrás y cerró los párpados con fuerza, perdida entre gemidos de deliciosa agonía.

Colin se quedó quieto. El mero hecho de ver cómo se corría, de sentir las contracciones de placer que apretaban su miembro, le hizo perder la batalla y lo llevó a un punto sin retorno.

Le sujetó la barbilla para besarla con pasión y acallar de esa forma el ruidoso gruñido de satisfacción nacido en la profundidad de su propio pecho. Charlotte le devolvió el beso con abandono mientras él se retiraba de nuevo para volver a hundirse hasta el fondo en su interior. Y con ese único envite llegó el orgasmo, una oleada tras otra de un placer increíble, un intenso pedacito de cielo que recorrió su cuerpo mientras se derramaba dentro de ella.

Charlotte se estiró y se desperezó bajo las sábanas. Se sintió algo confundida durante un par de minutos, hasta que rozó la pierna de Colin con la suya y los recuerdos de lo sucedido durante las últimas horas asaltaron su mente.

Sonriendo, se acurrucó bajo las mantas.

Siempre recordaría esa noche: la forma en que la había excitado, su mirada cargada de deseo y, sobre todo, las emociones provocadas por lo que sentía por ella..., algo que su esposo no le había mostrado nunca antes y que, a buen seguro, jamás había experimentado. Claro estaba que esos sentimientos no eran más que una conjetura por su parte, ya que Colin no los había expresado verbalmente. Pero ella no era ninguna estúpida. Era evidente que si todavía no se había enamorado de ella, estaba muy, muy cerca de hacerlo. Al menos prefería creerlo, aun cuando Colin siguiera teniendo dudas acerca de su relación. De momento, estaba feliz y contenta.

Lo sintió moverse a su lado en la oscuridad y se colocó de costado para ponerle una pierna encima de las suyas.

Él echó una mano hacia atrás para acercarla más a su cuerpo y estrecharla contra su pecho.

—Roncas —dijo Colin con voz somnolienta.

Charlotte contuvo la risa.

—Lo sé.

Colin soltó un gruñido.

—¿Y no me lo dijiste?

—¿Por qué iba a decirte algo así? —Le acarició el cuello con la nariz—. Es probable que te hubieras negado a casarte conmigo.

Colin acomodó la cabeza en la almohada y clavó la mirada en ella, aunque Charlotte sospechaba que, dada la oscuridad reinante, no la veía muy bien.

—¿Te gustaría saber un secreto, querida esposa? —preguntó él en un tono cargado de buen humor.

—Hmmm... Por supuesto. Siempre me ocultas los mejores secretos.

Colin comenzó a recorrer su muslo con los dedos de la mano libre.

—Decidí que me casaría contigo tan pronto como te marchaste de mi estudio el día que viniste a verme con esa increíble y... descarada proposición.

Ella sonrió y le dio un pequeño beso en el mentón.

—Eso no es un secreto, Colin. Creo que habrías sido capaz de hacer algo tan cruel como dar una patada a un perrito con tal de casarte con Lottie English.

El duque rió por lo bajo y el sonido reverberó a través de su pecho.

—Eso no es cierto. No me habría supuesto ningún problema acostarme con Lottie English. El matrimonio, sin embargo, es una posibilidad mucho más arriesgada; no obstante, en el momento en que me hiciste tan inusual propuesta, supe con certeza que aceptaría. Solo necesitaba un poco de persuasión. —Le dio un beso en la coronilla—. Y para que veas lo bueno que soy, te diré que jamás he maltratado a un perrito.

Charlotte sonrió mientras acariciaba el escaso vello de su pecho con los dedos.

—A mí no me dio esa impresión, la verdad. Te enfadó bastante el hecho de encontrarte en semejante situación. Me di cuenta en cuanto viniste a casa de mi hermano para pedir mi mano.

Él gimió.

—Pero eso se debe a que un caballero siempre prefiere ser el primero en hacer la proposición. Me pusiste en una situación muy poco masculina.

Charlotte lo meditó durante unos instantes antes de preguntar:

—En ese caso, ¿qué motivos tenías para aceptar una proposición tan... poco refinada si no era acostarte con Lottie? Puedo garantizarte, milord, que no te habría resultado nada fácil seducirme.

Él se volvió un poco para poder ver sus ojos en la oscuridad.

—¿Ah, no? Creo que me habría resultado increíblemente fácil seducirte, cariño —bromeó—. Pero elegí el matrimonio porque eres una mujer extraordinaria en todos los aspectos, mi querida Charlotte.

Sacó el brazo de debajo de ella para poder tumbarse de costado, apoyar la cabeza en la almohada junto a la suya y mirarla.

—¿Por qué no te casaste antes? —quiso saber Charlotte, que hasta ese momento no se había planteado la pregunta—. Estoy segura de que tenías bastantes candidatas.

Tras un suspiro, Colin metió el brazo bajo las mantas para cogerle la rodilla y colocarle la pierna sobre su cadera a fin de poder acariciarla entre los muslos.

—No paras de hacer preguntas —respondió con dulzura.

Puesto que no le veía bien la cara, Charlotte no supo con seguridad si eso le hacía gracia o solo pretendía evitar el tema.

—¿Acaso es un secreto que no estás dispuesto a compartir conmigo? —insistió.

—Lottie, Lottie, Lottie... —dijo suspirando de nuevo—. ¿De verdad quieres saberlo?

Eso sí que la dejó intrigada.

—Por supuesto —contestó, quizá con demasiado entusiasmo—. Sabes lo mucho que me gustan los secretos.

—Lo cierto es que resultas de lo más encantadora cuando quieres algo —musitó él, al tiempo que alzaba una mano para apartarle un mechón de cabello de la mejilla.

—Gracias por el cumplido, mi apuesto duque. —Cogió su mano para besarle los dedos—. Pero dime por qué un hombre de tu posición al que le resulta tan fácil seducir a las damas ha permanecido soltero durante tantos años.

—Te esperaba a ti —respondió en un tono cargado de malicia.

En cierto modo, Charlotte esperaba que dijera algo similar, aunque eso no impidió que se sintiera conmovida. No obstante, también incrementó su curiosidad.

—Me siento halagada, por supuesto, pero esa respuesta es demasiado sencilla y de lo más conveniente.

Colin permaneció en silencio durante un buen rato, estudiándola en la oscuridad reinante. Ella aguardó mientras le acariciaba la pantorrilla con los pies.

—Lo cierto es —murmuró por fin después de tomar una honda bocanada de aire— que mi padre se casó con mi madre a los veintidós años. Ella lo amaba profundamente, pero a los veinticinco mi padre ya se había hartado de su esposa y se acostaba con cualquier cosa que llevara faldas. Yo... no quería ser como él.

Charlotte sintió que la ternura invadía su corazón; no por lo que había dicho, sino por la dulzura de su voz, por la sinceridad con la que había relatado algo que sin duda lo había traumatizado en su juventud.

—¿Tu padre no amaba a tu madre? —preguntó con mucho tiento.

Él se encogió de hombros.

—No lo sé, pero no creo que el amor tenga nada que ver con el deseo que le despertaban otras mujeres.

Charlotte no supo qué responder a eso.

—El de mis padres fue un matrimonio de conveniencia —reveló en voz baja—. No creo que estuvieran enamorados, pero tampoco que se fueran infieles el uno al otro.

—Charlotte, no creo que puedas estar segura de eso —afirmó Colin con voz apagada—. La mayoría de la gente mantiene aventuras discretas. Mi padre alardeaba de las suyas.

Había cierto matiz airado en sus palabras, y lo último que deseaba Charlotte en esos momentos, cuando estaban concentrados el uno en el otro tanto física como emocionalmente, era sacar a relucir recuerdos que lo incomodaban.

Se tumbó de espaldas y clavó la vista en el techo.

—Quizá ese sea el secreto de un buen matrimonio —comentó—. Si nunca esperas demasiado, jamás podrán romperte el corazón.

Se hizo el silencio, aunque Charlotte sabía que su esposo la observaba con detenimiento. Poco después, Colin se incorporó un poco sobre un codo y bajó la vista para llamar su atención, pero permaneció callado hasta que ella lo miró a los ojos.

—No hay ningún secreto —susurró tajante—. Algunas personas son felices y otras no. Y no creo que el amor tenga mucho que ver con eso.

—¿No crees que el amor en el matrimonio suponga una diferencia? —inquirió ella, que de pronto se sentía abatida.

Aun a pesar de la oscuridad, percibió una sonrisa en los labios de su marido.

—Yo no he dicho eso. —Levantó una mano para apartarle los rizos de la frente—. Por lo que he podido ver, hay gente que se casa por muchos motivos que nada tienen que ver con el amor y son fieles durante toda su vida. No sé por qué. También hay gente que se casa por amor y se descarría muy poco tiempo después. Nadie sabe por qué ocurren esas cosas, aunque creo que el mero hecho de que dos personas juren fidelidad ante Dios no garantiza que vayan a ser fieles.

Aunque entendía lo que quería decir, e incluso estaba de acuerdo, había algo en su actitud cínica que la hería en lo más hondo. Por primera vez desde que se casaran, Charlotte deseaba saber lo que sentía por ella, si le sería fiel, si la amaría. Sin embargo, no podía preguntárselo. No en esos momentos.

—Entonces ¿qué tiene que ver todo esto con el hecho de que esperaras para casarte? —preguntó, vacilante.

Él la observó durante unos instantes antes de acariciarle la mejilla con el dorso de la mano.

—No creo que este sea el mejor momento para hablar de eso —dijo con voz suave.

Charlotte se negaba a dejar que la conversación acabara de aquel modo.

—Dímelo, Colin —insistió, empleando un tono teñido de incertidumbre.

El duque dejó escapar un suspiro antes de apoyarle la mano en el pecho, justo por encima de los senos, y acariciarle la clavícula con el pulgar.

—Conoces muy bien mi reputación de seductor —dijo de mala gana.

Ella esbozó una amplia sonrisa.

—Sí, Colin, la conozco.

Él se tomó un momento para pensar bien lo que iba a decir.

—Gran parte de lo que dicen los rumores son exageraciones. No obstante, creo que..., creo que deseaba disfrutar de la variedad tanto como me fuera posible antes de sentar la cabeza con una única dama. —Bajó la voz para convertirla en un susurro—: Lo cierto es que no quería herir a mi esposa, como mi padre hizo con mi madre.

Charlotte se sintió invadida por una maravillosa serenidad. Se dio cuenta de que su marido había sido lo bastante caballeroso para elegir con cuidado sus palabras a fin de ahorrarse la vulgaridad de mencionar delante de ella que se había acostado con otras mujeres. No obstante, lo entendía muy bien. Ella trabajaba en el teatro, donde la lujuria y la indecencia estaban siempre presentes y eran aceptadas como parte de la vida cotidiana. Sabía a la perfección que los hombres se dejaban dominar por la pasión.

Aun así, no podía negar el ramalazo de celos que la recorrió por dentro al oírlo hablar de sus anteriores indiscreciones. No obstante, como él había señalado muy bien, su reputación siempre lo precedía. Con todo, lo más importante para ella era que su esposo no tenía ninguna intención de estropear su matrimonio con el tipo de dolor que había ensombrecido el de sus padres.

Estiró una mano para tocarle la cara, sin saber muy bien qué decir.

Colin le dio un beso en la palma.

—Si hay algo que debes recordar, Charlotte, es que mi pasado no tiene nada que ver con nosotros.

—Tiene mucho que ver con nosotros —repuso ella sonriendo—. Pero deberías saber que, cada vez que me cuentas un secreto, me siento más y más agradecida de que te hayas casado conmigo.

Colin tomó aliento con dificultad. Luego, con un movimiento rápido, la colocó sobre su cuerpo, apoyó una mano en sus nalgas y le apartó los rizos de la frente con la otra.

—Mi preciosa Lottie —susurró mirándola a los ojos—. No hay una mujer en el mundo más perfecta para mí que tú.

Charlotte deseó gritar al escuchar sus palabras, al percibir la sinceridad que teñía su voz. En lugar de eso, se inclinó hacia delante para apoderarse de su boca con los labios y disfrutar del momento.

21

Colin entró a hurtadillas en el camerino de Charlotte y cerró la puerta sin hacer ruido, con la falsificación completa de la partitura metida dentro del calcetín derecho. Se acercó a toda prisa al guardarropa y lo abrió; buscaba una de las cajas de música que pudiera abrirse con facilidad y permitiera un fácil descubrimiento.

Eligió la primera de las cuatro cajas que le quedaban a la altura de la cintura y la cogió. La colocó en el suelo, se arrodilló al lado y levantó la tapa.

Dentro había dos filas de distintos tipos de música vocal, entre las que se incluían papeles sueltos y libros; todo estaba bastante polvoriento y a primera vista no seguía ningún orden lógico.

Puesto que no oía nada al otro lado de la puerta que pudiera interrumpirlo, echó un vistazo por encima del hombro a fin de asegurarse de que seguía solo; luego se levantó la pernera del pantalón hasta la rodilla, se bajó el calcetín con mucho cuidado y extrajo las seis páginas de su primera falsificación musical. Una vez hecho esto, dejó la partitura sobre las otras mientras volvía a subirse el calcetín y se alisaba los pantalones, y después apiló las páginas con cuidado y se aseguró de que estuvieran en orden.

A sabiendas de que tenía poco tiempo, eligió de inmediato lo que Charlotte había descrito como un libro de vocalizaciones, lo abrió por la tercera página y colocó el duplicado en el interior. Tras asegurarse de que estaba bien escondido y a la vez era fácil de localizar, volvió a meter el libro en la caja, aunque esa vez lo colocó de pie junto a un montón de partituras sueltas, de tal manera que alrededor de un centímetro del duplicado sobresaliera del libro y se confundiera con el resto de los papeles de alrededor.

Luego se puso en pie, sacó otra caja e intercambió el lugar de ambas en el armario, de modo que la que contenía la falsificación quedara la segunda empezando por arriba, menos evidente para cualquiera que entrara a robar.

La súbita llamada a la puerta le hizo entrar en acción. Tan pronto como cerró el armario, las puertas del camerino se abrieron y Sadie asomó la cabeza al interior.

—¿Lottie? —preguntó. Tenía la cara maquillada para el ensayo final de vestuario antes de la noche del estreno y sus cejas pintadas se enarcaron al verlo—. ¿Excelencia?

Aunque tenía el corazón desbocado, Colin plantó una sonrisa en su rostro e intentó parecer avergonzado.

—Anne Balstone ha venido a buscarla hace unos minutos —dijo—. Creo que el director quería verla de inmediato.

—Ah... claro. Olvidé que la buscaba —respondió ella sonriendo satisfecha mientras se adentraba en la estancia. Después de cerrar la puerta, añadió—: Creí que estaría aquí, vistiéndose.

Colin no se lo tragó ni por un momento. Esa mujer había encontrado justo a la persona que buscaba, así que le siguió la corriente y le permitió quedarse a solas con él mientras Lottie seguía entretenida en otra parte.

—Veo que ya está preparada para el ensayo —comentó al tiempo que señalaba su atuendo con un gesto de cabeza.

Ella se echó un vistazo y alisó con las manos la cintura del disfraz de sirvienta.

—Sí, bueno, me sé bien mi papel y estoy impaciente por que llegue el día del estreno. —Empezó a pasearse hacia él con las manos en las caderas—. ¿Qué está haciendo aquí, excelencia?

Colin había supuesto que no tendría que hablar con ella sobre la partitura hasta más tarde, quizá hasta bien entrada la noche, después de encontrar una forma de sacar a colación el tema sin parecer demasiado obvio. Pero la súbita aparición de Sadie le había proporcionado una excelente oportunidad... siempre que su esposa no se presentara allí y los descubriera.

—Solo... esperaba a que regresara Lottie —contestó al tiempo que se rascaba la nuca sin dejar de observar cómo se acercaba.

—Yo creo que en realidad estaba buscando esa partitura tan singular —declaró ella con falsa timidez y una media sonrisa en sus labios pintados.

Colin rió entre dientes y dejó caer las manos a los costados.

—Es usted una mujer muy lista.

—¿Puedo ayudarlo? —se ofreció, ya muy cerca de él.

Aunque habría sido una magnífica oportunidad de descubrir cuánto sabía Sadie, Colin vaciló, preocupado por la posibilidad de que entrara Charlotte. Su esposa se quedaría bastante perpleja, sin duda, ya que hacer que Sadie buscara la partitura con él no formaba parte del plan.

—No se preocupe —ronroneó la francesa, que al parecer le había leído los pensamientos—, Lottie y el señor Barrington-Graham estarán absortos en su conversación hasta que comience el ensayo. Todavía tenemos tiempo.

—No puede estar segura de eso —replicando él, echando un deliberado vistazo a la puerta.

Sadie rió por lo bajo.

—Sí, sí que puedo, ya que ella también ha sido invitada a cantar en Florencia y el director querrá hablar sobre su inminente partida a Italia. Los pormenores son ahora mucho más complejos.

Esa asombrosa información lo pilló desprevenido y lo inquietó en extremo.

—¿Está segura? —inquirió con el ceño fruncido.

Ella pareció indignada.

—Por supuesto que estoy segura.

—¿Cómo es posible que usted sepa lo de esas invitaciones antes que ella misma?

Sadie frotó los pechos con descaro contra su torso y lo miró a los ojos con un interés evidente.

—Yo observo y escucho, Colin. Puede creerme si le digo que sé todo lo que ocurre en este teatro.

De eso no le cabía la más mínima duda. Sin embargo, lo más importante era que, si la información de Sadie era correcta, Charlotte se sentiría aún más tentada de viajar al extranjero, y él no tenía muy claro si su esposa dejaría que una oportunidad semejante se le escapara de entre los dedos.

Tras concentrarse una vez más en lo que ocurría en esos momentos, pasó por alto las insinuaciones sexuales de Sadie y repuso con voz ronca:

—En ese caso sí que tenemos algo de tiempo para buscar.

Justo cuando ella parecía dispuesta a atraparlo en otro largo beso, Colin se dio la vuelta y abrió la puerta del armario. Sadie suspiró, pero al parecer decidió que valía la pena renunciar a un abrazo a cambio de una fortuna. Eso, claro estaba, siempre que la francesa dispusiera realmente de información adicional sobre la partitura y fuera capaz de reconocer una obra original con solo verla, y Colin seguía pensando que así era.

—Ya he registrado la primera caja —dijo el duque al tiempo que levantaba la caja de arriba para permitirle acceder a la siguiente—. No he visto nada importante, aunque no estoy muy seguro del aspecto que tiene una partitura valiosa.

Sadie cogió la segunda caja y la sacó con facilidad.

—Le aseguro que yo no tendré ningún problema para reconocer música extraña si se encuentra aquí —repuso ella, muy segura de sí misma.

Colin permaneció en silencio mientras ella colocaba la caja con el duplicado de la partitura en el suelo, se arrodillaba al lado y quitaba a toda prisa la tapa.

La había escondido bien, se dijo, pero dado que no quería darle indicaciones, comenzó a rebuscar entre la música que yacía sobre el fondo para permitirle indagar en la pila que él había dejado en pie.

Examinaron el contenido durante un par de minutos: Colin fingiendo no saber nada y ella absorta en la búsqueda.

—¿Cómo sabe que lo ha escondido en su camerino? —inquirió Sadie sin mirarlo.

Colin se encogió de hombros con aire despreocupado.

—No lo sé. Pero he oído que tiene una partitura de valor incalculable y supongo que querrá venderla antes de marcharse al extranjero. Así que... ¿qué mejor lugar para esconderla que junto con otras partituras?

—¿No cree que es posible que Lottie la guarde en su casa?

—Es posible, supongo. —Hizo una pausa para darle efecto antes de replicar—: Pero tendría más sentido esconderla en un lugar accesible, donde a nadie se le ocurriría buscarla.

—Entiendo... —murmuró Sadie, que cogió por fin el libro de vocalizaciones—. A un ladrón nunca se le ocurriría buscarla entre la música que ella utiliza cada día.

—Sí, exacto.

—Y ella viene aquí todos los días, así que siempre la tiene a mano —añadió.

—Así es —dijo él a modo de elogio.

Sadie levantó la vista y sonrió.

—Aún no me ha dicho cómo llegó a enterarse de la existencia de esa partitura.

Colin se sentó en el suelo, como si lo desanimara la falta de progresos, y se dedicó a observarla.

—Según he oído, fue un regalo de despedida que le hizo un instructor vocal hace años.

Sadie se quedó inmóvil durante unos segundos, pero continuó examinando las partituras que tenía entre los dedos. La sonrisa desapareció de sus labios cuando se aproximó al libro de vocalizaciones.

—¿Y a quién le ha oído decir eso?

Colin tuvo que pensar rápido.

—A un aristócrata borracho durante una partida de cartas.

Ella le echó un rápido vistazo de reojo y frunció el ceño.

—¿A un miembro de la aristocracia?

—Sí, aunque no recuerdo su nombre.

—Ya veo. —Cogió el libro al fin—. ¿Y qué piensa hacer con la partitura si la encuentra, Colin?

Se le hizo un nudo en el estómago al ver que ella abría el tomo por la tercera página y comenzaba a hojear el duplicado.

—No lo sé, Sadie —respondió con tanta calma como pudo—. Quizá añadirla a mi colección personal. O venderla, tal vez. ¿Qué haría usted?

Ella pasó las páginas una a una con mucho cuidado.

—Yo... lo más seguro es que la vendiera, aunque todo depende de lo que valga. —Lo miró a la cara con un brillo malicioso en los ojos—. Si es que alguien puede vender algo que no tiene precio.

A Colin se le paró el corazón mientras ella lo estudiaba con expresión calculadora.

Y de pronto, en ese preciso instante, tuvo la respuesta que buscaba. Sadie cerró el libro de golpe y volvió a dejarlo en su lugar para coger otro.

Chica lista.

—Estoy seguro de que puede venderse —dijo él, que sentía la boca tan seca como un pergamino. Después soltó un gruñido para enfatizar sus palabras—: Ojalá supiera qué es con exactitud lo que estoy buscando.

Ella le dio unas palmaditas en el muslo antes de acariciárselo.

—No se preocupe, excelencia. Si está aquí, yo la encontraré.

Sadie siguió examinando las partituras restantes de la caja durante unos momentos; luego volvió a amontonarlo todo en una pila ordenada y se sentó sobre los talones.

—Por desgracia, no he visto nada en esta caja que se parezca a una obra de incalculable valor —comentó suspirando.

—¿Está segura de que la reconocería si la viera? —preguntó él una vez más para darle una última oportunidad de decir la verdad.

Sadie lo miró a los ojos sonriendo.

—Sí, si es muy antigua y es la obra de un genio. —Se inclinó hacia él antes de susurrar—: Soy muy buena en todo lo que hago, Colin.

Él sonrió con picardía.

—De eso no me cabe duda, Sadie.

Por suerte, las voces femeninas que se escucharon al otro lado de la puerta lograron que se pusieran en movimiento. Colin se puso en pie de un salto y cogió la caja para dejarla en su lugar a toda prisa. Luego retrocedió para que Sadie pudiera cerrar la puerta del armario.

Charlotte sabía que Colin la esperaba en el camerino, y puesto que no había vuelto a ver a Sadie desde que la francesa se marchara de la oficina de Walter, sospechaba que estaba con él.

Confiaba en su esposo con toda su alma, aunque no podía negar que se sentía algo preocupada, e incluso celosa, ante el mero hecho de saber que estaban juntos y a solas. Solo esperaba que Colin hubiera tenido tiempo de esconder el duplicado y, en caso contrario, que no hubiera desnudado a la mujer a la que ya no consideraba su amiga. Aunque eso no le parecía probable. No después de esa forma mágica de hacerle el amor.

De camino al camerino saludó a Anne y a otras dos chicas del reparto, aunque se detuvo solo el tiempo suficiente para hacerles saber que Walter estaba de camino y que el ensayo comenzaría en breve. Luego giró el pomo de la puerta y se adentró en la estancia.

Ver a su marido tan cerca de Sadie la angustió un poco, aunque consiguió actuar como si no le importara verlos a solas. Sadie parecía algo contrita, pero Colin la recorrió con la mirada como si la desnudara con los ojos. Charlotte lo encontró de lo más gracioso, ya que llevaba puesto el disfraz, un montón de maquillaje y una peluca.

—Excelencia —dijo con una ligera reverencia—. Sadie.

Dejó la puerta entreabierta y caminó hacia el centro del camerino muy despacio.

—¿Qué hacéis aquí? —preguntó con delicadeza, esperando que su marido ya hubiera ideado una respuesta.

Sadie se situó delante de él.

—Yo había venido a buscarte para decirte que empezaremos en menos de diez minutos. —Echó un vistazo por encima del hombro—. Su excelencia y yo hablábamos sobre música.

—¿Sobre música? —Levantó los brazos para ajustarse la peluca mientras se acercaba al tocador—. Espero no haber interrumpido nada importante.

—Por supuesto que no, Lottie, amor mío —respondió Colin en un tono cargado de ironía—. Estás espectacular, como siempre.

Charlotte lo observó a través del espejo. Tuvo que contener la risa y utilizar toda su fuerza de voluntad para no decirle que no se le daba nada bien actuar.

—Gracias, milord —contestó con indiferencia mientras encendía la lámpara que había junto a su caja de cosméticos.

Se hizo un momento de incómodo silencio.

Sadie se aclaró la garganta.

—Bueno, creo que debería marcharme ya —dijo con voz animada al tiempo que se deslizaba hacia la puerta—. Te veo en el escenario, Lottie.

—No tardaré más que un momento —dijo ella, contemplando su rostro en el espejo.

Tan pronto como se cerró la puerta tras la marcha de la francesa, Charlotte se dio la vuelta para mirar a su esposo.

—¿Qué ha ocurrido? —susurró a medida que se acercaba a él.

Colin sonrió.

—Lo sabe. La vio y no dijo ni una palabra acerca de su valor.

Ella puso los brazos en jarras y lo miró con escepticismo.

—¿Crees que se ha dado cuenta de que es una falsificación?

Colin compuso una expresión horrorizada, pero luego sonrió una vez más y tiró del cuello del disfraz para apretarla contra su cuerpo.

—Tú la viste —bromeó—. ¿Crees que se parecía al original?

Ella le rodeó el cuello con los brazos.

—Tienes razón, querido; si yo creí que se trataba del original, seguro que ella también. Pero ¿qué demonios hiciste para enseñársela?

Colin bajó las manos hasta su cintura y examinó su rostro.

—El maquillaje te ha transformado en un personaje fascinante.

Ella rió por lo bajo.

—Responde a mi pregunta, hombre insufrible —lo reprendió.

El duque se encogió de hombros.

—Acababa de esconderla cuando entró sin llamar y me preguntó qué estaba haciendo. —Le besó la punta de la nariz antes de añadir—: Me temo que tuve que improvisar.

Charlotte se apartó un poco y su expresión se volvió seria una vez más.

—Pero, aun en el caso de que lo sepa, es bastante posible que no trabaje con nadie y que le hayas revelado el escondite secreto de un tesoro que ella querrá robar para sí.

—Ya lo había pensado.

Ella enarcó las cejas con escepticismo.

—¿De veras? —preguntó.

—Pues sí, y por esa razón voy a eliminarla.

—¿Qué?

Colin esbozó una sonrisa.

—Bueno, en realidad no voy a deshacerme de la partitura, tan solo a cambiarla de sitio, por ahora.

Charlotte meneó la cabeza con aire confundido.

—¿Qué sentido tiene hacer eso?

—Tiene mucho sentido, cariño —explicó en voz baja—. Puesto que fingí no tener ni la menor idea del tipo de música que buscaba, Sadie no sospecha de mí en estos momentos... Bueno, eso siempre que haya creído lo que le he dicho. Voy a quitar de ahí el duplicado; de esa forma, si por casualidad ella vuelve a buscarlo, descubrirá que ha desaparecido, lo que solo podría significar, al menos para ella, que está en mi poder.

—¿Y después qué? —inquirió Charlotte, entusiasmada ante ese nuevo y emocionante giro de los acontecimientos—. ¿Nos enfrentaremos a ella?

Colin tiró de ella para tener sus pechos apretados contra el torso una vez más.

—La chantajearemos y descubriremos quién está detrás de todo esto.

Ella lo miró boquiabierta.

—¿Chantajearla?

—Le diré que estoy dispuesto a entregársela por un precio razonable. —Recorrió su columna vertebral con los dedos—. Eso debería agitar el avispero.

El sonido de la música de la orquesta interrumpió el diálogo de repente.

—Ya han comenzado a hacer ejercicios de calentamiento con los instrumentos —dijo, al tiempo que se alejaba de él—. Tengo que acudir al escenario antes de que alguien me eche de menos...

Colin la agarró del brazo para detenerla.

—Una cosa más —murmuró con voz seria, mirándola a los ojos—. Me he enterado de que te han ofrecido la posibilidad de cantar también en Florencia.

Ella parpadeó, aturdida y confusa durante unos segundos... hasta que comprendió que Sadie debía de haberle hablado sobre su reunión con Walter. Con una horrible sensación en la boca del estómago, forcejeó para liberar su brazo, y Colin se lo permitió.

—¿Por qué Sadie sabe esas cosas antes que yo? —preguntó frustrada.

Colin entornó los párpados y se puso rígido.

—¿Eso es lo único que te preocupa? —preguntó en voz baja a la vez que cruzaba los brazos sobre el pecho.

Charlotte percibió su súbito cambio de humor y supo de inmediato que no estaba muy contento con las noticias. Se dio la vuelta y se acercó al tocador para contemplar el revoltijo de cremas y frascos de maquillaje.

—Acabo de enterarme, Colin —repuso sin más—. Y sí, me preocupa. ¿Cómo es posible que lo sepa?

El duque respiró hondo y se inclinó hacia un lado para apoyar el hombro en la puerta del armario.

—No lo sé, Charlotte. Quizá tenga una aventura con Barrington-Graham. Tal vez sea él el tipo que está detrás de tu partitura original de Händel. Puede que Sadie os haya escuchado a escondidas desde detrás de la puerta, porque en el fondo es una persona de lo más ruin.

—No puedo creer ninguna de esas cosas —replicó Charlotte, que hizo un gesto negativo con la cabeza—. He trabajado con ella durante tres años, Colin, y jamás la he tenido por una embustera. —Agitó la mano en el aire—. Excepto en lo referente a ti y a la... atracción que despiertas en ella.

Él permaneció en silencio durante unos instantes, aunque Charlotte sabía con certeza que la estaba mirando; percibía su inseguridad. Luego lo oyó avanzar en su dirección y, justo cuando abrió los párpados de nuevo, él la rodeó con los brazos desde atrás, le dio un pequeño beso en el cuello y la miró a los ojos a través del espejo.

—También sabe lo de la partitura, de eso estoy seguro —aseguró con convicción—. Examinó dos o tres de las páginas y luego volvió a dejarla donde yo la había escondido. Sea quien sea su cómplice, pronto se enterará del descubrimiento, y entonces nosotros averiguaremos más cosas.

Charlotte asintió y le rodeó los brazos con los suyos.

—Tengo que irme. Mañana es la noche del estreno y este ensayo es de vital importancia. Además, no quiero que Sadie sospeche nada.

Colin respiró hondo otra vez, pero no apartó los brazos.

—Todavía no me has dicho nada de Florencia.

Ella tragó saliva y contempló el hermoso rostro de su marido en el reflejo.

—El director del Teatro della Pergola se ha enterado de la oferta de Milán y se ha puesto en contacto con Edward Hibbert. Walter me ha dicho lo de la oferta hace apenas un rato, pero aún no conozco los pormenores. Me enteraré mañana, cuando hable con Edward sobre los detalles.

—Claro... —respondió Colin.

Se miraron el uno al otro durante un momento. Después, Charlotte se volvió y le dio un beso fugaz.

—¿Qué piensas hacer con Sadie? —preguntó a su marido mientras se alejaba de él.

Colin se pasó los dedos por el cabello.

—Voy a dejarle una nota anónima para explicarle que tengo la partitura y que quiero reunirme con la persona al cargo mañana por la noche. Estoy seguro de que se pondrán en contacto conmigo.

Charlotte frunció el ceño.

—¿Anónima?

Él se encogió de hombros sonriendo.

—Solo para plantearle algunas dudas.

Charlotte le acarició la mejilla con la palma de la mano y recorrió con la mirada cada centímetro de su rostro.

—Gracias, Colin. Por todo.

Los rasgos de su esposo se volvieron serios mientras la observaba con detenimiento. Sin embargo, antes de que dijera nada, Charlotte se recogió las faldas y se marchó del camerino.

Colin contempló la nota que había escrito.

> Tengo la partitura original de Händel. Quiero reunirme con la persona para la que trabaja durante el segundo intermedio la noche del estreno, en su camerino. No debe haber ninguna persona más. Llévelo allí o jamás volverá a ver la obra.

Plegó la nota sin firma, escribió el nombre de Sadie en la parte delantera y la dejó sin sellar. Todo los miembros del reparto y del coro se encontraban en el escenario, pero hizo una pausa frente al camerino de Charlotte para asegurarse de que nadie lo había visto; después se dirigió con rapidez hacia su derecha, dejó atrás dos cuartos sin importancia y se situó frente al camerino de Sadie. Echó un rápido vistazo a su alrededor para cerciorarse de que no había nadie por allí y se arrodilló para meter el papel por debajo de la puerta. Una vez cumplido su objetivo, se puso en pie de inmediato y se abrió camino a través de los gigantescos cortinajes negros hacia la zona del público para contemplar la última actuación antes de la noche del estreno.

El plan de ataque se había puesto en marcha.

22

El teatro al completo rugía de entusiasmo y el tono de las risas y conversaciones aumentó de volumen cuando el reparto y los miembros del equipo de escenografía de la reposición londinense de *The Bohemian Girl* de Balfe llegaron al edificio la noche del estreno.

Charlotte llevaba en su camerino más de una hora, ajena a la excitación reinante a su alrededor. Comenzaron a llegarle notas, jarrones y ramos de flores de la gente que le deseaba suerte, de los dignatarios y de los miembros de la aristocracia que habían asistido a sus representaciones durante años y planeaban sentarse entre los espectadores esa noche.

Había llegado temprano ese día porque quería reunirse con Walter y con Edward Hibbert a fin de averiguar los detalles de la oferta para cantar en Italia. Y tal y como había previsto, se trataba de una propuesta maravillosa en todos los sentidos, razón por la cual estaba en esos momentos sentada frente al tocador con el vestuario de escena, contemplando su reflejo con una inmensa sensación de tristeza y de pesar, apenas consciente de que su doncella, Lucy Beth, se encontraba tras ella, colocando las últimas horquillas a la peluca.

Jamás en su vida había imaginado que llegaría a recibir una propuesta semejante, una gira financiada íntegramente por los teatros italianos que habían solicitado su presencia. Cantar en los escenarios de Milán y de Florencia le proporcionaría sin duda mucha fama en toda Europa, algo a lo que había aspirado desde que tenía uso de razón. Pero aun después de casarse con Colin, nunca habría creído que le resultaría tan difícil alejarse de él.

Nunca habría podido llegar a soñar que el amor que le inspiraban la música y el teatro estaría por debajo del que sentía por su marido; quizá por eso mismo sus sueños nunca habían girado en torno a Colin. Había crecido con la certeza de que se casaría algún día, por el mero hecho de que era su obligación; sin embargo, para ella el matrimonio significaba la clase de vida que habían llevado sus padres: aislamiento en lugar de libertad, perder oportunidades en lugar de aferrarse a ellas, obligaciones en lugar de risas. Si su vida hubiera resultado ser del mismo modo, la ópera habría seguido siendo su mayor pasión. Pero no, su vida no era de ese modo. Se había casado con un hombre intrigante, único, inteligente, honorable y de mucho talento que le había mostrado lo que era el placer en la cama y le había confiado sus más oscuros secretos. Un hombre que la admiraba, que disfrutaba de su compañía. A decir verdad, la oportunidad de estar con semejante hombre era un regalo que superaba con creces al de la música.

Pero ¿estaba realmente enamorado de ella? Esa pregunta la había atormentado sin cesar durante los últimos días, tanto que había tenido problemas para concentrarse en todo lo demás. Creía que sí, pero ¿cómo podría un hombre con un pasado tan excitante llegar a amar sin reservas a una sola mujer? Y si la amaba, ¿lo admitiría ante ella antes de que se embarcara en una fabulosa carrera?

Mientras Lucy Beth seguía peinando la peluca y poniéndole las horquillas, Charlotte cerró los ojos para escuchar el sonido distante de los músicos de la orquesta calentando antes del comienzo de la obra, que tendría lugar en menos de una hora. Había dormido bastante mal la noche anterior, y no solo por el nerviosismo que le producía actuar de nuevo ante la élite londinense, sino porque descubriría al fin quién había llegado hasta semejantes extremos para robarle su preciada partitura. Solo esperaba que la confrontación con los implicados siguiera el curso que Colin había previsto y que descubrir la verdad no la perturbara tanto que desafinara en el último acto.

Esa noche pensaba dar lo mejor de sí misma, como siempre, aunque con el consuelo añadido de saber que su esposo, el hombre al que amaba, estaría allí para observarla y protegerla, tal y como había venido haciendo desde el día en que se casaron, varios meses atrás.

La llamada a la puerta interrumpió sus pensamientos y la devolvió al presente, así que abrió los ojos y se sentó como era debido. Sin aguardar su respuesta, su esposo se adentró en la estancia. Estaba espectacular ataviado con un traje de noche hecho a medida consistente en una chaqueta negra con las solapas y el interior en seda blanca, una camisa con chorreras y un chaleco cruzado que se ceñía a la perfección a su magnífico torso. Para Charlotte, Colin jamás había tenido un aspecto tan poderoso y aristocrático como en esos momentos. El extraordinariamente apuesto duque de Newark la dejó sin aliento.

Lucy Beth abrió un poco la boca a causa de la sorpresa, pero se volvió y le hizo una reverencia con el peine y las horquillas en la mano. Charlotte le sonrió a través del espejo.

—Excelencia —dijo en tono agradable.

Él inclinó la cabeza a modo de saludo.

—Por favor, no dejéis que os interrumpa.

—Acabamos de terminar. Gracias, Lucy Beth, creo que eso es todo.

—Sí, señorita English —replicó la muchacha con timidez antes de realizar una última reverencia. Luego dejó el peine y las horquillas sobre el tocador y salió a toda prisa del camerino.

Colin cerró la puerta y se volvió para enfrentar su mirada.

—Estás muy hermosa, mi querida Lottie —dijo mientras se acercaba a ella muy despacio.

Charlotte soltó una breve carcajada y se puso en pie.

—¿Vestida como una sirvienta y con la cara embadurnada de maquillaje?

El duque de Newak se encogió de hombros, pero continuó su avance.

—Tienes unas curvas magníficas, te pongas lo que te pongas. Y el color de tus ojos y de tus labios me fascina, sobre todo desde lejos.

Ella esbozó una sonrisa sarcástica.

—¿Y la peluca?

—La peluca es atroz —aseguró Colin—. Nadie en el mundo tiene un cabello más hermoso que el tuyo.

Charlotte asintió con la cabeza.

—Me halaga usted, caballero.

Ya frente a ella, su esposo bajó la mirada hasta sus ojos y se puso serio.

—¿Estás nerviosa? —preguntó con tiento.

Se refería al plan, ya que muy pronto Sadie y su cómplice caerían en la trampa que él les había tendido el día anterior. A decir verdad, estaba preocupada por él, pero no quería que se enterara de eso.

—No mucho —respondió—, aunque estoy algo nerviosa por el comienzo de la representación.

—¿Has visto a Sadie hoy?

Ella negó con la cabeza.

—Y me alegra no haberlo hecho. No sé si sabría actuar lo bastante bien para fingir que no sé nada.

Al parecer, Colin no creyó necesario decir nada al respecto, ya que siguió observándola con los ojos entrecerrados. Charlotte lo entendía muy bien. Aún había cierta tensión entre ellos debido a la discusión sobre Florencia del día anterior, y sabía con certeza que su esposo deseaba escuchar los detalles.

Al final se decidió a sacar el tema a colación.

—Has hablado ya con Barrington-Graham y con Hibbert, ¿verdad?

—Sí —contestó sin rodeos—. Ese viaje al extranjero sería una magnífica oportunidad para mí y ellos lo saben, pero no están muy contentos con la situación. Walter tendrá que buscar a una nueva soprano para la temporada que viene, y a Edward le preocupan las dificultades económicas que el teatro podría llegar a tener...

Colin la rodeó con los brazos y le dio un suave beso en los labios para interrumpirla.

—No tenemos por qué hablar de esto ahora —susurró contra su boca.

Ella asintió y se apartó un poco.

—Aun así... quiero que sepas...

—¿Qué es lo que quieres que sepa? —la presionó Colin tras un instante, con una mirada severa y la mandíbula tensa.

Charlotte dio una trémula bocanada de aire.

—No estoy segura de querer ir —susurró.

Durante un momento eterno, el duque se limitó a mirarla con intensidad.

—¿Por qué? —murmuró al fin.

Sabía que la conversación llegaría a ese punto, que se vería obligada a confesar que estaba dispuesta a renunciar al deseo de fama y reconocimiento si su esposo admitía que la amaba. Si Colin le pedía que se quedara porque la amaba, ella se quedaría.

—No quiero dejarte, Colin.

Sintió que él se relajaba.

—No tienes por qué hacerlo.

—Puedes venir conmigo —sugirió en voz baja.

Él entrecerró los ojos antes de soltarla y retroceder muy despacio.

—¿En calidad de qué, Charlotte? ¿Quién sería? —preguntó—. Nuestras prioridades y deseos han cambiado desde que nos casamos. Ya no quiero que te marches. Creí que había sido más que claro a ese respecto.

Charlotte irguió los hombros y se enfrentó a él con expresión desafiante.

—Sí, Colin, has sido muy claro —repuso con total sinceridad—. Pero ¿no se te ha ocurrido pensar que podrías acompañarme como mi marido?

Deseó poder retirar esas palabras en el mismo instante que salieron de sus labios. Aunque él jamás lo había dicho, sabía con certeza que revelar el hecho de que Lottie English era la duquesa de Newark dañaría de forma irreparable su reputación como aristócrata. Y de ser así, ella se vería obligada a renunciar a los escenarios para siempre, y sabía en el fondo de su alma que Colin nunca se perdonaría a sí mismo haberla obligado a elegir entre él y su pasión por la música.

Charlotte extendió un brazo para colocarle la mano sobre el pecho.

—Eres dueño de mi alma, Colin. Me pediste que te la entregara y lo he hecho. —A continuación añadió con lágrimas en los ojos—: Ahora debes cumplir tu promesa y entregarme el mundo.

Él frunció el ceño y meneó la cabeza perplejo. Pero en cuanto comprendió lo que quería decir, su rostro se convirtió en una máscara inexpresiva y se quedó inmóvil frente a ella.

—¿Qué es lo que quieres de mí, Charlotte? ¿Que te dé permiso para marcharte? —susurró con voz ronca—. ¿Qué es lo que quieres que diga?

Charlotte aferró con fuerza los volantes de la camisa.

—Sabes muy bien qué es lo que te pido —afirmó con vehemencia—. Entrégame el mundo y me quedaré.

Colin tensó la mandíbula y la miró con ferocidad.

Ella aguardó y le concedió unos instantes, pero su esposo no dijo ni una palabra. O bien no comprendía lo que deseaba oírle decir o bien se negaba a expresarlo por razones desconocidas. Fuera cual fuese el caso, ella no estaba dispuesta a coaccionarlo, ni a avergonzarlo, para que admitiera que la amaba. Eso tendría que descubrirlo por sí mismo. Y tendría que hacerlo a tiempo.

Muy despacio, apartó la mano de su pecho, cerró los párpados y, sin decir nada más, se dirigió hacia la puerta para salir del camerino.

La noche de estreno en la Royal Italian Opera House de Covent Garden era un espectáculo digno de contemplar, una noche mágica llena de luces y glamour, de risas y romances. Sin embargo, Colin era ajeno a todo eso. Estaba muy preocupado y no pensaba en otra cosa que en la súplica apasionada que le había hecho su esposa.

«Entrégame el mundo y me quedaré...»

Sabía lo que ella quería oír; no era ningún estúpido. No obstante, sabía que, si admitía que estaba enamorado de ella, Charlotte se quedaría a su lado y se arrepentiría siempre de haber dejado atrás el mayor sueño de su vida.

Se negaba a considerar la posibilidad de dejarla marchar, y la acompañaría de buena gana hasta los confines del mundo si ella se lo pedía. Pero antes debía saber sin el menor género de dudas que Charlotte lo amaba más que a ninguna otra cosa en su vida. No solo oírselo decir, sino saberlo, sentirlo.

Esa noche sería el cénit de varios meses de preparación: tanto para ella en el teatro como para ambos, ya que descubrirían a quienes codiciaban su preciado manuscrito. Y la excitación que le provocaban ambas cosas no hizo más que aumentar cuando se adentró en el vestíbulo principal del teatro de la ópera.

Apenas se fijó en las damas ataviadas con sedas, satenes y joyas, y solo saludó brevemente a los miembros de la nobleza que se encontró de camino al palco. Le había pedido a sir Thomas que acudiera también esa noche y le había proporcionado los detalles del inminente enfrentamiento, aunque no creía que fuera necesario arrestar a nadie. Su objetivo era descubrir la verdad, y si sir Thomas podía ayudar en algo, tanto mejor.

Colin tomó asiento en su palco, pero los espectadores no dejaban de llegar. Contempló desde arriba a la élite de la aristocracia que llenaba las butacas que había más abajo y también frente a él, si bien sabía que los acontecimientos más importantes tendrían lugar más tarde tras el escenario. Aunque, por supuesto, eso solo ocurriría si las cosas salían como esperaba. No sabía si Sadie había leído la nota, pero daba por hecho que sí y que a la francesa la ponía más nerviosa ese encuentro que el comienzo de la obra.

Por fin, el director de la orquesta hizo su aparición entre fanfarrias y aplausos. Ocupó sin demora su lugar frente a los músicos y alzó las manos con la batuta, momento en el que los espectadores guardaron silencio y dio comienzo el espectáculo.

Puesto que había asistido a diario a los ensayos, Colin conocía bien la música y la representación, y sabía que su esposa no aparecería hasta el segundo acto. No obstante, el primer acto era bastante corto a fin de que Porano pudiera acaparar la atención que deseaba mientras ocupaba su lugar en el escenario.

Sadie hizo su aparición como Buda, y Colin la observó con detenimiento desde el palco, si bien desde su asiento no podía apreciar si estaba nerviosa o distraída. Cantó como una profesional en el coro, pero su único solo en la obra era hablado. En su opinión, sin embargo, jamás llegaría a cantar con la habilidad y el talento de su esposa, ni siquiera a una edad más madura o en circunstancias diferentes.

Colin permaneció en el palco durante el primer intermedio sin dejar de vigilar a la audiencia, aunque no vio nada fuera de lo normal. Cuando comenzó el segundo acto, se inclinó hacia delante en el asiento con los gemelos en la mano, preparado para la aparición de Charlotte en el escenario.

La extraordinaria Lottie English fue recibida con una ovación de aplausos entusiastas, quizá más entusiastas que los que había obtenido Porano. Comenzó a cantar de manera soberbia y Colin se reclinó en el asiento, hechizado por su actuación.

Jamás en su vida se había sentido tan orgulloso de alguien. Su esposa resplandecía en el escenario con una voz tan hermosa como su aspecto, y su reacción fue la misma que la de los espectadores. Se había casado con una mujer increíble y escucharla en esos momentos, verla actuar, le produjo una asombrosa sensación de sobrecogimiento, incluso de paz.

No creía haber estado enamorado nunca. Había perseguido a muchas mujeres de aquí y de allá, les había hecho el amor en ocasiones, pero nunca le habían concedido un regalo tan valioso. Nunca había tenido a alguien que le perteneciera únicamente a él. Si había amado a alguien antes de esa noche, ni siquiera merecía comparación; nunca había sentido la marea abrasadora de felicidad que lo inundaba en esos momentos.

Sin embargo, aunque sonreía a su esposa embargado por una increíble sensación de satisfacción, su primer solo lo dejó cautivado, y eso no le había ocurrido en las muchas veces que la había oído cantarlo con anterioridad. Se inclinó hacia delante en el asiento, escuchando extasiado las palabras mientras ella interpretaba una de las más grandes arias de Balfe.

Soñé que moraba en estancias de mármol,
con siervos y vasallos a mi alrededor,
y que, de todos los reunidos dentro de esos muros,
yo era el orgullo y la ilusión.
Poseía riquezas de incalculable valía,
y podía hacer gala de un importante apellido familiar.
Pero también soñé, y eso fue lo que me gustó más,
que tú seguías amándome igual...

Colin tragó saliva emocionado al escuchar esas palabras cantadas por su bella, fascinante y cariñosa esposa. Se había convertido en Arline, la chica bohemia que recordaba haber nacido aristócrata, que soñaba con ello. Del mismo modo que Charlotte había soñado con ser ella misma en el mundo de Lottie English. Durante el tiempo que había vivido con su hermano, había sido una dama a la que le habían negado el reconocimiento que merecía sobre los escenarios; y durante su vida como duquesa de Newark él no había hecho más que proporcionarle la aclamación que merecía.

«Entrégame el mundo y me quedaré...»

En ese momento comprendió con exactitud lo que ella deseaba: su apellido y su amor. Lo quería todo, y para él supondría un enorme placer entregárselo.

23

Cerca del final del segundo acto, Colin se levantó de su asiento y salió del palco sin que nadie se diera cuenta. Del mismo modo que había hecho meses atrás, cuando conoció a la maravillosa Lottie English, atravesó los cortinajes para llegar al pasillo que conducía a la zona de bastidores. En esta ocasión, sin embargo, no necesitaba anunciarse, así que se limitó a saludar con una inclinación de cabeza al hombre que custodiaba la puerta antes de adentrarse en la oscuridad en dirección al camerino de Sadie.

Tenía los nervios a flor de piel y el corazón le latía desbocado en el pecho mientras escuchaba al coro desde detrás de los cortinajes, a sabiendas de que tenía poco tiempo antes de que comenzara el segundo intermedio. Sin embargo, a diferencia de la última vez que se aventuró en la zona de bastidores durante una actuación, esa noche nadie le prestaba la más mínima atención. Todas las personas que trabajaban en la obra se habían acostumbrado a verlo y lo tomaban por el perezoso amante de Lottie English. Algo que, por el momento, estaba resultando ser una ventaja.

Después de pasar junto al camerino de Lottie, echó un vistazo a su alrededor para asegurarse de que nadie lo veía y luego giró el pomo de la puerta de Sadie y la abrió.

Había una pequeña lámpara encendida sobre el tocador situado al fondo, pero no vio a nadie en la estancia. Entró en el cuarto a toda prisa y cerró la puerta tras de sí.

Puesto que era mucho más pequeño que el de Lottie, en el camerino de Sadie solo había un pequeño tocador dotado de espejo para la aplicación de los cosméticos y una silla al lado. Y no solo era más modesto en su tamaño, también carecía de ventanas, del espacio necesario para un armario y del aroma de las flores ofrecidas por los admiradores.

Colin solo tardó un segundo en darse cuenta de que Sadie debía de sentirse mucho más celosa de lo que Charlotte creía. Estaba claro que poseía la ambición de su esposa, aunque no el talento ni la celebridad entre un público que la adoraba, y el hecho de estar siempre a la sombra de Lottie hacía que la desesperación de la francesa resultara mucho más comprensible.

De pronto, los espectadores prorrumpieron en vítores y aplausos, y Colin retrocedió de nuevo hasta la puerta con la intención de sorprender a los implicados, que con un poco de suerte llegarían en unos minutos.

No tardaron tanto. En cuestión de segundos, el pomo giró y Sadie entró en el camerino... acompañada por Charles Hughes, conde de Brixham.

Colin no se había sentido tan sorprendido en toda su vida. En esa diminuta estancia, al lado de la francesa, estaba su cuñado, ataviado para el espectáculo con un excelente traje azul marino de alto cuello y corbata. Por un momento, el tipo pareció confundido. Luego, cuando se dio la vuelta y lo vio, se quedó boquiabierto y pálido.

—Vaya, Brixham, me sorprende verlo aquí—dijo en tono agradable. Mantuvo la furia a raya mientras cerraba la puerta y se situaba delante para impedir un mutis indeseado—. Y con una actriz, nada menos. Tenía entendido que usted se creía muy por encima de semejantes damas.

La súbita furia de Charles Hughes se hizo casi palpable en el ambiente cuando el conde comenzó a atar cabos. Se le hincharon las aletas de la nariz y su rostro pasó del blanco a un desagradable tono rojizo. Sadie no se movió de su lado, aunque entornó los párpados con recelo.

Colin se limitó a sonreír a ambos antes de apoyar la espalda contra la puerta y cruzar los brazos a la altura del pecho.

—Excelencia —comenzó Sadie, cuyo acento se mezclaba con el sarcasmo—, no tenía ni idea de que podía llegar a ser tan embustero.

—Me encanta la buena música —respondió el conde con un encogimiento de hombros y sin apartar la mirada de Brixham.

—¿Dónde está? —inquirió la francesa—. ¿Qué clase de trato quiere? ¿Por qué nos ha hecho venir aquí cuando podría haberla vendido usted mismo?

—Cállate ya —dijo Brixham por fin en tono tenso—. Esto no tiene nada que ver con la partitura.

Sadie miró al conde durante unos instantes con expresión hastiada. Luego le dio la espalda e ignoró la orden que le había dado.

—¿Por qué nos ha traído aquí, Colin? —quiso saber la francesa, que comenzó a acercarse a él muy despacio—. ¿Dónde está la partitura?

—Quiero que el conde me dé algunas respuestas —replicó él, que mantuvo un tono frívolo pese a la furia y el resentimiento que lo embargaban—. ¿Por qué está aquí, Brixham?

—¿De qué se conocen ustedes? —preguntó Sadie, cada vez más escamada.

La súbita llamada a la puerta los sobresaltó a todos. Colin extendió una mano hacia atrás para girar el picaporte sin apartar los ojos de su cuñado.

—Qué conveniente... —dijo con voz alegre—. Ha llegado la policía.

Tanto el conde como Sadie dieron un paso atrás, aterrados, cuando sir Thomas entró en la estancia tirando de los puños de su camisa.

—Excelencia —dijo con una inclinación de cabeza, haciendo gala de su acostumbrada formalidad. Después se volvió para saludar a Brixham—. Parece usted algo alterado, milord.

A decir verdad, el conde parecía de lo más incómodo: tenía el rostro enrojecido y los labios blancos, apretados contra los dientes.

—No está alterado, sir Thomas —repuso Colin en su lugar mientras cerraba la puerta una vez más—. Lo que pasa es que no le gusta demasiado la ópera, en especial cuando existe la posibilidad de que alguien se dé cuenta de lo mucho que se parece a la soprano principal.

Sadie se recobró enseguida.

—Creo que me necesitan en escena...

—No tan deprisa, señorita —la interrumpió sir Thomas sonriendo—. He venido aquí a petición de su excelencia el duque de Newark, y creo que él desea que esta pequeña fiesta continúe. —Miró a Colin—. ¿Me equivoco?

—Desde luego que no —aseguró Colin—. Y dado que la dama no es más que un miembro más del coro, creo que nadie notará su ausencia si no regresa para el acto final.

Sadie parpadeó; se había quedado muda de asombro y se limitó a mirarlo de arriba abajo.

Colin no le prestó ni la más mínima atención, ya que seguía concentrado en su cuñado. Dejó a un lado el sarcasmo y compuso una expresión de desdén.

—Se lo preguntaré por última vez: ¿por qué está aquí, Brixham?

La llegada de Lottie provocó una súbita conmoción, y su voz al otro lado de la puerta del camerino impidió que el conde respondiera de inmediato, aunque tenía la frente cubierta de sudor y tiraba del cuello de su camisa como si lo ahogara.

—Sir Thomas no pertenece a la policía —señaló Brixham con voz aguda—, y esta pequeña pesquisa judicial no es más que una farsa. Solo estoy aquí en representación de mi hermana, porque me he enterado de que alguien trata de robarle su valiosa partitura.

Sadie ahogó una exclamación.

—Eso no es cierto. Lottie no es su hermana...

—Cállate ya, muchacha ignorante —espetó Brixham, cuyos ojos se habían convertido en meras rendijas.

—¿Qué está ocurriendo aquí? —preguntó la francesa, ya más furiosa que confundida.

Colin se encogió de hombros.

—Preguntémosle a Lottie, ¿les parece?

Ateniéndose al plan, Colin abrió la puerta por segunda vez para dejar entrar a su esposa. Charlotte tenía los ojos brillantes y las mejillas sonrosadas a causa de la actuación sobre el escenario..., pero perdió el color al ver a su hermano al lado de Sadie.

Se detuvo de golpe junto a Colin, echó un rápido vistazo a todas las personas que se encontraban en el camerino y se quedó al pálida al comprender quién estaba detrás de todo aquello. Al ver que comenzaba a temblar, Colin le cogió una mano y se la apretó con fuerza.

—¿Qué decía, Brixham? —repitió—. Por favor, explíquele a su hermana por qué ha hecho esto.

—No he hecho nada —susurró el hombre con voz furiosa.

Sadie retrocedió un par de pasos y se dejó caer sobre la silla del tocador, mirándolos con la boca abierta.

—Ella no es una dama... no lo es —murmuró en un intento por convencerse a sí misma de lo que decía.

Colin respiró hondo y se dirigió a ella por primera vez.

—No solo es una dama, señorita Piaget, sino que también es mi esposa, la duquesa de Newark. Y creo que ya es hora de que le muestre algo más de respeto del que le ha mostrado hasta el momento.

Sadie abrió los ojos como platos y, por primera vez, pareció a punto de desmayarse.

Brixham se irguió de pronto y tiró de los faldones de su chaqueta antes de caminar hacia la puerta con la intención de marcharse de allí. Sir Thomas se situó rápidamente delante del hombre con una expresión de desprecio dibujada en su rostro.

—A mí también me gustaría escuchar sus explicaciones, milord —dijo con sequedad—. ¿Es cierto que ha intentado hacer daño a su hermana para apoderarse de una singular partitura musical?

Brixham dio un paso atrás y recorrió a sir Thomas con la mirada, horrorizado.

—Por supuesto que no.

—Él nunca me haría daño —dijo Charlotte por fin con voz ahogada—. Pero sí que me habrías robado la partitura original de Händel, ¿verdad, Charles? ¿Pensabas venderla para pagar tus deudas?

El conde se enjugó el sudor de su enorme frente con el dorso de la mano.

—Este no es lugar para hablar sobre eso...

—¿De veras? Pues a mí me parece el lugar perfecto para hablar sobre esto —alegó ella, que se sonrojaba de furia por momentos.

—Todos hemos venido vestidos para la ocasión —añadió Colin—. Tiene cinco minutos para explicarse antes de que su hermana regrese al escenario.

Charlotte le soltó la mano y puso los brazos en jarras mientras se acercaba a su hermano.

—¿Cómo te enteraste de que estaba en mi poder, Charles?

—Vio la partitura —contestó Sadie en su lugar, algo más recuperada—. Al menos, eso fue lo que me dijo.

—¡Cierra la boca! —gritó Brixham.

—No pienso hacerlo —replicó la francesa, que se levantó de nuevo para enfrentarse a él—. Me dijiste que la habías visto una vez, pero no me contaste los detalles. ¿Por qué? ¿Porque no querías que supiera que Lottie English es tu hermana?

El conde de Brixham parecía a punto de estallar.

Colin cruzó los brazos sobre el pecho mientras avanzaba lentamente hacia su cuñado.

—¿Cómo se enteró de la existencia de la partitura? Charlotte la mantenía escondida y no le dijo a nadie que la tenía.

El conde guardó silencio hasta que, al fin, sir Thomas se aclaró la garganta.

—Tal vez se encontraría usted más cómodo hablando de esto con un detective, milord...

—Desde luego que no —intervino Brixham. Por lo visto, el miedo a arruinar su buen nombre le había soltado la lengua—. No quiero tener nada que ver con la policía.

—Estupendo —respondió sir Thomas—. En ese caso, ¿qué estaba a punto de decirnos?

Brixham tragó saliva con tanta fuerza que la nuez de su garganta pareció quedarse atascada. Después clavó una mirada furiosa en Charlotte.

—Sabía que estaba en tu poder. Tu instructor vino a verme poco después de que te prohibiera continuar con esas ridículas lecciones. Le expliqué que debías casarte, dejar esa tontería del canto y comportarte como la dama que eres. ¡El lugar de la hermana de un conde no está en los escenarios!

Sadie se encogió; sir Thomas meneó la cabeza y bajó la vista. Incluso a Colin le sorprendió la vehemencia del conde. Sin embargo, Charlotte permaneció impasible ante la confesión de su hermano y guardó la compostura mientras sacaba sus propias conclusiones.

—Sir Randolph te dijo que tenía planeado entregármela, ¿verdad, Charles? —preguntó sin rodeos—. Te dijo que conocía mis sueños, que iba a darme la partitura para asegurar mi futuro. —Meneó la cabeza con desdén—. Pero ¿por qué la buscas ahora? Hace años que la tengo.

Brixham la fulminó con la mirada.

—Porque no la has vendido para financiar tu gira por el continente, ¿verdad, Charlotte? Y aquí estás esta noche, en Londres, poniendo en peligro el buen nombre de nuestra familia vestida con ese... disfraz. —Miró a Colin con expresión asqueada—. Ni siquiera tu marido ha sido capaz de acabar con esta indecencia.

—La ópera no tiene nada de indecente —dijo Charlotte, que mantenía a raya la furia que la embargaba—. Y mi marido es un hombre justo que sabe que mi lugar está sobre el escenario.

—¡Tu lugar está en casa, cuidando de tus hijos!

Presa de la ira, Colin se acercó a su cuñado, lo agarró por la corbata y lo empujó contra la pared.

—Lo que Charlotte haga o deje de hacer ya no es asunto suyo —murmuró con los dientes apretados.

—Basta, Colin —dijo Charlotte, que se encontraba detrás de él.

Colin se controló un poco y aflojó la mano que le sujetaba por el cuello, pero no dejó de mirarlo.

—¿Por qué ahora?

—Quería que Lottie English desapareciera —replicó el conde de inmediato en un tono cargado de rabia—. Si vendía esa valiosa partitura podría librarme de la amenaza de que la descubrieran, pagar mis deudas y vivir en la opulencia durante el resto de mi vida. —Alzó la barbilla y miró a Charlotte—. Si tú no estabas dispuesta a venderla para salvarnos, yo sí.

Colin dio un paso atrás. De repente lo comprendía todo.

—Usted es el responsable de la oferta de viajar a Italia, ¿verdad?

—¿Qué? —inquirió Charlotte jadeando.

Brixham entornó los párpados.

—Suélteme, milord.

Colin apartó la mano, pero después de mirar a Sadie y la sonrisa maliciosa y satisfecha de su rostro, supo con certeza que no se había equivocado.

—Y usted lo sabía, ¿no es así? —preguntó a la francesa.

—No puedo creerlo —gimió Charlotte a su espalda.

—Es cierto, ¿verdad, Brixham? —murmuró al tiempo que apretaba los puños a los costados—. ¿Qué fue lo que hizo? ¿Se puso en contacto con los gerentes de los teatros directamente? ¿Les ofreció dinero para pagar a su hermana con la idea de que pronto conseguiría los fondos necesarios para hacerlo? Se habría sentido muy aliviado si ella se marchara a Europa, ¿no es así?

—Charles, dime que no es cierto —susurró Charlotte antes de avanzar hacia su hermano.

—Por supuesto que lo es —repuso Colin en su lugar—. Y se lo dijo a Sadie; por eso ella se enteraba de las ofertas antes que tú. —Miró a la francesa una vez más—. ¿Qué le prometió? ¿Dinero? ¿Le hizo creer la absurda idea de que sería usted quien ocupara su lugar aquí?

Se hizo un silencio sepulcral que reinó durante un largo y tenso momento. Sin embargo, y a pesar de que se había descubierto el pastel, Brixham no admitió nada.

Finalmente, sir Thomas tomó una profunda bocanada de aire y lo soltó en un ruidoso suspiro.

—Por desgracia, aunque ambos merecerían convertirse en el alimento de los fieros leones de la sociedad, no veo ningún posible crimen aquí...

—Pues lo hay —intervino Colin antes de mirar a Sadie—. Alguien intentó hacer daño a mi esposa.

—Yo no tuve nada que ver con eso —farfulló Brixham a la defensiva—. Jamás ordené que hicieran daño a mi hermana; la sola idea me horroriza.

—¿Porque ha conseguido ayudarlo con sus deudas casándose conmigo? —preguntó Colin con perspicacia.

El conde guardó silencio, aunque sus labios se fruncieron en un gesto de desagrado, como si tuviera que morderse la lengua para no contestar.

La francesa hervía de furia. Paseó la mirada entre uno y otro y su semblante se llenó de horror al darse cuenta de que todos la miraban a ella.

Cruzó los brazos sobre el pecho y alzó la barbilla.

—Le desafío a demostrar que tuve algo que ver con eso.

Colin sabía que no podría hacerlo, y los demás también. Aun así, no pudo evitar acicatear a la mujer para que se incriminara por sí sola.

—¿Demostrarlo? Tal vez no. Pero creo que haré que Lottie elabore una lista de todos los «accidentes» que le han ocurrido últimamente y pediré a la policía que los investigue, que comprueben dónde se encontraba usted en cada una de esas ocasiones. —Entrecerró los ojos y esbozó una media sonrisa—. La gente suele ponerse a hablar como loca cuando es interrogada por las autoridades, señorita Piaget. Haría bien en poner en orden sus asuntos. Sospecho que está a punto de hundirse en aguas muy profundas.

—O de ser arrestada —intervino sir Thomas con amabilidad.

Sadie abrió los ojos de par en par, retrocedió un paso y se lamió los labios. De pronto llamaron a la puerta y todos dieron un respingo. Sin esperar respuesta, una de las chicas del reparto asomó la cabeza y enarcó sus cejas pintadas al contemplar la extraña escena que tenía ante sí.

—Eh... faltan un par de minutos, Lottie —murmuró con vacilación—. Y tienes que cambiarte de traje.

Colin volvió a mirar a su esposa. Parecía pálida, nerviosa y fuera de sí a causa de la rabia y la tristeza. Podía leer la expresión de su rostro como si de un libro abierto se tratara.

Se escuchó de nuevo el sonido distante de la música, lo que evitó que Colin avanzara tres pasos y matara a su cuñado por haber hecho tanto daño a Charlotte durante tantos años. En lugar de eso, cogió la mano de su esposa y la obligó a volverse para mirarlo.

—Acabaremos con esto más tarde —dijo con una sonrisa titubeante—. Ahora debes regresar al escenario.

Pudo apreciar la indecisión en sus ojos, la mezcla de abatimiento, perplejidad y frustración que encerraban sus rasgos. Le cubrió la mejilla con la palma de una mano y murmuró:

—Canta y haz que me sienta orgulloso, mi hermosa duquesa. Tú eres la estrella.

Ella asintió y trató de devolverle la sonrisa. Después echó un vistazo a su hermano.

—Esta conversación no se ha acabado, Charles —murmuró.

Brixham resopló con fuerza y apartó la mirada mientras su hermana salía del camerino. Sadie se puso en pie y se alisó las faldas del disfraz.

—Yo también debo irme.

—Creo que no —intervino sir Thomas—. De hecho, creo

que es el momento idóneo para que comencemos a investigar su participación en este asunto.

Sadie lo fulminó con la mirada.

—Tengo que ir a cantar.

—Como ya he dicho antes —replicó Colin—, usted forma parte del coro. Nadie la echará de menos.

—¡Cómo se atreve!

—Supongo que podría vigilarla —señaló sir Thomas— para asegurarme de que no intenta arruinar la representación con sus malas artes.

La francesa ahogó una exclamación.

—¿Malas artes?

—Excelente idea —dijo Colin—. Si debe acudir a escena, sir Thomas la vigilará desde detrás de los cortinajes y así podrán proseguir con su pequeña charla una vez que finalice la actuación.

—Esto es ridículo —espetó ella.

—No tan ridículo como el hecho de que usted haya creído alguna vez que podía rivalizar en elegancia, belleza y talento con Lottie English —aseguró en un murmullo cargado de desprecio.

Sadie se quedó boquiabierta ante semejante insulto.

Colin dejó de prestarle atención y clavó la mirada por última vez en su cuñado.

—Estoy seguro de que no querrá perderse el tercer acto, Brixham —dijo con sequedad—. Ha llegado el momento de que todo el mundo se entere de quién es Lottie en realidad.

El conde lo miró con los ojos desorbitados y el sudor que le cubría la frente comenzó a deslizarse por sus sonrojadas mejillas.

—No lo haga —le advirtió en un susurro ahogado.

Colin meneó la cabeza y rió entre dientes.

—Por supuesto que lo haré. A decir verdad, será para mí un placer.

Dicho eso, les dio la espalda y se despidió de sir Thomas con una inclinación de cabeza antes de abandonar el camerino.

24

A pesar del calvario que acababa de pasar, de la ira y el pesar que inundaban su corazón, Charlotte se comportaría como la profesional que era, la soprano estrella de la ópera inglesa a la que su país adoraba. Aunque su identidad permanecería en secreto por el momento, siempre daría lo mejor de sí misma en cada actuación, sin importar el papel que representara ni dónde se encontrara.

Y así lo hizo.

El tercer acto fue tan perfecto como jamás habría soñado; incluso Porano, ajeno a todo lo que había ocurrido, cantó sin cometer ningún error. La noche había sido mágica, y más porque su marido había estado a su lado, de todas las maneras posibles. No solo había defendido su honor, sino también sus alternativas como mujer ante el bribón de su hermano y la estúpida a la que había considerado su amiga.

No tenía ni idea de lo que le depararía el futuro ahora que había averiguado el motivo oculto de las ofertas que había recibido de Italia. Pero mientras cantaba por última vez esa noche, al final del estreno de la representación de la obra de Balfe, decidió que ya no le importaba.

Cuando escuchó los vítores y los espectadores comenzaron a ponerse en pie para homenajear su actuación, Charlotte se inclinó con lágrimas en los ojos ante el público que la adoraba. Nunca se había sentido más venerada que durante esos minutos de interminables aplausos. Alguien gritó «¡Bravo!» y muchas de las damas vestidas de gala se acercaron al escenario para entregarle flores.

Charlotte se volvió hacia la orquesta para agradecer su participación y después hacia Porano y Walter, que estaban tras ella y se inclinaban ante la multitud. Adamo hizo un gran alarde de la jovialidad italiana cuando la sujetó por los brazos y le plantó un beso en cada mejilla.

Después, de una forma tan rápida como extraña, se hizo el silencio entre los espectadores; los vítores y los aplausos se transformaron en murmullos y los gritos de alabanza dejaron paso al rumor de las conversaciones.

Charlotte dio media vuelta y comprendió de inmediato qué era lo que había causado semejante conmoción.

Su marido había aparecido a un lado del escenario y se acercaba a ella, tan impresionante y encantador como siempre.

—¿Qué hace tu amante en el escenario? —susurró Porano con una sonrisa forzada.

Charlotte no respondió. La emoción y la ternura estuvieron a punto de abrumarla cuando vio el enorme ramo de rosas que llevaba en la mano.

En todos los años que la había admirado desde la distancia, jamás le había regalado flores. Que esa noche fuera la primera hizo que el gesto fuera mucho más significativo y le recordó de inmediato la noche que se habían conocido en su camerino, meses atrás. Aquella noche se había sentido nerviosa y cohibida ante el apuesto hombre que le hacía sutiles insinuaciones. Esa noche, sin apartar la mirada de ella y más apuesto de lo que Charlotte lo había visto jamás, irradiaba una devoción tan poderosa que la dejó sin aliento.

Durante algunos segundos fue incapaz de decir nada. Luego, con la garganta constreñida a causa de la emoción, susurró:

—Colin...

—Mi querida Lottie —intervino él con los ojos llenos de adoración y una pizca de malicia—. Eres, y siempre serás, la prima donna de la ópera londinense.

Como si saliera de un trance, Charlotte se dio cuenta de que las personas del público la observaban con detenimiento. Era obvio que algunos de ellos se sentían escandalizados por el hecho de que un hombre casado como el duque de Newark tuviera el valor de aparecer en el escenario para felicitar a su amante.

Una vez recuperada, se inclinó en una reverencia y aceptó las flores que él le ofrecía.

—Gracias, excelencia. Me... alegra mucho que haya podido asistir al estreno esta noche.

Nadie se movió. Pasaron largos e incómodos segundos mientras el público asistente, formado por aristócratas, miembros de la alta sociedad y dignatarios, aguardaba expectante.

De repente, Charlotte oyó una exclamación seguida de un grito en el anfiteatro.

Colin le guiñó un ojo antes de situarse a su lado.

—Estimado señor Michael William Balfe —dijo a voz en grito—, permítame presentarle a mi esposa Charlotte, la duquesa de Newark.

Durante un momento eterno de absoluta incredulidad, la Italian Opera House al completo guardó un atónito silencio. Charlotte se quedó inmóvil, inundada por el pánico y el desconcierto.

Por detrás de su marido apareció la corpulenta figura del compositor británico más célebre del siglo XIX, con el cabello repeinado hacia atrás y una barba que delineaba sus mejillas. En esos momentos, el hombre sonreía de oreja a oreja.

Charlotte sintió que se le doblaban las rodillas al ver que el compositor se colocaba a su lado y extendía una mano para saludarla.

—Ha interpretado magníficamente mi música, señora mía. Es para mí un honor conocerla —dijo con absoluta sinceridad antes de besarle los nudillos.

Charlotte creyó que se desmayaría, aunque consiguió hacerle una reverencia.

—Señor Balfe —murmuró con la garganta seca.

Oyó que Porano murmuraba algo en italiano a su espalda y decidió presentárselo, aunque solo recuperó el buen juicio cuando vio que los miembros del reparto, de la orquesta e incluso de la audiencia, seguían mudos de asombro.

Fue obvio que Balfe se percató de esa reacción, ya que hizo un gesto para saludar a la multitud antes de inclinarse y decirle en voz baja:

—Su marido me envió una invitación para acudir a su palco la noche del estreno hace varias semanas. Creo que pretendía darle una sorpresa.

Charlotte volvió a mirar a Colin, que estaba un poco apartado y tenía las manos enlazadas a la espalda. Su esposo la miraba con una sonrisa diabólica en los labios.

—En ese caso, tendré que agradecérselo más tarde —respondió ella, notando que su nerviosismo comenzaba a aplacarse.

Balfe rió por lo bajo.

—Lo cierto es, señora mía, que posee usted un magnífico instrumento. Tal vez quiera hacerme el honor de representar una de mis nuevas composiciones algún día. —Se rascó las patillas—. De hecho, regresaré a San Petersburgo en los próximos meses, y es muy probable que visite Viena también. Quizá usted y su marido puedan acompañarme. Me gustaría que cantara en Europa una temporada.

Charlotte tuvo que contener las lágrimas de alegría.

—Sería un enorme placer para mí, señor. Pero... bueno... tendré que hablarlo con él, por supuesto.

—Yo también hablaré con él en su nombre —aseguró Balfe, cuyos ojos resplandecían de buen humor—. Pero no creo que sea necesaria mucha persuasión.

Charlotte se echó a reír y el ambiente se relajó un poco a su alrededor. El público había comenzado a dispersarse. Algunos de los espectadores se acercaron con vacilación al escenario para conocer al compositor, pero otros se dirigieron a la parte trasera del teatro para salir al vestíbulo. El reparto y la orquesta comenzaron a rodearlos, puesto que todos deseaban tener la oportunidad de conocer también al gran hombre.

—Mira la tarjeta, Charlotte —murmuró Colin, que se había acercado a ella.

Charlotte parpadeó; no sabía a qué se refería.

—¿La tarjeta?

—La tarjeta que viene con el ramo —explicó él al tiempo que señalaba con la cabeza las flores que sostenía en la mano.

Charlotte bajó la mirada hasta las maravillosas rosas que su esposo le había regalado momentos antes. Había al menos dos docenas de rosas atadas con un lazo blanco de satén, y tardó unos segundos en encontrar la tarjeta insertada entre la cinta y la base del tallo de las flores.

Miró de reojo a su esposo y después ofreció una sonrisa a Balfe, quien lo observaba todo con los brazos cruzados sobre el pecho.

Los murmullos se acallaron una vez más y Charlotte se vio embargada por una súbita e intensa sensación de anticipación.

Colin se acercó un poco más, y ella supo que no apartaba la mirada de su rostro.

Cogió la tarjeta y comenzó a leerla.

> Tu alma es mi único tesoro, mi fuente de alegría.
> Ahora tienes el mundo en la palma de la mano.
> Ámame, Charlotte, como yo te amo. Como te amaré siempre.
> Tu esposo,
>
> COLIN

Durante unos segundos no pudo moverse, no pudo apartar la vista de la nota. Luego comenzó a temblar y muy, muy despacio, levantó los párpados para mirarlo a los ojos.

Solo vio una pizca de incertidumbre en su mirada sincera.

—¿Me amas? —susurró Colin.

El rostro de su esposo se volvió borroso cuando sus ojos se llenaron de lágrimas.

—Te amo. Te amaré siempre —murmuró ella con un hilo de voz.

Instantes después, ajena a todo y a todos menos a él, dejó caer el ramo de rosas al suelo y se arrojó a sus brazos.

Epílogo

Penzance, septiembre de 1864

Colin se desperezó tras haberse quedado traspuesto y alzó la vista hacia el sol del atardecer. Luego apretó los párpados para librarse de la bruma que inundaba su mente y buscó a su esposa.

Tardó solo unos instantes en encontrarla. Estaba junto al mar, con Matthew, el segundo hijo de Olivia y Sam, entre sus brazos. Sostenía al bebé de ocho meses mientras hablaba con Gracie, la hermana mayor de Matthew, que ya tenía tres años y que parecía estar haciendo un castillo de arena. O intentándolo, al menos. Colin los contempló por un momento y se fijó en que Henry, el hijo de Will y Vivian, se soltaba de pronto de la mano de su madre y corría hacia la orilla para dar una patada a los montones de arena antes de ponerse a saltar sobre la creación con gran regocijo.

Gracie comenzó a gritar, lo que a su vez hizo llorar al bebé. Su esposa lo miró y lo saludó con la mano antes de esbozar una enorme sonrisa, debida sin duda al hecho de que ellos, hasta el momento, se habían librado de los atormentadores gritos de los niños.

Colin se puso de costado y apoyó la cabeza en la palma de la mano mientras contemplaba el desarrollo de la escena. Will y Sam, que mantenían una conversación a escasa distancia, echaron un breve vistazo por encima del hombro al escuchar el alboroto y después siguieron con la charla como si nada. Vivian se apartó de la orilla para regañar a su hijo, quien también empezó a gritar presa de una rabieta, para diversión de todos los demás.

Sonrió al reflexionar sobre lo mucho que habían cambiado sus vidas a lo largo de los años. De los tres, había sido él quien más había tardado en casarse por miedo a perder su independencia, y ahora era incapaz de recordar cómo era su vida sin Charlotte a su lado consolándolo, enfadándose con él y haciéndole el amor. En muchos aspectos, sus amigos y él se habían unido aún más desde su matrimonio, probablemente porque sus esposas se habían convertido también en grandes amigas. Solo se veían una o dos veces al año, pero siempre se reunían en Penzance antes de que acabara el verano. Los niños gritones ni siquiera lo molestaban ya. Eran parte de la vida, una de las alegrías de envejecer que deseaba experimentar pronto.

Aún no habían hablado de tener hijos, ya que Charlotte había estado de gira por Europa, y con mucho éxito, durante los últimos años. A decir verdad, habían tenido bastante cuidado a la hora de hacer el amor, pero una pequeña parte de él comenzaba a temer que su esposa no pudiera concebir hijos. No había mencionado sus preocupaciones a Charlotte, y ella parecía más que satisfecha con tenerlo a su lado durante los viajes, así que hasta ese momento el asunto no lo había inquietado demasiado.

La había acompañado al extranjero, por supuesto, y había disfrutado mucho de la experiencia; de las cenas, reuniones y charlas con diversos dignatarios, aristócratas e individuos que veneraba la ópera y el talento de su esposa. Aunque ya se sentía orgulloso de ella, nada podía compararse a lo que había sentido al verla cantar en los teatros más importantes de Italia, Austria y Rusia. Era magnífica y cada día la amaba más.

Como si supiera que de pronto la necesitaba a su lado, Charlotte dejó a Matthew en brazos de Olivia y comenzó a caminar en su dirección mientras se apartaba de la cara los ingobernables mechones de cabello que la brisa había arrancado del lazo que los mantenía sujetos en la nuca. Colin sonrió y sintió un arrebato de lujuria al ver cómo el viento barría sus faldas a un lado y delineaba las deliciosas curvas de su cuerpo desde los pechos hasta los tobillos.

—Creo que me he quedado dormido —comentó mientras ella se acercaba.

—Mmm... ¿Te horrorizarías si te digo que roncabas tan alto que asustaste a los pájaros de la orilla, cariño?

Él se echó a reír por lo bajo.

—No es cierto.

Charlotte se sentó a su lado y se colocó las faldas alrededor de las piernas antes de rodearse las rodillas con los brazos.

—Sí que lo es.

Colin permaneció en silencio unos instantes, contemplando el mar.

—Es un lugar precioso.

Su esposa suspiró.

—Lo sé. Creo que no me importaría vivir aquí.

Él le cogió una mano y empezó a acariciarle los dedos.

—Charlotte, he estado pensando...

Ella volvió la cabeza para mirarlo.

—Creí que dormías —bromeó—. Bueno, al menos hasta que Henry destrozó el maravilloso logro arquitectónico de Gracie —matizó—. Creo que nadie en un kilómetro a la redonda ha podido seguir durmiendo después de eso.

Colin rió entre dientes.

—Eso era justo lo que estaba pensando.

—¿Pensabas en niños gritones?

Él encogió los hombros.

—¿Por qué no?

Charlotte echó la cabeza hacia atrás y soltó una carcajada.

—¿Quieres que tengamos un hijo, Colin, amor mío?

Él le rodeó la cintura con los brazos y tiró de ella para

tenderla sobre la manta, a su lado, antes de inmovilizarla y empezar a hacerle cosquillas en el cuello con la nariz.

—Tengamos cinco o seis.

Su esposa dio un chillido.

—Para ya, esto es una indecencia.

—Me importa un comino —susurró contra su piel.

Charlotte colocó la palma de la mano bajo su barbilla y lo separó un poco.

—¿Tienes idea de lo mucho que te amo? —susurró después de recorrer su rostro con la mirada.

Colin la adoraba cuando le preguntaba eso.

—¿Cuánto?

Ella deslizó el pulgar a lo largo de su mandíbula.

—Lo suficiente para entregarte el mundo.

—Lottie... —bromeó él, al tiempo que le frotaba la nariz con la suya—. Eso ya lo has hecho.

—En ese caso... —susurró—, ¿qué te parecería un bebé... para el próximo mes de marzo?

Colin se alejó un poco y la contempló con expresión incrédula.

Charlotte esbozó una sonrisa burlona.

—¿Para qué hablar sobre ello si ya estoy embarazada?

El 25 de marzo de 1865, su hija, Sophia Victoria, llegó al mundo fuerte y saludable, gritando más alto que ningún otro niño que Colin hubiera conocido en su vida. Todas las noches la contemplaba mientras dormía y pensaba en lo mucho que la amaba, en lo feliz que se sentía. Sin embargo, dado el torrente de voz del que hacía gala, no podía evitar preguntarse si sería capaz de financiar su gira cuando le suplicara permiso para cantar sobre los escenarios al cabo de veinte años.

¿Te gustan las buenas historias de amor?

Entra en

www.megustaleerromantica.com

y descubre el mundo de emociones y sensaciones, romanticismo y pasión, que contienen nuestros libros

Descarga primeros capítulos

entrevistas y contenidos multimedia

Entérate de las últimas novedades y noticias

Comenta y valora tus libros favoritos

Apúntate a nuestra newsletter

[illegible]